初心者が合格できる

知識と実力がしっかり身につく

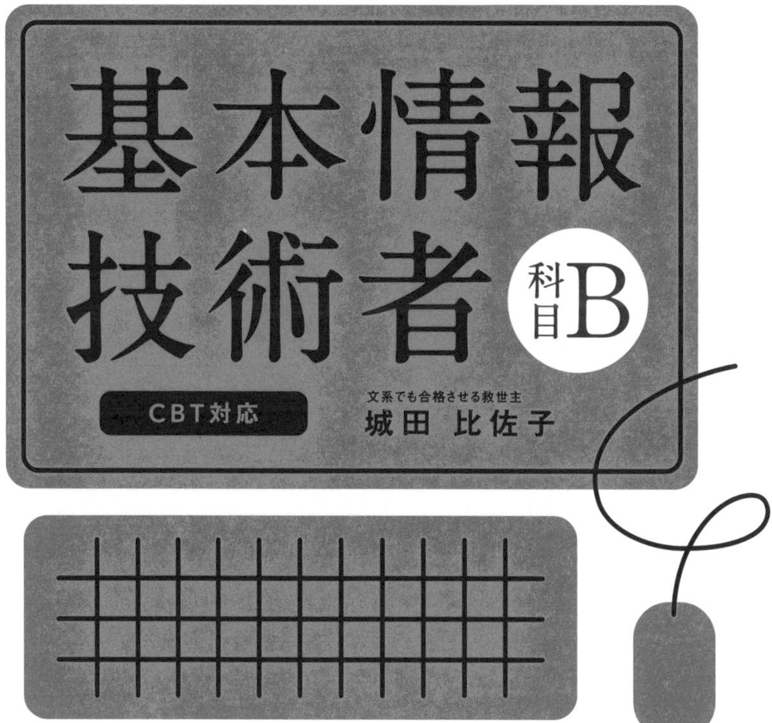

FE Fundamental Information Technology Engineer Examination

SB Creative

本書に関するお問い合わせ

この度は小社書籍をご購入いただき誠にありがとうございます。小社では本書の内容に関するご質問を受け付けております。本書を読み進めていただきます中でご不明な箇所がございましたらお問い合わせください。なお、お問い合わせに関しましては下記のガイドラインを設けております。恐れ入りますが、ご質問の際は最初に下記ガイドラインをご確認ください。

ご質問の前に

小社 Web サイトで「正誤表」をご確認ください。最新の正誤情報をサポートページに掲載しております。

- 本書サポートページ URL
  https://isbn2.sbcr.jp/16397/

ご質問の際の注意点

- ご質問はメール、または郵便など、必ず文書にてお願いいたします。お電話では承っておりません。
- ご質問は本書の記述に関することのみとさせていただいております。従いまして、○○ページの○○行目というように記述箇所をはっきりお書き添えください。記述箇所が明記されていない場合、ご質問を承れないことがございます。
- 小社出版物の著作権は著者に帰属いたします。従いまして、ご質問に関する回答も基本的に著者に確認の上回答いたしております。これに伴い返信は数日ないしそれ以上かかる場合がございます。あらかじめご了承ください。

ご質問送付先

ご質問については下記のいずれかの方法をご利用ください。

▶ Web ページより

上記のサポートページ内にある「この商品に関する問い合わせはこちら」をクリックすると、メールフォームが開きます。要綱に従って質問内容を記入の上、送信ボタンを押してください。

▶郵送

郵送の場合は下記までお願いいたします。

〒 105-0001　東京都港区虎ノ門 2-2-1
SB クリエイティブ　読者サポート係

はじめに

基本情報技術者試験は、国家資格である情報処理技術者試験の一区分です。昭和44年に発足した、歴史が長く知名度も高い試験です。これまで何度か、試験制度・内容の変更がなされてきました。令和5年の変更は大きなものでした。科目Aと科目Bという2区分になり、従来の午後試験に該当する科目Bの出題分野はアルゴリズム・プログラミングと情報セキュリティの2分野のみとなりました。問題は全問必須で、アルゴリズム・プログラミングからおよそ 16 問と情報セキュリティからおよそ 4 問です。プログラミングは特定の言語ではなく、プログラミング的思考力を問う擬似言語による出題に統一されました。これはプログラマを対象とした試験の色合いが濃くなったということです。逆の言い方をすれば、プログラミング経験のない受験者にとって、ハードルが高くなったといえます。プログラミングをやったことがなく、どこから手をつけてよいかわからない受験者もいるでしょう。

この本は、プログラミングの経験がない方、セキュリティの実務に携わっていない方が科目Bを突破できるように書きました。初歩の初歩から丁寧に書いています。問題を解くときのコツやトレース（変数の値の変化を追いかけること）も詳細に説明しています。少しずつステップアップして、最終的には本試験レベルの問題が解けるようになることを意識しています。

この本を利用して、一人でも多くの方が科目Bを突破して、基本情報技術者試験の合格を手にされることを願っています。

2023年8月

城田 比佐子

本書の使い方

本書は、初心者が「基本情報技術者試験の科目Bに合格する」ための基本的な知識と実力を身につけるためのテキストです。本番の試験でみなさんが最大限実力を発揮できるよう紙面を構成しています。

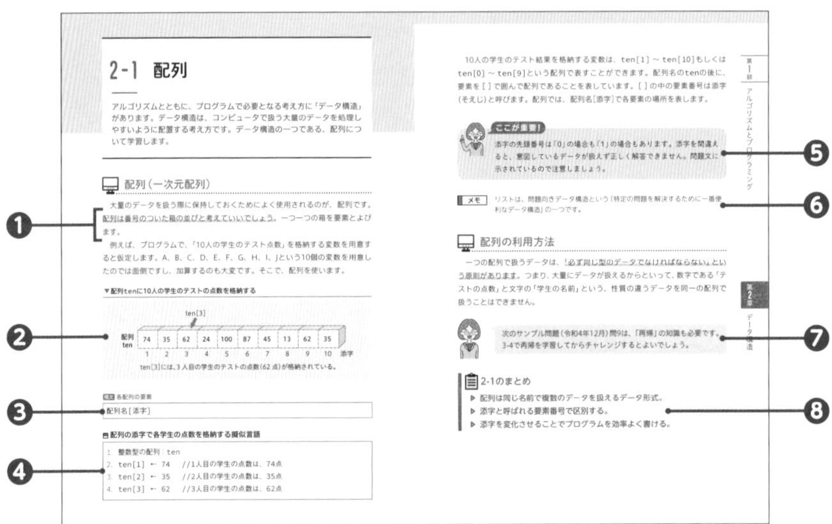

2-1 配列

アルゴリズムとともに、プログラムで必要となる考え方に「データ構造」があります。データ構造は、コンピュータで扱う大量のデータを処理しやすいように配置する考え方です。データ構造の一つである、配列について学習します。

配列（一次元配列）

大量のデータを扱う際に保持しておくためによく使用されるのが、配列です。配列は番号のついた箱の並びと考えていいでしょう。一つ一つの箱を要素とよびます。

例えば、プログラムで、「10人の学生のテスト点数」を格納する変数を用意すると仮定します。A、B、C、D、E、F、G、H、I、Jという10個の変数を用意したのでは面倒ですし、加算するのも大変です。そこで、配列を使います。

▼配列tenに10人の学生のテストの点数を格納する

ten[3]には、3人目の学生のテストの点数（62点）が格納されている。

構文 各配列の要素

配列名[添字]

配列の添字で各学生の点数を格納する擬似言語

```
整数型の配列：ten
ten[1] ← 74   //1人目の学生の点数は、74点
ten[2] ← 35   //2人目の学生の点数は、35点
ten[3] ← 62   //3人目の学生の点数は、62点
```

10人の学生のテスト結果を格納する変数は、ten[1]～ten[10]もしくはten[0]～ten[9]という配列で表すことができます。配列名のtenの後に、要素を[ ]で囲んで配列であることを表しています。[ ]の中の要素番号は添字（そえじ）と呼びます。配列では、配列名[添字]で各要素の場所を表します。

ここが重要！ 添字の先頭番号は「0」の場合も「1」の場合もあります。添字を間違えると、意図しているデータが扱えず正しく解答できません。問題文に示されているので注意しましょう。

メモ リストは、問題向きデータ構造という「特定の問題を解決するために一番便利なデータ構造」の一つです。

配列の利用方法

一つの配列で扱うデータは、「必ず同じ型のデータでなければならない」という原則があります。つまり、大量にデータが扱えるからといって、数字である「テストの点数」と文字の「学生の名前」という、性質の違うデータを同一の配列で扱うことはできません。

次のサンプル問題（令和4年12月）問9は、「再帰」の知識も必要です。3-4で再帰を学習してからチャレンジするとよいでしょう。

2-1のまとめ
- 配列は同じ名前で複数のデータを扱えるデータ形式。
- 添字と呼ばれる要素番号で区別する。
- 添字を変化させることでプログラムを効率よく書ける。

❶強調……本書では重要な用語を「オレンジの太字」、しっかり理解したい内容は「下線」で表記しています。

❷図表……解説内容を図表にしたものです。プログラミングが初めてでもイメージがわき、スムースに理解できます。

❸構文……擬似言語の文法にあたるものです。

❹擬似言語……擬似言語でプログラムを書いたものです。試験では基本的に、擬似言語で書かれたプログラムコードが出題されます。

❺ここが重要……試験で注意すべきことなど、重要な点を掲載しました。合格のために必ず確認しましょう。

❻メモ……関連する内容や、理解を深める＋αの情報を掲載しています。

❼講師からの一言……解説について、講師からの一言を掲載しています。

❽各節のまとめ……各節の要点を凝縮しています。試験直前の見直しに利用するのもお勧めです。

各章の最後には問題演習を用意しています。知識を習得したら、問題演習に取り組んでください。本書に掲載しているのは、「IPAが公式に公開しているサンプル問題」が中心です。もっとも本番に近いレベルの演習で、試験対策ができます。

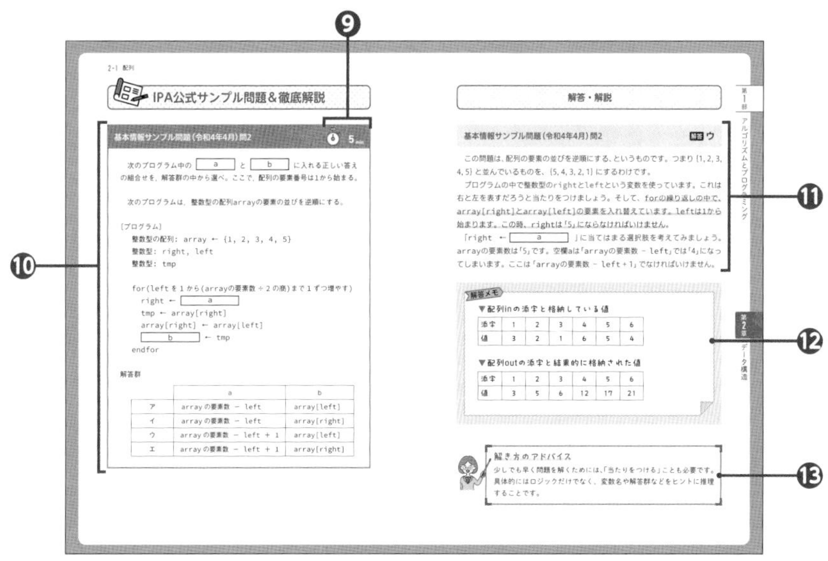

2-1 配列

IPA公式サンプル問題＆徹底解説

基本情報サンプル問題（令和4年4月）問2　5min

次のプログラム中の a と b に入れる正しい答えの組合せを，解答群の中から選べ。ここで，配列の要素番号は1から始まる。

次のプログラムは，整数型の配列arrayの要素の並びを逆順にする。

〔プログラム〕
```
整数型の配列: array ← {1, 2, 3, 4, 5}
整数型: right, left
整数型: tmp

for(left を 1 から(arrayの要素数 ÷ 2 の商)まで 1 ずつ増やす)
  right ← [ a ]
  tmp ← array[right]
  array[right] ← array[left]
  [ b ] ← tmp
endfor
```

解答群

	a	b
ア	array の要素数 − left	array[left]
イ	array の要素数 − left	array[right]
ウ	array の要素数 − left + 1	array[left]
エ	array の要素数 − left + 1	array[right]

解答・解説

基本情報サンプル問題（令和4年4月）問2　解答 ウ

この問題は、配列の要素の並びを逆順にする、というものです。つまり{1, 2, 3, 4, 5}と並んでいるものを、{5, 4, 3, 2, 1}にするわけです。

プログラムの中で整数型のrightとleftという変数を使っています。これは右と左を表すだろうと当たりをつけましょう。そして、forの繰り返しの中で、array[right]とarray[left]の要素を入れ替えています。leftは1から始まります。この時、rightは「5」にならなければいけません。

「right ← [a]」に当てはまる選択肢を考えてみましょう。arrayの要素数は「5」です。空欄aは「arrayの要素数 − left」では「4」になってしまいます。ここは「arrayの要素数 − left + 1」でなければいけません。

解答メモ

▼配列inの添字と格納している値

添字	1	2	3	4	5	6
値	3	2	1	6	5	4

▼配列outの添字と結果的に格納された値

添字	1	2	3	4	5	6
値	3	5	6	12	17	21

解き方のアドバイス

少しでも早く問題を解くためには、「当たりをつける」ことも必要です。具体的にはロジックだけでなく、変数名や解答群などをヒントに推理することです。

❾解答目安……解答の目安時間を示しています。本番の試験と同様に問題を解くときには、時間を意識して取り組みましょう。

❿問題……基本情報技術者試験の主催者である、IPA（独立行政法人情報処理推進機構）が公開しているサンプル問題や公開問題を掲載しました。必要に応じて、著者のオリジナル問題や厳選した過去問題も掲載しています。

⓫解答・解説……各問題について徹底的に解説しました。問題文と照らし合わせながらよく読んでください。

⓬解答メモ……本番の試験で手元のメモ用紙に記載する、メモの例です。実際にどのようなメモをとるか参考にしてください。

⓭解き方のアドバイス……各問題を解くために重要なポイントを掲載しています。問題文で注目すべき箇所など、実践的なノウハウについても掲載しているので問題を解いたら必ず目を通してください。

目　次

序章

試験の概要と合格戦略

0-1　試験の概要

基本情報技術者試験は、ICTや情報処理の分野の唯一の国家試験として数十年の歴史をもつ「情報処理技術者試験」の区分の一つです。

基本情報技術者試験とは、どのような試験か

基本情報技術者試験は、ITエンジニアに必要とされる基礎知識を幅広く問う試験です。ITエンジニアとして仕事をするスタートラインであり、ほとんどのIT企業が、基本情報に合格することを新入社員の必須課題にしています。

近年では、ITリテラシーは、IT企業のみならず、一般企業においても必須のスキルとなっています。学校教育におけるプログラミングの必修化とあわせ、学生やIT企業以外の社会人にとっても有益な資格です。

ここが重要！

2023年（令和5年）にこれまでの上期・下期の試験期間がなくなり、**CBT方式で通年実施される試験となりました**。また午前・午後の区分もなくなり、それぞれ科目A・科目Bとなりました。

CBT方式

CBT（Computer Based Testing）とは、コンピュータ上で実施される試験です。科目A、科目BともCBT方式で実施されます。試験問題が画面に表示され、それに対する解答（選択肢）をクリックする方式です。モニターが紙のマークシートにあたり、選択肢を塗るのが「コンピュータ上のクリック」になるとイメージしてください。ただし、CBTは試験会場での受験になります。コンピュータを持っていても、自宅などで受験することはできません。

メモ　CBT方式の試験はコンピュータ上で実施するといっても、コンピュータでプログラムを作成する試験ではありません。

▶ 科目Bの出題範囲はプログラミング（アルゴリズム）と情報セキュリティ

試験センターが公表している出題範囲は次のようなものです。①～④がプログラミング、⑤がセキュリティに該当します。

◎①プログラミング全般に関すること

実装するプログラムの要求仕様（入出力，処理，データ構造，アルゴリズムほか）の把握，使用するプログラム言語の仕様に基づくプログラムの実装，既存のプログラムの解読及び変更，処理の流れや変数の変化の想定，プログラムのテスト，処理の誤りの特定（デバッグ）及び修正方法の検討 など

注記 プログラム言語について，基本情報技術者試験では擬似言語を扱う。

◎②プログラムの処理の基本要素に関すること

型，変数，配列，代入，算術演算，比較演算，論理演算，選択処理，繰返し処理，手続・関数の呼出し など

◎③データ構造及びアルゴリズムに関すること

再帰，スタック，キュー，木構造，グラフ，連結リスト，整列，文字列処理など

◎④プログラミングの諸分野への適用に関すること

数理・データサイエンス・AIなどの分野を題材としたプログラム など

◎⑤情報セキュリティの確保に関すること

情報セキュリティ要求事項の提示（物理的及び環境的セキュリティ，技術的及び運用のセキュリティ），マルウェアからの保護，バックアップ，ログ取得及び監視，情報の転送における情報セキュリティの維持，脆弱性管理，利用者アクセスの管理，運用状況の点検 など

試験要綱

https://www.ipa.go.jp/shiken/syllabus/gaiyou.html

科目Aと科目Bの違い

科目Aと科目Bの問題数と時間は、次の表のとおりです。

▼科目Aと科目Bの違い

科目A試験（小問）	科目B試験（小問）
試験時間：90分	試験時間：100分
出題数：60問	出題数：20問
解答数：60問	解答数：20問　※選択問題なし（全問必須）

科目A・科目Bともに小問、つまり個々の問題が独立していて、選択肢で答える点では同じですが、問題の長さや選択肢の数に違いがあります。

科目A
- 選択肢は全て4つ
- 問題文が短い（知識を問う）

科目B
- 選択肢は4つとは限らない
- 問題文の長さに幅がある

科目Bのプログラミング（アルゴリズム）の問題は、説明・ソースプログラム・選択肢の順に並ぶことが多く、セキュリティはケーススタディなので、問題文がやや長くなります。

受験の申し込み方法

以下のURLから日時・エリアを選択し、空席がある日時・会場を予約します。試験会場ごとに開催スケジュールが異なります。自分の都合のいい時間、場所を指定できるのはメリットですが、満席になっていることもあります。希望の受験会場がある場合は、余裕を持って申し込みましょう。

基本情報技術者受験者専用サイト

https://cbt-s.com/examinee/examination/fe

合格ライン

科目Aと科目B両方とも600点以上の場合に合格になります。試験はIRT（項目応答理論）により採点するため、ダミー問題が含まれている可能性があり、各問の配点は同じではありません。実際はどれがダミーか考える必要はなく、6割以上の正答を目指します。

メモ IRTとは、試験で評価する際、受験者の実力をより正確に測る方法です。具体的には、統計情報を利用して問題ごとの配点を変えたり、出題する順番を変えたりする方法です。正解者が少ない問題の配点を高くしたり、採点からはずす統計用のダミー問題を混ぜたりします。これにより、「まぐれ」の合格は少なくなるといわれています。

アルゴリズムの勉強方法（プログラミング未経験の方）

本書はプログラミング経験のない人でも、理解できるように初歩から説明しています。プログラムは試験で出題される**擬似言語**で書き、試験対策に特化しています。本書で基本を学習し、各章のサンプル問題や公開問題を解いてみましょう。IPAから過去問題として、旧制度の午後問題のアルゴリズム問題が公開されていますが問題のボリュームが大きく違い、あまり参考になりません。

セキュリティの勉強方法

セキュリティの学習は、まずは科目Aレベルの知識を固めることです。科目Bで必要とされる知識は平易なものだからです。その上で、すぐにサンプル問題や公開問題にチャレンジしても問題ありません。ただし、公開されている問題は少ないため、情報セキュリティマネジメント試験の過去問題が参考になります。余裕のある方はそちらを解いて練習しましょう。

コラム **プログラミング学習の王道**

プログラミング学習の王道は、自分でプログラミングをすることです。実際にプログラムを作りながら、プログラミングの知識と基本的なアルゴリズムを習得することがセオリーです。プログラミング言語は何でもかまいません。学生であれば授業で習ったもの、社会人であれば実務で使うものを選ぶとよいでしょう。実際に経験すれば、擬似言語の記述形式を習得するのも簡単になります。ただしとても時間がかかり、独学では挫折することも多いです。

0-2 当日の注意

必ず、試験開始時間までに受付を済ませましょう。その際、「本人確認書類」が必要です。免許証、マイナンバーカード、顔写真のついた社員証や学生証などです。受験票はありませんし、マイページのIDやパスワードも必要ありません。本人確認書類だけは忘れないようにしましょう。

▶ 試験会場に到着したら

荷物やスマホ、腕時計等は全てロッカーに入れます。

▼試験会場に持ち込めるモノ

- 本人確認書類・ハンカチ
- 目薬程度

受付で、**IDとパスワードが書かれた用紙を渡されます**。会場に入り、コンピュータにそれを入力することで、試験が開始されます。

著者は何度か会場を変えて受験してみました。基本的な手順は同じですが、会場によって微妙な違いはあります。メモ用紙とボールペンが受付で渡される会場、コンピュータの横に置いてある会場、コンピュータが横一列に並んでいる会場、教室方式に並んでいる会場、使い捨て耳栓が置いてある会場、事務所の話し声がかなり聞こえる会場、さまざまです。画面の大きさも会場によって異なります。初めての会場でもあまり神経質にならず、落ち着いて臨みましょう。

▶ 試験の流れ（チュートリアル）

IDとパスワードを入力すると、まずチュートリアルが開始されます。画面操作等の説明画面です。チュートリアルは試験時間に含まれません。そこで説明がありますが、**画面の白黒反転とズーム機能**があります。

メモ 色を変えたり照度を変えたりする機能はありません。また以前のCBT試験にあったような、右クリックを使ったマーキングや選択肢に×をつける機能もありません。

▶ 試験の流れ（科目A）

チュートリアルが終わると科目Aが開始されます（90分の時間のカウントダウンが始まります）。一問が一画面で表示され、画面上には問題と選択肢の他に、**「解答状況」「後で見直す」「前の問題」「次の問題」「試験終了」**というボタンがあります。

- 「解答状況」ボタン：60問の一覧が表示されます。解答済みと未解答の問題を一覧で確認できます。
- 「後で見直す」ボタン：その問題にマーキングがされます。「解答状況」でマークがついていることを確認できます。

問題を飛ばすスライダーはないので、例えば先に問40から始めたいという場合は「解答状況」を出して、問40をクリックします。90分経過するか、**「試験終了」**をクリックすることで科目Aが終了します。

◎休憩

科目A終了後、**最大10分の休憩**をとることができます。これもカウントダウンになっています。10分経つと科目Bが始まってしまうので、席をはずす場合は早めに戻りましょう。休憩を取らずにすぐに科目Bを始めることも可能です。

▶ 試験の流れ（科目B）

科目Bの画面も科目Aとほぼ同じです。問題文が長いので、1画面に収まらないことがあります。その場合はマウスでスクロールするか、画面を縮小することになります。縮小すると、文字が小さくなるだけでなく、ピントが甘くなり、あまり見やすくないので、スクロールを推奨します。

100分経過するか、「試験終了」をクリックすることで科目Bが終了します。

◎得点の確認

試験終了後すぐに「結果詳細」画面が表示されます。科目A、科目Bそれぞれの得点が表示されます。

0-3 CBT試験の特徴

CBT試験と紙での試験では三つ違いがあります。特に科目Bに絞って、それぞれの対策を伝授します。

▶ ①長時間、画面を見て集中する必要がある

コンピュータでの試験はかなり疲れることを覚悟してください。科目Aと科目Bの間に最大で10分の休憩はとれますが、トイレにいくのが精一杯です。90分＋100分、集中して画面を見るのはつらいです。試験の仕様上仕方ないのですが、あらかじめ疲れることを知っておくだけでも違います。当日疲れてきても、受験者全員が疲労しているので落ち着いて解き続けましょう。

目の疲労対策としては、目薬を持ち込むことがあります。試験会場に持ち込めるものは、制限がありますが、ハンカチや目薬程度は、試験前に受付に申し出れば持ち込むことができます。目の疲れを一時的に和らげ、リフレッシュして問題文を読み続けられるのでおすすめです。

メモ 実は一番有効な対策は科目Aの免除を受けることです。ただしこれは、認定を受けた講座を修了したうえで、科目免除試験に合格する必要があります。時間もコストもかなりかかります。

▶ ②問題用紙に書き込みができない

ここが旧試験との大きな違いです。紙であれば、問題文に書き込むことができますが、画面ではそれができません。対策としては、次のようになります。

アルゴリズム問題

- プログラムの繰り返しがどこからどこまでで、その中でどんな処理をしているか、などは画面でしっかり確認する（指やペンで抑えるのも理解の助けになる）。

- 変数の意味することは何か、どう遷移するかなど手元のメモ用紙に書き込む。

アルゴリズム問題・情報セキュリティ問題共通

- 問題文で重要と思われる情報もメモ用紙に書き込む。

③長文の問題はスクロールが必要

紙の問題用紙であればページをめくり、少しずらして複数のページを見ることができますが、コンピュータ画面ではそれができません。ただし、CBT方式の新制度の試験では、1問のボリュームはかなり減りました。長くても2画面で収まる程度です。

◎アルゴリズム問題

アルゴリズム問題で出題されるプログラムコードは、1画面に収まる問題がほとんどです。問題本文、プログラムコード、選択肢の順に並んでいます。試験中は問題本文の要点をメモして、プログラムコードを見るとよいでしょう。

◎情報セキュリティ問題

アルゴリズム問題に比べ、セキュリティの方が長文の問題があります。スクロールすると、解答に必要な情報と選択肢が同じ画面で見えなくなることもあるので、その場合はメモ用紙を活用しましょう。

0-4 当日の［科目B］合格戦略

筆者は科目Bの一番のポイントは「時間」だと考えています。100分で全ての問題に、きちんと考えて解答できれば、合格ラインの6割をとることは難しくありません。逆に戦略を誤ると、時間が足りず何問かは手つかずになってしまい合格が難しくなります。

▶ 科目Bの20問への時間配分

100分で20問なので、単純に割れば1問5分です。ただ、5分では到底解けない問題も含まれていますから、短時間で解ける問題を少しでも短い時間で解くトレーニングが必要になるでしょう。

例えば、比較的易しいプログラミングの問1～問3あたりを1～3分で解ければ、他の問題に時間の余裕ができてきます。スピードを上げるためのトレーニングとして、本書に加え旧制度の午前問題のアルゴリズム分野や、最近のITパスポートのプログラミング問題（過去問）も解いてみましょう。

そして6割以上の得点を得るためには、戦略を立てることが必要です。

▶【戦略1】解く順番の戦略

必ずしも問1から解く必要はありません。科目B試験は、問題による難易度に大きな差があります。

プログラミング問題

特徴：問1が易しく、後ろにいくほど難易度が上がる

注意：少しでも時間の余裕を持たせるために、どの順番で解くかがカギ

セキュリティ問題

特徴：全体的にはプログラミングより難易度が低い

注意：問題文が長いので、疲れてくると、問題文が頭に入らなくなる

それぞれの得意不得意な分野はあると思いますが、お勧めは次のような作戦です。

◎①セキュリティ→プログラミングの順で解く（易しいセキュリティ問題で着実に点を取る作戦）

文章の問題を読むことが得意な方や、プログラミング経験の少ない方に向いています。セキュリティの問題は難易度的には易しいのですが、問題文が長いです。国語の問題と割り切って解いてしまいましょう。

◎②プログラミングの問1 ～問10→セキュリティ→プログラミングの問11 ～問16の順で解く（難しい問題にできるだけ時間を残す作戦）

ある程度プログラミング経験のある方や、擬似言語に慣れてきた方に向いています。難易度の低いプログラミング問題を短い時間で解き、その後文章の長いセキュリティ問題を先に解きます。疲れてくると、長いセキュリティの文章が読みにくくなるからです。最後に、やや難易度の高いプログラミング問題に取り組みます。

ここが重要！

本書で一通り学習し、自分にあう戦略を確認して試験前に「解く順番」を決めておきましょう。

▶【戦略2】アルゴリズムの難しい問題にこだわらない、プログラムコードに飛びつかない

難しい問題を1問正解するより、易しい問題を2問正解する方が得点は高くなることが予想されます。難しくて歯が立たない、かなり時間を使いそうな問題は、エイッと勘で解答するのも作戦のうちです。諦めるのではなく、戦略的撤退です。

ただし、サンプル問題を見る限り、問題文は難しそうに思えても解いてみるとあっけない問題もあります。問題文のややこしさにめげないことも必要です。そのややこしい（と思える）問題文をきちんと読めれば、プログラムは短い問題がほとんどです。プログラムがあると、そちらに先に目が行きがちですが、まずは問題文の意図を理解する方が結局は早く解けます。

▶【戦略3】メモをうまく書く

問題文に書き込めないので、メモ用紙をフル活用しましょう。プログラムを書き写す時間はありません。基本的に、次のことをメモするとよいでしょう。

- 問番号
- 問題の要点
- 変数や関数（引数）の意味
- 問題によっては、トレース表
- 問題によっては、図（例えば、木構造やリスト）

問題の例と、メモの例を紹介します。試験の雰囲気を掴んでください。

基本情報サンプル問題（令和4年12月）問3　5min

次の記述中の [　　　] に入れる正しい答えを，解答群の中から選べ。ここで，配列の要素番号は1から始まる。

関数makeNewArrayは，要素数2以上の整数型の配列を引数にとり，整数型の配列を返す関数である。関数makeNewArrayをmakeNewArray({3, 2, 1, 6, 5, 4})として呼び出したとき，戻り値の配列の要素番号5の値は [　　　] となる。

〔プログラム〕

```
○整数型の配列: makeNewArray(整数型の配列: in)
  整数型の配列: out ← {} // 要素数 0 の配列
  整数型: i, tail
  outの末尾 に in[1]の値 を追加する
  for (i を 2 から inの要素数 まで 1 ずつ増やす)
    tail ← out[outの要素数]
    outの末尾 に (tail + in[i]) の結果を追加する
  endfor
  return out
```

解答群

ア 5　　イ 6　　ウ 9　　エ 11　　オ 12

カ 17　　キ 21

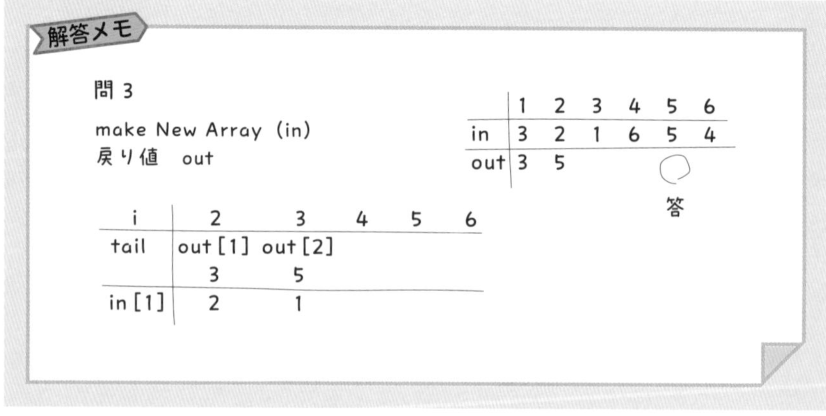

基本情報サンプル問題（令和4年12月）問17 5min

製造業のA社では，ECサイト（以下，A社のECサイトをAサイトという）を使用し，個人向けの製品販売を行っている。Aサイトは，A社の製品やサービスが検索可能で，ログイン機能を有しており，あらかじめAサイトに利用登録した個人（以下，会員という）の氏名やメールアドレスといった情報（以下，会員情報という）を管理している。Aサイトは，B社のPaaSで稼働しており，PaaS上のDBMSとアプリケーションサーバを利用している。

A社は，Aサイトの開発，運用をC社に委託している。A社とC社との間の委託契約では，Web アプリケーションプログラムの脆弱性対策は，C社が実施するとしている。

最近，A社の同業他社が運営しているWebサイトで脆弱性が悪用され，個人情報が漏えいするという事件が発生した。そこでA社は，セキュリティ診断サービスを行っているD社に，Aサイトの脆弱性診断を依頼した。脆弱性診断の結果，対策が必要なセキュリティ上の脆弱性が複数指摘された。図1にD社からの指摘事項を示す。

▼図1　D社からの指摘事項

項番 1 Aサイトで利用しているアプリケーションサーバのOSに既知の脆弱性があり，脆弱性を悪用した攻撃を受けるおそれがある。
項番 2 Aサイトにクロスサイトスクリプティングの脆弱性があり，会員情報を不正に取得されるおそれがある。
項番 3 Aサイトで利用しているDBMSに既知の脆弱性があり，脆弱性を悪用した攻撃を受けるおそれがある。

設問　図1中の各項番それぞれに対処する組織の適切な組合せを，解答群の中から選べ。

解答群

	項番1	項番2	項番3
ア	A社	A社	A社
イ	A社	A社	C社
ウ	A社	B社	B社
エ	B社	B社	B社
オ	B社	B社	C社
カ	B社	C社	B社
キ	B社	C社	C社
ク	C社	B社	B社
ケ	C社	B社	C社
コ	C社	C社	B社

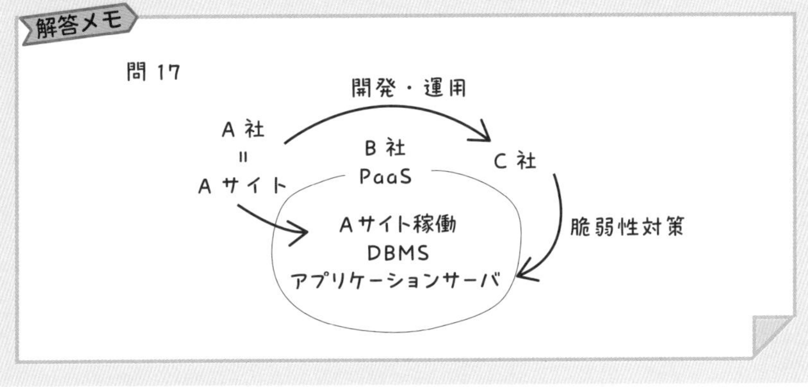

序章 試験の概要と合格戦略

◎メモ用紙の取り扱い

メモ用紙が足りなくなったら、PC脇にあるボタンを押すなどの方法で合図をすれば、試験監督員が持ってきてくれることになっています。節約して小さい字で書く必要はありません。ただし、持ってきてもらう時間も惜しいので、そこはほどほどに。科目Aと科目Bの間の休憩に新しいメモ用紙をもらうとよいでしょう。

なお、メモ用紙は持ち帰ることはできません。また問題文の内容について、外部に知らせることも禁じられています。注意してください。

コラム 試験後のアドバイス

前述のとおり、試験終了後すぐに「結果詳細」が表示されます。これは正式の合格通知ではなく、正式な合否はほぼ1か月後にマイページで確認することができます。

「結果詳細」で**科目A、科目Bが600点以上**だった場合は、合格と考えてよいでしょう。次のステップ(応用情報技術者)の準備を始めるのもおすすめです。万が一残念ながら600点に満たなかった場合は、1年に何度も受験できるので、申し込みをして次の試験に備えましょう。

受験後は、以下の点をチェックします。

- 科目Aと科目Bのどちらが弱いか
- 苦手なジャンルは何か
- 時間配分は適切だったか

再申込時に、受験日として指定が可能な日は、前回の受験日の翌日から起算して30日を超えた日以降になります。

基本情報技術者試験はコツコツ学習すれば必ず合格できる試験です。リベンジしましょう!

第1部

アルゴリズムとプログラミング

第1章

基本的な アルゴリズム

1-1 アルゴリズムとは

基本情報技術者科目B試験の「アルゴリズムとプログラミング」分野について解説します。プログラミングが初めての方が「アルゴリズムとは何か」を理解するための基礎知識が中心です。身近な例も交えながら解説するので、安心して学習してください。

 アルゴリズムは手順

アルゴリズムとは、何か物事を行うときの「やり方」のことです。例えば、カレーの作り方もアルゴリズムです。

▼カレーを作るアルゴリズム

1. 野菜(人参、イモ、玉ねぎなど)を適当な大きさに切る
2. 好みの肉を炒める
3. 1を2に入れて炒める
4. ひたひたに水を入れて煮込む
5. 市販のルーを入れる

この作業(手順)の流れのまとまりがアルゴリズムです。

ここが重要!

アルゴリズムは、料理なら手順ですが、計算機であるコンピュータでは「計算順序・処理手順」になります。

次にサラダを作りましょう。キャベツを千切りにします。3枚くらいでしょうか。サラダを作る方法は二つあるとします。

▼サラダを作るアルゴリズム

〈方法 1〉
1. キャベツを 1 枚剥いて、千切りにする。
2. 1 を必要な枚数分繰り返す。

〈方法 2〉
1. キャベツを 3 枚剥く。
2. 3 枚をまとめて、千切りにする。

出来上がった結果は同じです。正しい結果が得られているなら、どちらのやり方（アルゴリズム）も正しいものです。これも正しい、あれも正しいといえます。

アルゴリズム自体に正解・不正解はありませんが、それぞれのアルゴリズムには特徴があります。例えば、サラダを作るアルゴリズムは、どちらが効率的でしょうか。方法1と方法2で、1人分のサラダなら作る手間は大きく変わりませんが、100人分のサラダを作るならどちらが効率的になるかを考えてやり方を選択します。

情報処理試験でも、問題の前提や条件が記載されており、もっとも適したやり方を選択する必要があります。

メモ 実際にアルゴリズムを選ぶ際は、あえて効率以外を優先する場合もあります。例えば、効率が悪くても手順のわかりやすさ（可読性）を重視する場合です。

プログラムとアルゴリズム

では次に**プログラム**とは何でしょう。例えばコンピュータに関係のない「プログラム」には、入学式のプログラム、映画やコンサートのプログラムなどがあります。これらのプログラムは、ある物事の進行についての計画や予定だったり、演目などの小冊子やチラシだったりします。

つまり、やるべきことを書き出したものがプログラムといえます。基本情報技術者試験の出題対象であるコンピュータのプログラムは、コンピュータにさせる処理を、特定の言語で定められた形式に従って記述したものです。

また、コンピュータは自分で考えることができません。命令されたことだけを忠実に実行します。人間のように、空気を読んで柔軟に対応することはできません。人間がコンピュータに望む動作をさせるには、正しいプログラムを作成しなければなりません。そのためには、適切なアルゴリズム（コンピュータが動作する手順）を考える必要があります。

プログラム言語

人間の言語にも日本語、英語、フランス語などと色々な種類があるように、プログラム言語にもたくさんの種類があります。C、C#、C++、Java、JavaScript、Python、Rなど数多くあります。言語ごとに特色があり、大掛かりなシステムを作りたいときには大規模システムに向いた言語を、ちょっとした処理を書きたいだけなら小回りが利く軽量言語を、というように言語を使い分けることで、効率よくプログラムが書けます。プログラム言語で書かれたプログラムを**ソースコード**といいます。

基本情報技術者試験では**擬似言語**という形で出題されます。これは擬似的なプログラミング言語で、アルゴリズムの理解などを助ける目的で使われます。本書ではこの擬似言語を解説していきます。擬似言語の記述形式については、2章の最後に掲載しました。

1-1のまとめ

- アルゴリズムは物事を行うときの「やり方」のこと。基本情報ではプログラムの処理のやり方を考える。
- 基本情報で出題される擬似言語は、アルゴリズムの理解を助ける言語である。

1-2 変数

この節では変数について説明します。プログラムを書いたり読んだりするうえで変数は重要な要素ですが、数学の変数(xやy)と意味は同じです。処理の中で「値を入れたり取り出したりできる箱」のようなものと考えましょう。

変数はデータの入れ物

変数とは、データを格納する箱(領域)です。数学の式の x や y のように、プログラムにおいて**利用する値を格納するための領域**に名前をつけて変数として扱います。変数には値を代入して使います。

例えば、変数 a に「10」を代入(格納)するのは次のようなイメージです。

▼変数aに10を代入するイメージ

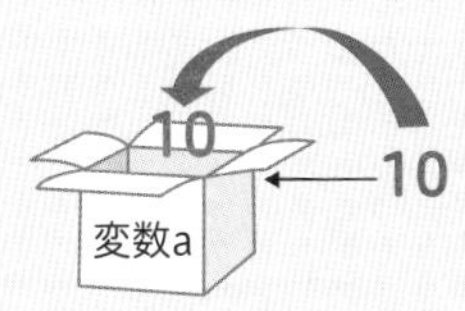

この処理を a ← 10と書きます。この後、変数aに「5」を代入すると、前の「10」はなくなり、「5」に上書きされます。一つの変数には一つしか値が入りません。

▼変数aに5を代入するイメージ

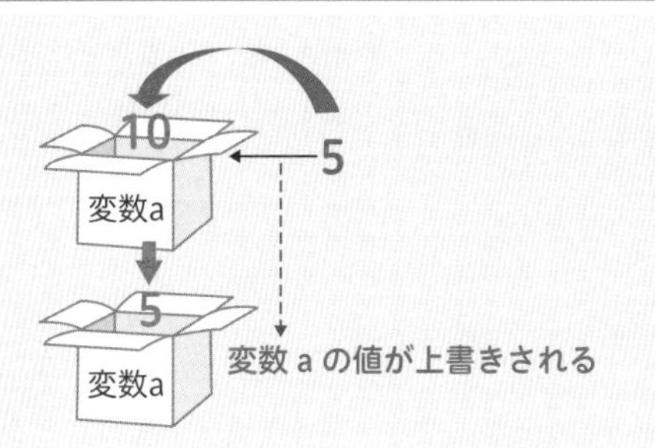

別の変数の値や、計算結果を代入することもあります。例えば、変数 c に変数 a と変数 b の加算結果を代入するといった具合です。

これは擬似言語で「c ← a + b」と表現します。

▼変数cに「変数a + 変数b」を代入するイメージ

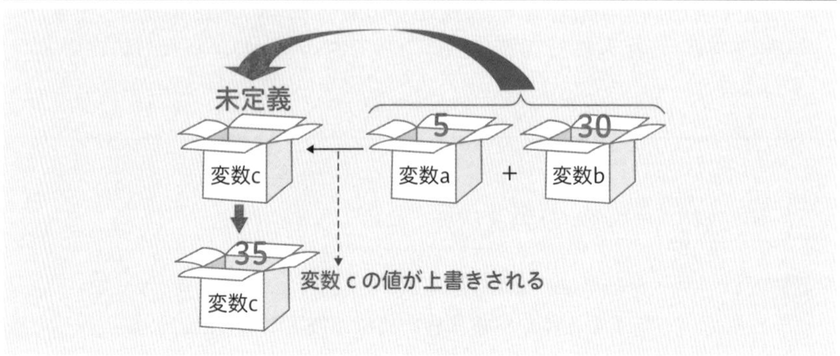

また、プログラムに特徴的な書き方として、「a ← a + 1」という書き方があります。これは前の変数aに「1」を加算して変数aに上書きするもので、結果としてこの処理によって変数aは「1」大きくなります。もし、元の変数aの値が「1」の場合、上書きによって、変数aの値は「2」になります。

▼変数aに「変数a + 1」を代入するイメージ

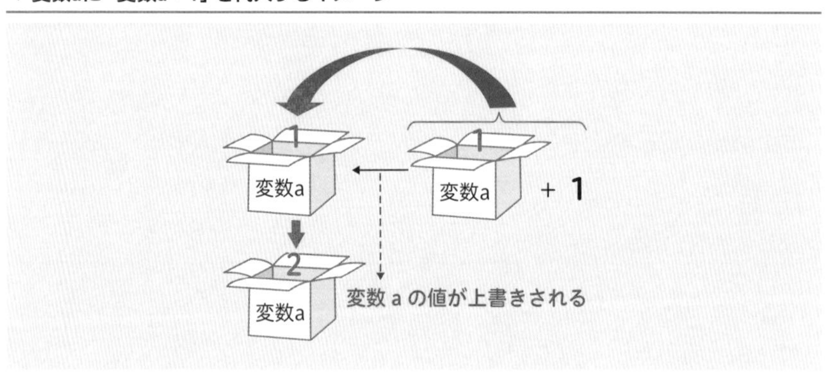

構文 変数に値を代入する

```
変数名 ← 値や式
```

変数に値を格納する擬似言語

```
a ← 10 //変数aに10を代入する
c ← a + b //変数cに変数aと変数bの加算結果を代入する
a ← a + 1 //変数aに1を加算した値で、変数aを上書きする
```

//以降の文は注釈と呼び、プログラムの実行に影響を与えない説明文です。

プログラムを読みやすくする注釈

上で登場した「//」の他に、「/*」と「*/」ではさんで注釈とする方法もあります。例えば、以下のように使われます。

```
a ← 10 /*変数aに10を代入する*/
c ← a + b /*変数cに変数aと変数bの加算結果を代入する*/
a ← a + 1 /*変数aに1を加算して、変数aを上書きする*/
```

試験問題においては、この注釈は大きなヒントになります。丁寧に読んでください。一般に注釈は**コメント**と呼ばれます。

変数の型と変数名

変数では、どのようなデータを使うのか事前に決めておく必要があります。これを**型**と呼びます。テニスボールを入れるケースにバスケットボールを入れることはできないのと同じように、コンピュータでデータを扱う際も、データによって利用する型が決まっています。変数には色々な型があり、数値を入れる専用の型や、文字列を入れる専用の型などがあります。プログラムの最初で、そのプログラム内で使用する変数の名前とその型を決めます。このことを**宣言**といいます。

プログラム言語により、使える型はさまざまですが、擬似言語で使われている型は次のものです。

▼擬似言語で使われる型

型	格納する内容	例
整数型	整数値	23, 0, -123
実数型	整数値と小数値	12.34, -9.8765
文字型	文字(1文字)	'a', 'Z', '3'
文字列型	文字列(複数文字)	"abc", "123"
論理型	true または false	true,false

◎変数名

変数名は、プログラム言語によって規則(命名規則)があります。ただ擬似言語ではこの命名規則は明確にされておらず、サンプルプログラムなどから推測するしかありません。著者がサンプルプログラムを分析したところ、英字と数字が使われ、英字の大文字と小文字は区別していません。

したがって、変数名は「a」でも「x」でも「abc」でもよいのですが、通常はその変数の意味を示す英単語が使われることが多いです。例えば年齢を格納する変数はageという変数名を使う、という具合です。

ここが重要!

このように変数名に英単語が使われるのはプログラムをわかりやすく、読みやすくするためです。また、習慣的に次の変数名が使われることもあります。知っていると、プログラムが読みやすくなります。

▼擬似言語でよく使われる変数名

変数名	使われ方
i, j, k	繰り返しの回数、配列(後述)の要素番号
n, num	整数値
count, cnt	個数
length, len	長さ
value, val	値
head, top	先頭
tail	末尾

変数名	使われ方
curr, current	現在位置
temp,tmp	一時的な変数
prev	前
next	次
low	最低
high	最高
right	右
left	左

変数の宣言

変数はプログラムの冒頭で、次のように**変数の宣言**をして使います。

構文 変数の宣言

```
型名：変数名
```

整数型の変数iを宣言する擬似言語

```
    整数型：i
```

ただ、このとき変数iの中に何の値が入っているかわかりません。**未定義**です。そのため、変数には使う前に何か値を入れておく必要があります。これを**初期値の設定**といいます。

変数iに「0」を初期値として代入する擬似言語

```
    i ← 0
```

宣言と同時に、初期値の設定をすることもできます。

変数iを宣言し、同時に「0」を初期値として代入する擬似言語

```
    整数型： i ← 0
```

1-2のまとめ

- 変数はデータを格納するために名前をつけた箱。
- 変数には型があり、その型のデータしか格納できない。
- 型と変数名はプログラムの最初に宣言される。

IPA公式サンプル問題＆徹底解説

基本情報サンプル問題（令和4年12月）問1　3 min

次の記述中の [　　　] に入れる正しい答えを，解答群の中から選べ。

プログラムを実行すると，“[　　　]”と出力される。

〔プログラム〕
```
整数型: x ← 1
整数型: y ← 2
整数型: z ← 3
x ← y
y ← z
z ← x
yの値とzの値をこの順にコンマ区切りで出力する
```

解答群

ア 1,2	イ 1,3	ウ 2,1
エ 2,3	オ 3,1	カ 3,2

解答・解説

基本情報サンプル問題(令和4年12月)問1　　解答 カ

変数には値が一つしか入りません。そして、別の値を代入すると、上書きされて前の値は残りません。

```
x ← y // xに2が代入される
y ← z // yに3が代入される
z ← x // zに2が代入される
```

以上のことからyには「3」が、zには「2」が代入されています。

プログラムは順番に処理されるので(「順次」p.34)、最後の「z ← x」の前に、「x ← y」でxに「2」が代入されていることに注意してください。

解き方のアドバイス

各変数の値をメモしていきましょう。前に入っていた値を斜線などで消して、新しい値を書いていきます。

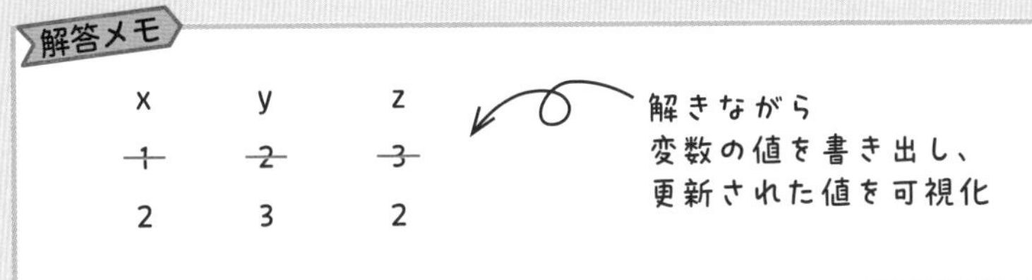

1-3 演算子と条件式

プログラムで利用する演算子は、これまで学校で習った計算のルールと同じです。復習もかねて、プログラムで利用する特徴的な演算子や条件式をおさえましょう。

算術演算子

二つの値を計算する演算子が算術演算子です。

- 足し算　+
- 引き算　−
- 掛け算　×
- 割り算　÷

この他にmodという演算子があります。modは、割り算の余りを求めるときに使う演算子です。例えば、「5 mod 2」の結果は「1」になります。「5÷2」の計算結果は「2余り1」だからです。これらの算術演算子には優先順位があります。

▼算術演算子の優先順位

高　mod × ÷
↕
低　+ −

通常の計算と同様に、プログラムで「2 + 3 × 4」と書くと、「3 × 4」のほうが優先順位が高いので「14」になります。「2 + 3」を先に計算したい場合、カッコをつけて「(2 + 3) × 4」とすれば「20」になるのも、通常の計算と同じです。

条件式

条件式は真(しん、true)か偽(ぎ、false)の値をとる式です。このように説明すると難しそうな印象ですが、実は簡単です。

「3 > 2」と「3 = 1」という二つの条件式で解説します。

- 3 > 2「3は2より大きい」は真
- 3 = 1「3と1は等しい」は偽

プログラムの中では、「aが3と等しい」という条件式が真か偽かで処理を分ける場合などに使われます。

ここが重要!

条件式はサンプルプログラムの中で、言葉で書かれることもあれば、比較演算子(関係演算子 < > =など)を使って書かれることもあります。どの書き方でも対応できるようにしておきましょう。

▼条件式の例

式	意味
a=5	aが5と等しい
a>5	aが5より大きい
a≧5	aが5以上
a<5	aが5より小さい
a≦5	aが5以下
a≠5	aが5と等しくない

単項演算子

変数が一つだけの演算子もあります。**単項演算子**といいます。「+」「-」「not」の3種類です。「+」や「-」は算術演算子ではないの？と思われた方もいるでしょう。この「+」と「-」は正の数、負の数を表す演算子と考えてください。数値や式の前につきます。

notは「否定」です。not演算子は、指定した式の値を反転し、値が真なら偽を返し、偽なら真を返す演算子です。

例えば、変数aが「3」だった場合、次のようになります。

- not(a = 3)　偽　¦　a = 3は真なので、反転して「偽」を返す
- not(a > 5)　真　¦　a > 5は偽なので、反転して「真」を返す

論理演算子

条件式を複数組み合わせるときに使用する、**論理演算子**という演算子もあります。

and（論理積）

andは、**「かつ」**という意味になります。「条件式1 and 条件式2」は両方の条件式が真の場合だけ、真になります。

▼条件式1と条件式2の論理積

条件式1	条件式2	条件式1 and 条件式2
真	真	真
真	偽	偽
偽	真	偽
偽	偽	偽

具体的な例で考えてみましょう。例えば変数aが「5」、変数bが「-3」だった場合、次のようになります。

（条件式1：a > 0、条件式2：b < 0）

- a > 0 and b < 0　真　¦　5 > 0 and −3 < 0
- a > 0 and b > 0　偽　¦　5 > 0 and −3 > 0
- a < 0 and b < 0　偽　¦　5 < 0 and −3 < 0
- a < 0 and b > 0　偽　¦　5 < 0 and −3 > 0

or（論理和）

orは、**「または」**という意味になります。「条件式1 or 条件式2」は少なくとも

一方の条件式が真の場合に、真になります。

▼条件式1と条件式2の論理和

条件式1	条件式2	条件式1 or 条件式2
真	真	真
真	偽	真
偽	真	真
偽	偽	偽

例えば変数aが「5」、変数bが「-3」だった場合、次のようになります。

条件式1 条件式2

- a > 0 or b < 0　真　┆　5 > 0 or −3 < 0
- a > 0 or b > 0　真　┆　5 > 0 or −3 > 0
- a < 0 or b < 0　真　┆　5 < 0 or −3 < 0
- a < 0 or b > 0　偽　┆　5 < 0 or −3 > 0

andとorにも優先順位があり、andのほうが優先順位が高くなります。andが論理積なので掛け算、orが論理和で足し算のイメージです。これまでと同様に、足し算と掛け算が混じった計算は掛け算を先に行います。

例えばaが「5」、変数bが「-3」、変数cが「-7」だったとします。

a > 0 or b > 0 and c > 0　┆　5 > 0 or −3 > 0 and −7 > 0

これは「真 or 偽 and 偽」となりますが、andの方が優先順位が高いので、先に「偽 and 偽」(b > 0 and c > 0)を評価します。そのため、「真 or 偽」となって、結果は真となります。

1-3のまとめ

- 二つの値を計算する演算子には四則演算の他に余りを計算するmodがある。
- 条件式は、真または偽の値をとる。
- 演算子には優先順位(実行する順番)がある。

オリジナル練習問題＆徹底解説

オリジナル練習問題 問1

3 min

次の記述中の ［　　　　］ に入る正しい答えを，解答群の中から選べ。

プログラムを実行すると，“ ［　　　　］ ”と出力される。

〔プログラム〕

```
整数型： x ← 3
整数型： y ← 6
整数型： z
y ← y + 2
z ← x + y / 2
zの値を出力する
```

解答群

ア　4	イ　4.5	ウ　5
エ　5.5	オ　6	カ　7

解答・解説

オリジナル練習問題 問1　**解答** 力

y ← y + 2の式で、yは初期値「6」に「2」が加算され、「8」になります。

z ← x + y / 2の式で、+（足し算）と/（割り算）では/の方が優先順位が高いため、/（割り算）が先に計算されます。yが「8」になっているので、y/2は「4」です。それにxの「3」を加算し、zは「7」になります。

解き方のアドバイス

変数の移り変わり（遷移）をメモしていきましょう。演算の優先順位に気をつけます。

メモ　整数型と実数型の計算では、注意点があります。整数型の変数に小数点以下のある実数を代入すると、小数点以下は切り捨てられます。覚えておきましょう。

1-4 三つの制御構造

プログラムは基本的に、3種類の構造でできています。構造とは命令を行う順番のことと考えましょう。試験で出題されるプログラムもこの三つの制御構造の組み合わせです。フローチャートで制御構造をマスターしましょう。

制御構造とは

プログラムにおいて、命令が実行される順序を制御する構文を「制御構造」といいます。もっとも基本的な制御構造として、**順次**、**選択(判断)**、**繰り返し(ループ)**の三つが挙げられ、これらを基本制御構造と呼びます。ほぼ全てのプログラムは、この三つの制御構造があれば記述できます。

この三つの制御構造をフローチャートと擬似言語の両方で説明します。

○フローチャート

フローチャートとは、業務のプロセス、システム、コンピュータアルゴリズムを示す流れ図です。JIS(日本産業規格)で規格化されており、さまざまな分野で広く活用されています。フローチャートでは、長方形、円形、ひし形など、多種多様な図形を使用して手順を定義し、線と矢印で流れを表します。視覚的に理解しやすく、初心者の方がアルゴリズムの流れをつかむのに適しています。そのため、フローチャートで理解した流れが擬似言語ではどのように表現されるのか、に注目しながら読み進めてください。

順次

順次構造では、上から順番に命令を実行します。水が上から下へ流れるように、プログラムは基本的に上から下へ流れていきます。フローチャートやプログラムを読み進めるときは、本を読む場合と同じと考えて上から下に読みましょう。

▼順次構造のフローチャート

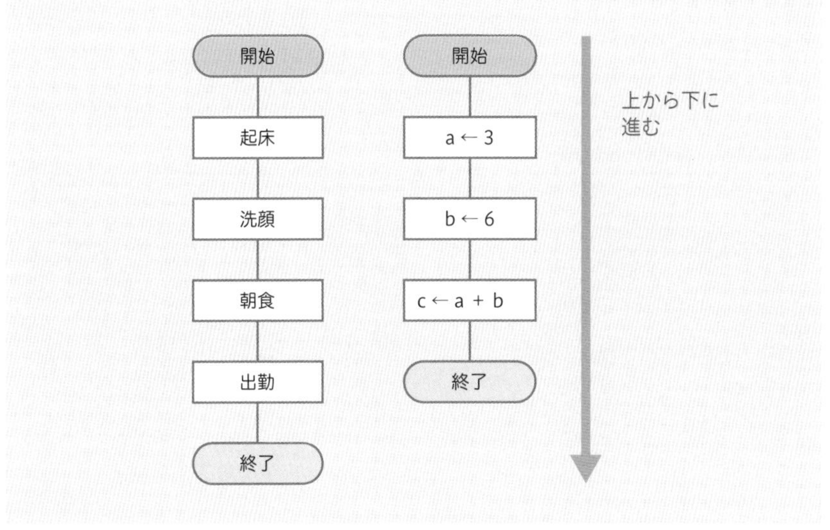

左は朝起きてから、出勤するまでのアルゴリズムを表すフローチャートです。右は変数を使った加算のフローチャートです。終了したとき、変数cの値はいくつでしょうか。「9」ですね。

右側のフローチャートを擬似言語で**コーディング**する（プログラムをその言語の文法に従って書くこと）と、次のようになります。

変数cに、変数aと変数bを加算した結果を代入する擬似言語

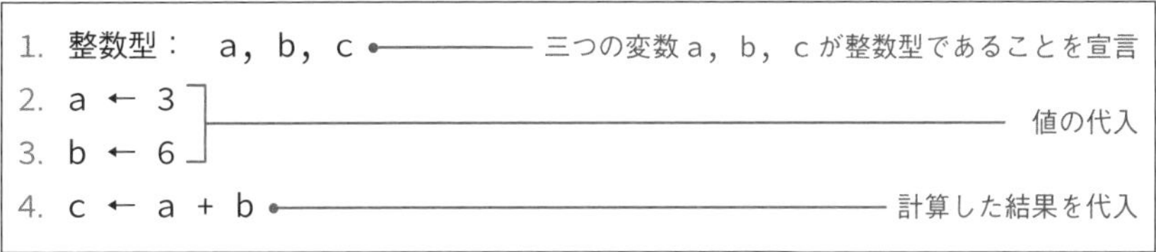

```
1. 整数型： a, b, c
2. a ← 3
3. b ← 6
4. c ← a + b
```


1行目は**変数の宣言**です。このプログラムでは整数型の変数a、b、cを使います、という意味です。その後は、命令を実行する順に書いていきます。

メモ 行頭の行番号は本来は不要です。解説のためにつけています。

選択(判断)

選択(判断)構造は、条件によって処理を分けて命令を実行します。条件のYesは「真」、Noは「偽」です。

▼選択(判断)構造のフローチャート

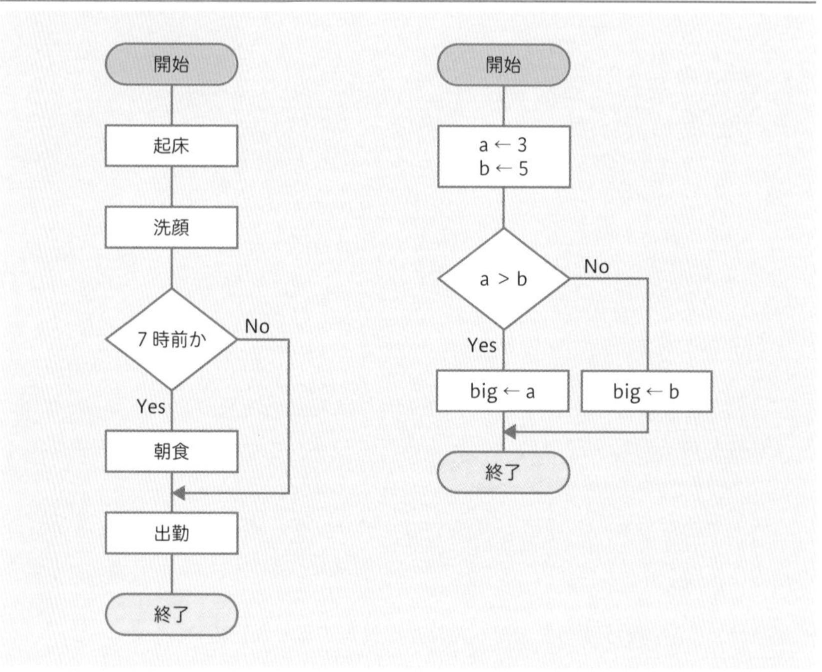

左は朝起きて洗顔した時点で、7時前なら朝食をとり、そうでないなら朝食はスキップして出勤する、というフローチャートです。

右は二つの変数a、bのうち、大きい方の値をbigという変数に代入するフローチャートです。今回は変数aに「3」を、変数bに「5」を代入していますから、「a > b」という条件式は偽になります。したがって、「No」の方に進み、変数bに入っている「5」がbigに代入されます。

これも擬似言語でコーディングしてみましょう。最初に変数a、bには値を代入しています。そして条件を指定して判断するif文を使っています。

構文 選択（判断）1

```
if （条件式）
  条件式が真のときに実行する処理
else
  条件式が偽のときに実行する処理
endif
```

▤ 変数aと変数bの大きい方を変数bigに代入する擬似言語

```
1. 整数型： a ← 3 , b ← 5 , big
2. if(a が b より大きい)        ── aがbより大きいか判断
3.   big ← a                    ── Yesの場合に実行する
4. else
5.   big ← b                    ── Noの場合に実行する
6. endif
```

1行目は変数の宣言です。a、b、bigの三つの整数型の変数を用意しています。a、bにはここで初期値を代入しています。2行目の「if」が判断です。カッコ(　)の中に条件を書きます。この条件の書き方は日本語ですからわかりやすいでしょう。3行目は条件がYesのときに実行される命令です。4行目の**else**の後、つまり5行目が条件がNoのときに実行される命令です。最後の6行目の**endif**がifの終わりを示します。

ここで、3行目と5行目は命令文の行頭が右に寄っています。これは**インデンテーション**といって、字下げ（**インデント**）してプログラムの構造をわかりやすくするためのテクニックです。

ここが重要！

情報処理試験の問題の場合、このインデントはプログラミングを読み解くための大きなヒントとなります。インデントの位置によってifの条件式が真だった場合に実行される命令はどれか、偽だった場合に実行される命令はどれかが、わかりやすくなるからです。また、この後に解説する繰り返しの範囲などもインデントによりわかりやすくなります。

◎ if文で複数の条件式を判断

if文を使って、複数の条件式を順に評価することもできます。if文で最初の条件式が偽だった場合に、別の条件式を使って真か偽かを調べる処理を分岐させることができます。このような場合に使用するのが`if`…`elseif`…`else`文です。

例えば得点（変数名score）が80点以上ならば「Aランクです」と表示、80点未満60点以上ならば「Bランクです」と表示、60点未満ならば「Cランクです」と表示するプログラムをフローチャートにすると、次のようになります。

▼ifで複数の条件式を評価するフローチャート

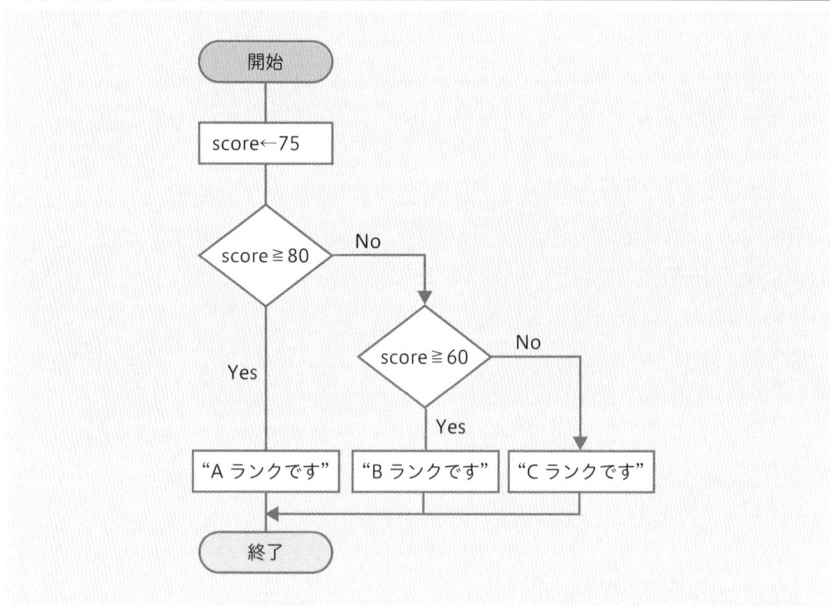

これを擬似言語で書くと次のようになります。

構文 選択（判断）2

```
if (条件式1)
  条件式1が真のときに実行する処理
elseif(条件式2)
  条件式1が偽で条件式2が真のときに実行する処理
elseif(条件式3)
  条件式1及び条件式2が偽で条件式3が真のときに実行する処理
  ...
else
  全ての条件式が偽のときに実行する処理
endif
```

得点（変数名score）によって表示内容を変える擬似言語

```
整数型： score ← 75
if(score ≧ 80) ――――――――――――― 条件式1
  "Aランクです" と表示
elseif(score ≧ 60) ――――――――――― 条件式2
  "Bランクです"と表示
else
  "Cランクです"と表示
endif
```

繰り返し（ループ）

繰り返し（ループ）構造は、条件を満たしている間（または条件を満たすまで）処理を繰り返します。擬似言語での書き方は、以下の三つです。

- while endwhile
- do while
- for endfor

while endwhile

次のページの左のフローチャートは入浴後、23時より前だったらゲームをする、というよりも23時になるまでゲームをし続けるという意味です。

▼繰り返し(ループ)構造のフローチャート1

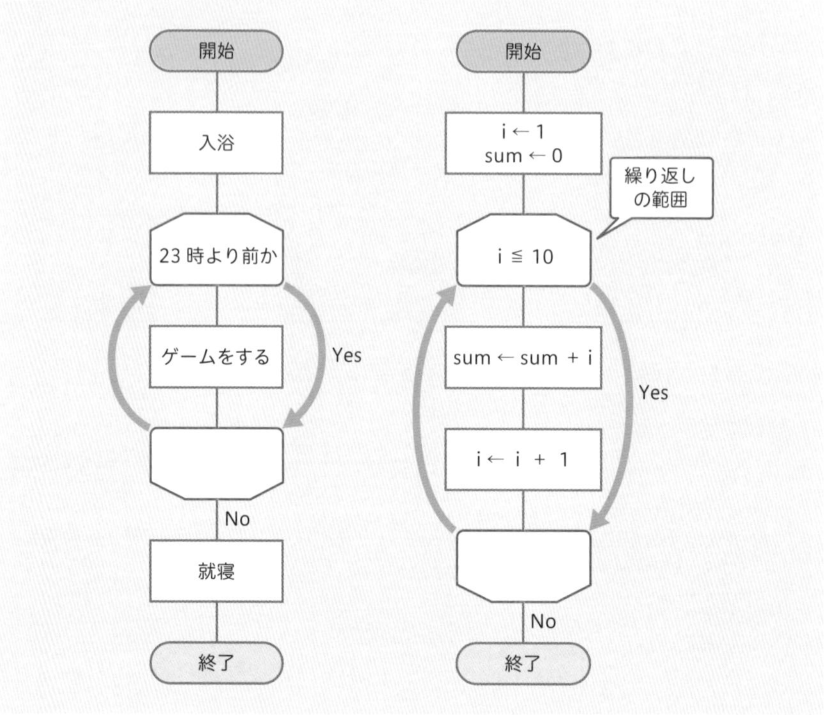

開始
入浴
23時より前か
ゲームをする
Yes
No
就寝
終了

開始
i ← 1
sum ← 0
繰り返しの範囲
i ≦ 10
sum ← sum + i
i ← i + 1
Yes
No
終了

上の六角形がループの始端(繰り返しの始まり、前判定)です。いつまで処理を実行するかという継続条件の「23時より前か」がYesならば、下の六角形(ループ終端)までの処理を行います。またループの始端まで戻り「23時より前か」を判定します。このようにして、「23時より前か」がYesの間は「ゲームをする」が繰り返されます。そして「23時より前か」がNoになったら、ループに入らず、次の処理である「就寝」が実行されます。

ここが重要!

本来のJIS規格ではフローチャートのループ始端には、継続条件ではなく、終了条件を書きます。終了条件は、条件がYesになったら、ループを抜けます。したがって、継続条件と終了条件は、否定(裏返し)の関係になります。**擬似言語では継続条件を書くため、この本では混乱を避けるために、フローチャートでもあえて継続条件を書いています。**

「フローチャート1」の右は「1から10までの和」を変数sumに求めるフローチャートです。考え方としては、変数sumに0を代入しておいて、それに「1」を加算する、次に「2」を加算する、次に「3」を加算する、・・・「10」を加算して終わる、というものです。1、2、3と大きくなっていく変数がiです。最初にループの外で変数iに「1」を代入しています。ループの中の「sum ← sum + i」が変数sumに変数iを加算する処理です。次の「i ← i + 1」が変数iを1大きくする処理です。

このような処理で一番気をつけなければならないのが、「ループの継続条件」です。「i ≦ 10」が継続条件なので、iが「10」のときはループに入ります。そして、10をsumに加算して、次の加算でiは「11」になります。ここで初めて継続条件がNoになって、ループに入りません。これで「1から10」までが変数sumに加算されます。継続条件が「i ＜ 10」だと、「1から9」までしか変数sumに加算されません。ここが一つのポイントです。

では、擬似言語のプログラムだとどうなるか見てみましょう。繰り返しは**while文**を使います。

構文 繰り返し1

```
while(条件式)
  処理
endwhile
```

▤「1から10までの和」を変数sumに求める擬似言語1

```
1. 整数型： i, sum
2. i ← 1
3. sum ← 0
4. while(iが 10以下)        ―― 繰り返しの条件
5.   sum ← sum + i    ┐
6.   i ← i + 1        ┘―― 繰り返す命令
7. endwhile                 ―― 繰り返しの終了
```

4行目の**while**がループの始端です。カッコ( )内に「iが10以下」の間という条件を書き、7行目の**endwhile**（ループ終端）までを繰り返します。

do while

while文での繰り返しを説明しました。繰り返しにはこの他に、少し異なる書き方が二つあります。まずは**do while文**です。

次の「繰り返し(ループ)構造のフローチャート2」を見てください。p.40の「繰り返し(ループ)構造のフローチャート1」との違いは、ループの継続条件がループの終端に書かれていることです。これを**後判定(あとはんてい)**といいます。

▼繰り返し(ループ)構造のフローチャート2

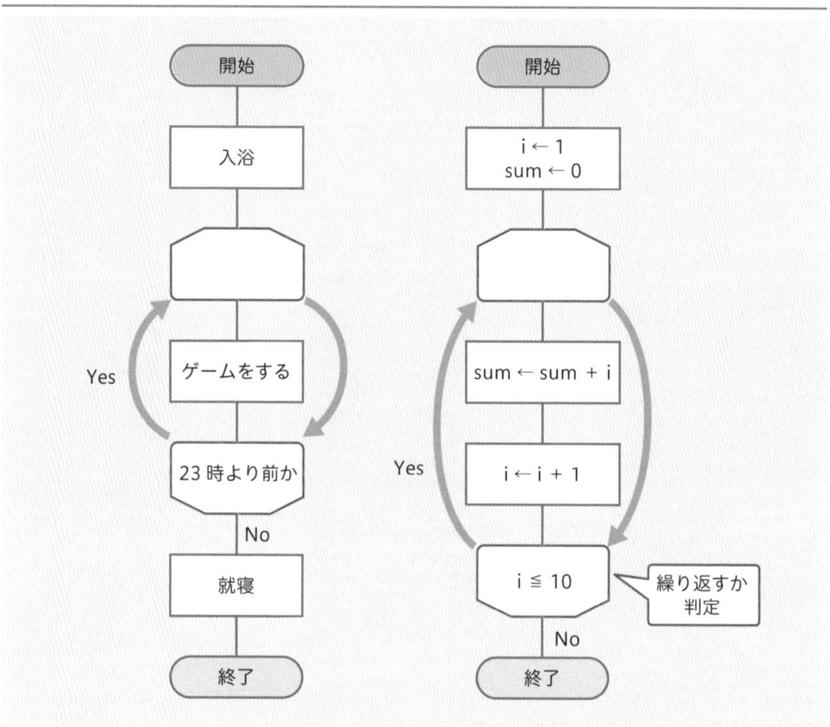

考え方としてはp.40の「繰り返し(ループ)構造のフローチャート1」と同じです。条件を満たしている間は、始端から終端までに書かれた処理を繰り返します。異なる点は、後判定の場合は処理を少なくとも1回は実行することです。

左の入浴後のフローチャートをp.40と見比べてください。「繰り返し(ループ)構造のフローチャート1」の**前判定(まえはんてい)**では、入浴後にすでに23時を過ぎていた場合ゲームはできません。「後判定」の場合は何時であっても、1回はゲームをすることができます。

右のフローチャートは、前判定でも後判定でも結果は同じで、変数sumに「1から10」までの和が代入されます。これを擬似言語で書くと、**do while文**を使って次のようになります。

構文 繰り返し2

```
do
   処理
while(条件式)
```

「1から10までの和」を変数sumに求める擬似言語2

```
1. 整数型： i, sum
2. i ← 1
3. sum ← 0
4. do ――――――――――――――――――――― 繰り返しの始まり
5.    sum ← sum + i
6.    i ← i + 1
7. while(iが10以下) ――――――――――――― 繰り返しの条件
```

4行目のdoがループの始端です。5行目・6行目を実行後、7行目のwhileのところで「iが10以下」を判定します。Yesなら5行目に戻ります。Noのときは、ループを抜けて、プログラムを終了します。これが後判定です。

繰り返しのもう一つの書き方は、次のページで解説します。

○for endfor

このフローチャートも「1から10」までの和を変数sumに代入するものです。

▼繰り返し（ループ）構造のフローチャート3

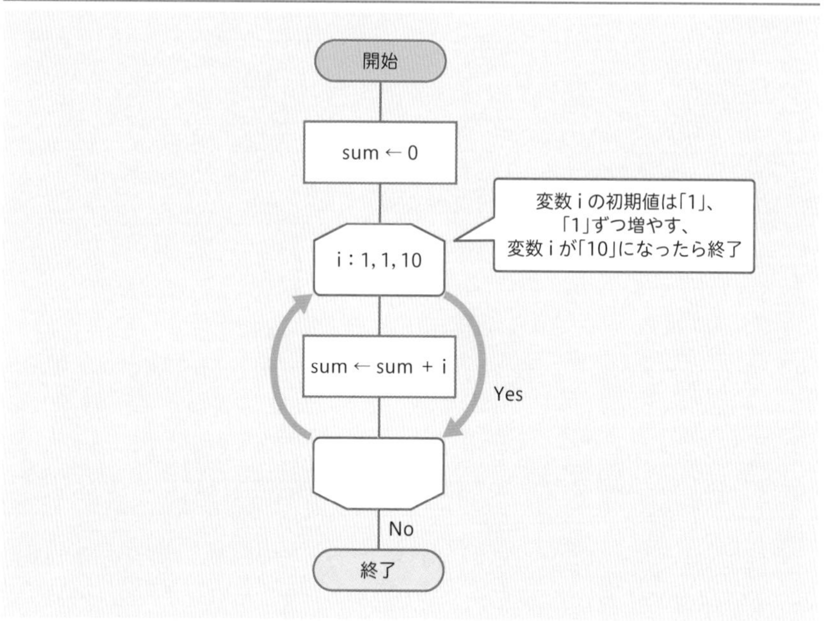

ループ始端に「i : 1, 1, 10」とあります。三つの数字はそれぞれ変数iの初期値、増分（いくつずつ増やすか）、終了値という意味です。ループに入るときに変数iは「1」から始まり、ループ1回ごとに「1」ずつ大きくなって、「10」まで繰り返す、という処理が簡潔に書けます。擬似言語で書くとfor文を使って次のようになります。

構文 繰り返し3

```
for(制御記述)
  処理
endfor
```

「1から10までの和」を変数sumに求める擬似言語3

```
1. 整数型： i, sum
2. sum ← 0
3. for(iを1から10まで1ずつ増やす)  ● 繰り返しの条件を指定して、繰り返しを始める
4.   sum ← sum + i
5. endfor  ● 繰り返しの終わり
```

擬似言語は条件を日本語で書きますから、この方がわかりやすいかもしれません。3行目の**for**から5行目の**endfor**までがループです。この書き方だと、iに初期値を代入する処理や、iをループの中で「1」大きくする処理（**インクリメント**）を書く必要がありません。

メモ 「制御記述」の書き方については、擬似言語の仕様に書かれていませんが、サンプルプログラムを見る限り、日本語で書かれています。

二重ループ

ここで、繰り返しの中に繰り返しが出てくる**二重ループ**を紹介します。二重ループはアルゴリズムを学習するうえで、一つのハードルになっているようです。難しいように感じますが、私たちは日常的に二重ループを使っています。ノーヒントで次の例題を解いてみてください。

例題【オリジナル練習問題】  2 min

aとcはどちらがhourの繰り返しで、どちらがminuteの繰り返しでしょうか。bとdはどのような数字が入りますか。

0時0分～ 23時59分まで表示する擬似言語

```
/* 0時0分～ 23時59分まで表示するプログラム */
整数型：hour, minute
for ( [ a ] を 0から [ b ] まで1ずつ増やす)
  for( [ c ] を 0から [ d ] まで1ずつ増やす)
    hour "時" minute "分" を表示する
  endfor
endfor
```

いかがでしたか。時間は0時0分から始まり、0時1分、0時2分、…と分が増えていきます。これが4行目から6行目の内側の繰り返しです。0時59分まで進むと、内側の繰り返しを抜けて外側の繰り返しの実行により、hourが「1」増えます。また内側の繰り返しに入ってminuteは「0」から始まり1時0分を表示します。1時1分、1時2分、…と内側の繰り返しを行います。

言葉で説明するとかえって混乱するくらい、私たちはこれを自然に行っています。0時0分0秒と秒単位で考えれば、二重どころか三重ループもこなしているわけです。ですから、二重ループといっても難しいものではありません。

解答　a：hour　　b：23　　c：minute　　d：59

ここが重要！

繰り返しの書き方を3種類解説しました。どの書き方で出題されても対応できるようにしておきましょう。ただ、サンプルプログラムを見る限り、**出題頻度が高いのはforを使った繰り返しです**。この書き方は、繰り返しの回数を制御する変数（カウンター）を使います。この変数がどう変化するかをメモして解くとわかりやすくなります。

1-4のまとめ

- 全てのプログラムは順次・選択・繰り返しの三つの制御構造で構成されている。
- 順次は上から順番に実行する。
- 選択は条件式の真偽により処理を分ける。
- 繰り返しは書き方が3種類あり、条件式が真の間処理を繰り返す。

厳選過去問題＆徹底解説

ITパスポート過去問題（令和4年）問78

関数checkDigitは，10進9桁の整数の各桁の数字が上位の桁から順に格納された整数型の配列originalDigitを引数として，次の手順で計算したチェックデジットを戻り値とする。プログラム中のaに入れる字句として，適切なものはどれか。ここで，配列の要素番号は1から始まる。

〔手順〕

(1)配列originalDigitの要素番号1～9の要素の値を合計する。

(2)合計した値が9より大きい場合は，合計した値を10進の整数で表現したときの各桁の数字を合計する。この操作を，合計した値が9以下になるまで繰り返す。

(3) (2)で得られた値をチェックデジットとする。

〔プログラム〕

```
○整数型:checkDigit(整数型の配列:originalDigit)
  整数型:i,j,k
  j ← 0
  for (i を 1 から originalDigitの要素数 まで 1ずつ増やす)
    j ← j + originalDigit[i]
  endfor
  while (j が 9より大きい)
    k ← j÷10の商 /* 10進9桁の数の場合，j が2桁を超えることはない */
    [   a   ]
  endwhile
  return j
```

解答群

ア　j ← j − 10 × k

イ　j ← k + (j − 10 × k)

ウ　j ← k + (j − 10) × k

エ　j ← k + j

解答・解説

ITパスポート過去問題（令和4年）問78　解答 イ

問題文にいきなり「関数」「配列」という言葉がでてきてびっくりしたかもしれません。関数は1-5で、配列は2-1で解説しますが、この問題は繰り返しの動きがわかっていれば解くことができます。

例を使って解説します。9桁の整数が、1桁ずつ要素として並んでいるとイメージしてください。例えば、配列originalDigitの要素が次のようなものだったとします。

	[1]	[2]	[3]	[4]	[5]	[6]	[7]	[8]	[9]
originalDigit	5	7	3	0	4	6	7	1	8

このときに、**チェックデジット**が何になるかを考えましょう。各要素を合計した数値は「41」です。これは「9」より大きいので、「4」と「1」を合計して「5」になります。これで「9」以下になったので、チェックデジットは「5」となります。

ではプログラムに入ります。`for`から`endfor`までの処理で、`j`に要素の合計が代入されます。この例ならば、`j`は「41」になります。「9」より大きいので、whileの次の行の処理を実行します。ここで41÷10の商である「4」がkに代入されます。この後、「4」と「1」を加算したものを`j`に代入するにはどうしたらいいでしょうか。「1」を求めるためには元の`j`の値である「41」から、10×4を減算します。41－10×4＝1です。

つまり10の位はk、1の位は`j`－10×kです。この二つを加算したk＋（`j`－10×k）を`j`に代入することになります。

解き方のアドバイス

具体的な数字で例を作ると、格段にわかりやすくなります。自分でチェックデジットを計算してみましょう。

1-5 関数

この節では関数について学習します。関数とは一連の処理に名前をつけたものです。同じ処理を何回も実行するときは、関数にしておくとその関数を呼び出すことでプログラムに同じ内容を書かなくて済みます。

関数はプログラムを効率的に処理できる

関数は、あらかじめ用意されている処理に名前をつけたものです。手続ということもあります。関数は、カッコの中に指定されたデータ（**引数：ひきすう**）を使って処理を行い、その結果の値（**戻り値**）を返します。

何だか難しそうですが、身近なMicrosoftのExcelにも関数があります。例えば数値の合計を求めるsumという名前の関数があります。sum（D2:D8）と指定した場合は、D2:D8が引数です。そして戻り値として、セルD2からD8までを合計した値を返します。

▼Excelにおけるsum関数

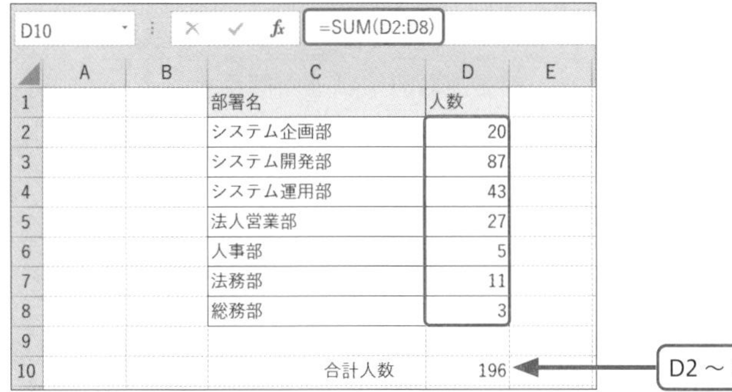

D10 =SUM(D2:D8)

	A	B	C	D	E
1			部署名	人数	
2			システム企画部	20	
3			システム開発部	87	
4			システム運用部	43	
5			法人営業部	27	
6			人事部	5	
7			法務部	11	
8			総務部	3	
9					
10			合計人数	196	

擬似言語では、例えば、二つの引数の平均値を返す関数Averageが用意されているとしましょう。引数には変数を利用することもできます。変数AとBの平均値を変数Aveに格納することは、次のように表現されます。

▤ Average関数で、変数AとBの平均を変数Aveに格納する擬似言語

```
Ave ← Average (A, B)
```

▼ **関数Averageで変数Aと変数Bの平均値を求める**

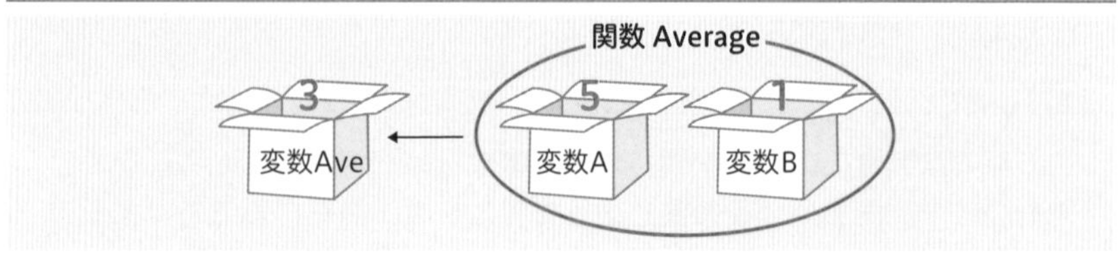

関数が戻り値を返すときは、**return**という命令を使います。実際に関数のプログラムを書いてみましょう。

Average関数で引数XとYの平均を求める擬似言語

```
1. ○実数型：Average(整数型：X,整数型：Y)   ← 関数Averageの型と引数の宣言
2.   実数型：Ans
3.   Ans ← (X + Y) ÷ 2
4.   return Ans                           ← 関数の処理結果（戻り値）
```

1行目はこの関数の定義です。変数と異なり、頭に○をつけて型名を宣言すると関数になります。関数名はAverageで、戻り値は実数型です。整数型のXとYの二つの引数を使います。

2行目はこの関数の中で使う変数Ansを定義しており、実数型です。これは二つの整数の平均値は、2.5といった小数を含む値になる可能性があるためです。3行目で平均値の計算をして変数Ansに代入し、4行目で変数Ansの値を戻り値としています。

構文 関数の宣言

```
○型名：関数名(引数1の型：引数1,引数2の型：引数2,...)
```

ここが重要！

科目Bの擬似言語では、試験問題のほとんどが関数の形で出題されます。関数の宣言や引数はよく確認しておきましょう。

1-5のまとめ

- 関数は一連の処理に名前（関数名）をつけたもの。
- 引数により関数に値を渡す。
- 関数は基本的にreturnで戻り値を返す（中には返さない関数もある）。

IPA公式サンプル問題&徹底解説

基本情報サンプル問題（令和4年4月）問1

5 min

次のプログラム中の [　　　] に入れる正しい答えを，解答群の中から選べ。

ある施設の入場料は，0歳から3歳までは100円，4歳から9歳までは300円，10歳以上は500円である。関数feeは，年齢を表す0以上の整数を引数として受け取り，入場料を返す。

〔プログラム〕

```
○整数型: fee(整数型: age)
  整数型: ret
  if (age が 3 以下)
    ret ← 100
  elseif ( [          ] )
    ret ← 300
  else
    ret ← 500
  endif
  return ret
```

解答群

ア (age が 4 以上) and (age が 9 より小さい)
イ (age が 4 と等しい) or (age が 9 と等しい)
ウ (age が 4 より大きい) and (age が 9 以下)
エ age が 4 以上
オ age が 4 より大きい
カ age が 9 以下
キ age が 9 より小さい

解答はp.55

基本情報サンプル問題（令和4年12月）問2

5 min

次のプログラム中の [a] ～ [c] に入れる正しい答えの組合せを，解答群の中から選べ。

関数fizzBuzzは，引数で与えられた値が，3で割り切れて5で割り切れない場合は“3で割り切れる”を，5で割り切れて3で割り切れない場合は“5で割り切れる”を，3と5で割り切れる場合は“3と5で割り切れる”を返す。それ以外の場合は“3でも5でも割り切れない”を返す。

〔プログラム〕

```
○文字列型: fizzBuzz(整数型: num)
  文字列型: result
  if (num が [   a   ] で割り切れる)
    result ← ” [   a   ] で割り切れる”
  elseif (num が [   b   ] で割り切れる)
    result ← ” [   b   ] で割り切れる”
  elseif (num が [   c   ] で割り切れる)
    result ← ” [   c   ] で割り切れる”
  else
    result ← ”3 でも 5 でも割り切れない”
  endif
  return result
```

解答群

	a	b	c
ア	3	3と5	5
イ	3	5	3と5
ウ	3と5	3	5
エ	5	3	3と5
オ	5	3と5	3

解答はp.56

基本情報公開問題（令和5年7月）問2

 7 min

次の記述中の [ ] に入れる正しい答えを，解答群の中から選べ。

次のプログラムにおいて，手続proc2を呼び出すと， [ ] の順に出力される。

〔プログラム〕

```
○proc1()
  "A" を出力する
  proc3()

○proc2()
  proc3()
  "B" を出力する
  proc1()

○proc3()
  "C" を出力する
```

解答群

ア “A”, “B”, “B”, “C”　　イ “A”, “C”
ウ “A”, “C”, “B”, “C”　　エ “B”, “A”, “B”, “C”
オ “B”, “C”, “B”, “A”　　カ “C”, “B”
キ “C”, “B”, “A”　　ク “C”, “B”, “A”, “C”

解答はp.58

基本情報公開問題（令和5年7月）問1

7 min

次のプログラム中の [a] と [b] に入れる正しい答えの組合せを，解答群の中から選べ。ここで，配列の要素番号は1から始まる。

関数findPrimeNumbersは，引数で与えられた整数以下の，全ての素数だけを格納した配列を返す関数である。ここで，引数に与える整数は2以上である。

〔プログラム〕

```
○整数型の配列: findPrimeNumbers(整数型: maxNum)
  整数型の配列: pnList ← {} // 要素数0の配列
  整数型: i, j
  論理型: divideFlag
  for (i を 2 から [ a ] まで 1 ずつ増やす)
    divideFlag ← true

    /* iの正の平方根の整数部分が2未満のときは，繰返し処理を
    実行しない */
      for (j を 2 から iの正の平方根の整数部分 まで 1 ずつ増や
          す) // α
      if ( [ b ] )
        divideFlag ← false
        αの行から始まる繰返し処理を終了する
      endif
    endfor
    if (divideFlagが true と等しい)
      pnListの末尾 に iの値 を追加する
    endif
  endfor
  return pnList
```

解答群

	a	b
ア	maxNum	i ÷ j の余り が 0 と等しい
イ	maxNum	i ÷ j の商 が 1 と等しくない
ウ	maxNum ＋ 1	i ÷ j の余り が 0 と等しい
エ	maxNum ＋ 1	i ÷ j の商 が 1 と等しくない

解答はp.59

解答・解説

基本情報サンプル問題（令和4年4月）問1　解答 カ

簡単でよいので、フローチャートを書いてみると、わかりやすくなります。

▼年齢で入場料を判断するフローチャート

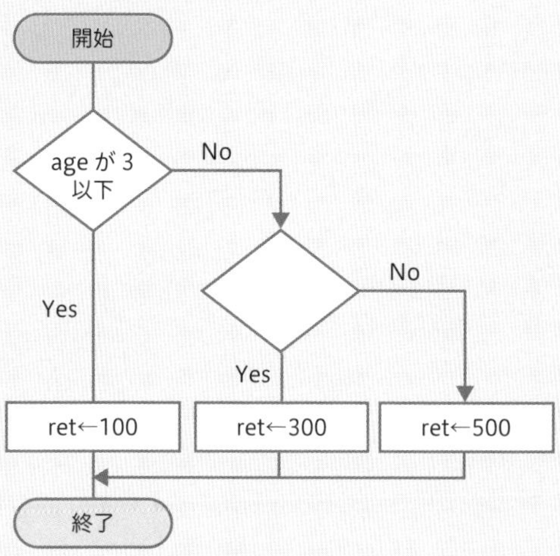

問題で問われているのは、フローチャート中央の**空白部分の条件式**です。この条件式が真であれば、入場料が300円ということになります。問題文では「4歳から9歳までは300円」とあります。ただし、この条件式で判定するのは、その前の「ageが3以下」が偽の場合です。「ageが4以上」のケースしか判定されません。したがって、「9歳まで」だけ判定すればよいことになります。よって、ここには**ageが9以下**という条件式が入ります。

ここで注意しなければならないのは、日本語です。「以下」はその数を含みます。ですから、「ageが9以下」は9、8、7…です。一方「未満」「より小さい」はその数を含みません。「ageが9より小さい」は8、7、6…です。「9歳まで」ならば、「9」を含む必要があります。

解き方のアドバイス

elseifは、最初の条件式「if(ageが3以下)」が偽の場合しか判定しないことに注意しましょう。問題文で「4歳から9歳まで」となっていても、andを使う必要はないことに気がつけば、解答は選べます。

基本情報サンプル問題（令和4年12月）問2　解答 ウ

返却値は次の4種類です。

①3で割り切れる
②5で割り切れる
③3と5で割り切れる
④3でも5でも割り切れない

これをどの順番に判断していけばいいかを考えます。①を最初に判断すると、真の場合に③であるか確かめるために、②の判断をしないといけなくなります。そうしないと③の返却値にたどりつけないからです。また問題文のソースプログラムではelseif、つまり偽の場合に次の判断に進む形になっています。そこで、最初の判断は①ではありません。同様の理由で②でもありません。③を最初に判断すれば、偽の場合にelseifで①を、さらに①が偽の場合に②を判断すればいいことになります。①と②は順番が逆でもいいですが、③を最初に判断している選択肢は「ウ」しかありません。

フローチャートにすると次のようになります。

▼関数fizzBuzzで整数が「3」と「5」で割り切れるか確認するフローチャート

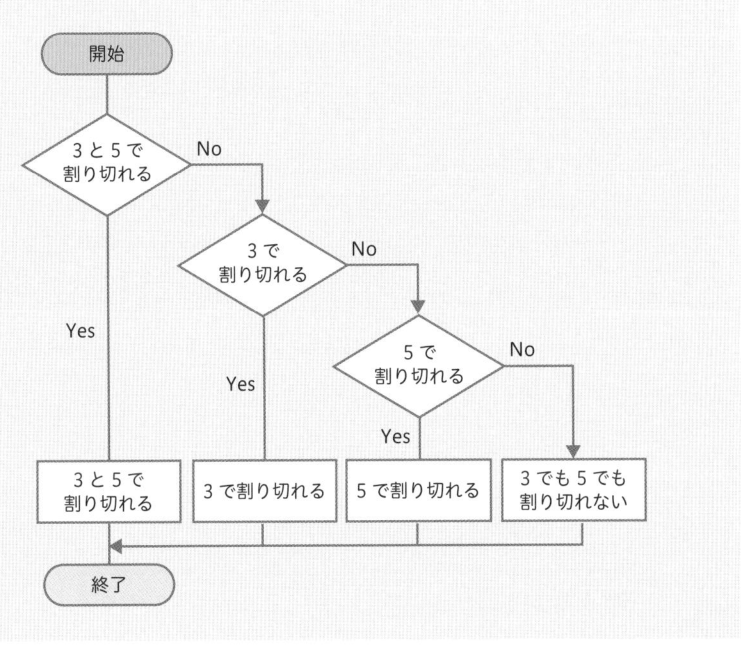

解き方のアドバイス

こういった問題を頭の中だけで解くと混乱してしまいます。メモに書いてみましょう。フリーハンドでいいので、フローチャートを書けるといいのですが、その時間が取れそうもないときは、自分で例を作ってみてもいいでしょう。例えばnumが「15」だったら、どうなるだろうと考えます。

基本情公開問題（令和5年7月）問2　解答 ク

proc2を実行したときの出力を、丁寧にトレースしてみましょう。

```
proc2を呼び出す
    proc3を呼び出す⇒proc3に制御が移る
                      "C"を出力してproc2の続きへ戻る
    proc2で"B"を出力
    proc1を呼び出す⇒proc1に制御が移る
                      "A"を出力
                      proc3を呼び出す⇒proc3に制御が移る
                                        "C"を出力してproc1へ戻る※
                      proc2へ戻る※
```

以上から出力されるのは、"C", "B", "A", "C" の順です。

メモ　上のトレースの※では、proc1とproc2の命令は全て処理済なので、何も行わずに呼ばれた元の関数に戻っています。

解き方のアドバイス

関数の中で別の関数を呼ぶと、呼ばれた関数に制御が移ります。その関数の最後まで実行した後は元の関数の続きの位置に戻る、というところがポイントです。

基本情報公開問題（令和5年7月）問1　　解答 ア

findPrimeNumbersは、「引数で与えられた整数以下の素数」を格納した配列pnListを返す関数です。素数とは、2以上で1と自身でしか割り切れないような数です。例として2、3、5、7、11、13、・・・が素数です。

◎選択肢を見ながら考える

空欄aの選択肢を見ると、繰り返しの条件を問われています。iが2からmaxNumまでか、maxNum+1までかのどちらかです。この時点ではわからないので、保留して先に進みましょう。

繰り返しの中でdivideFlagをtrueにした後、空欄bが真の場合はfalseにしています。後半のifでdivideFlagがtrueと等しいときにpnListにiを追加しています。ということは、divideFlagはtrueなら素数でありpnListに追加、falseなら素数ではないので追加しないということになります。

つまり空欄bは、「素数ではない」という条件です。空欄bの選択肢は次のどちらかです。

- i÷jの余りが0と等しい　つまり　iがjで割り切れる
- i÷jの商が1と等しくない　つまり　iとjが等しくない

「素数ではない」のは、「割り切れる」場合ですから、空欄bには「i÷jの余りが0と等しい」が入ります。

では、空欄aに戻って、iは2からmaxNumまで繰り返すのか、maxNum+1まで繰り返すのかを考えましょう。これはmaxNumに何か具体的な値を入れてみるとわかりやすいです。findPrimeNumbers(6)ならば、「6以下の素数」を格納することになるので、2、3、5がpnListに追加されるべきです。aをmaxNum+1にすると、iが「7」のときも繰り返します。iが「7」の場合は、divideFlagがtrueになるので、「7」も素数として追加されてしまい誤りです。したがって、空欄aにはmaxNumが入ります。

◎平方根について少し詳しく

ちなみに、コメントの「iの正の平方根の整数部分が2未満のときは、繰り返し処理を実行しない」という文は「ある数iが素数かどうか調べるには、$\sqrt{i}$ 以下の数（本当は $\sqrt{i}$ 以下の素数）で割ってみれば十分である」ということを意味しています。簡単に証明しますが、興味のない方は読み飛ばして下さい。

もし、iが素数でない（合成数）とすると、二つの整数a、b（≧2）の積で書けます。

i = a * b

ここでa ≦ bとすると、小さい方のaは、少なくとも $\sqrt{i}$ 以下です。つまりiが素数ではないならば、必ずある $\sqrt{i}$ 以下の数で割り切れることになります。ここから「iが素数ではないならばiは $\sqrt{i}$ 以下の素因数をもつ」ということになります。逆にいえば「iが $\sqrt{i}$ 以下の素数で割り切れなければ、iは素数」ということです。

解き方のアドバイス

「素数」が何かを知らないと解くのは難しいです。ただ、素数を知っていれば、具体的な値を引数にして、何が返却されるかを考えれば解ける問題です。「これはおかしい」という消去法で解答群を絞るといいでしょう。

第2章 データ構造

2-1 配列

アルゴリズムとともに、プログラムで必要となる考え方に「データ構造」があります。データ構造は、コンピュータで扱う大量のデータを処理しやすいように配置する考え方です。データ構造の一つである、配列について学習します。

配列（一次元配列）

大量のデータを扱う際に保持しておくためによく使用されるのが、**配列**です。第1章で、変数はデータを入れておく箱、と説明しましたが、配列は番号のついた箱の並びと考えていいでしょう。一つ一つの箱を**要素**と呼びます。

例えば、プログラムで、「10人の学生のテスト点数」を格納する変数を用意すると仮定します。A、B、C、D、E、F、G、H、I、Jという10個の変数を用意したのでは面倒ですし、加算するのも大変です。100人になったら、どうしましょう。100個変数を用意するのは現実的ではありません。そこで、配列を使います。

▼配列tenに10人の学生のテストの点数を格納する

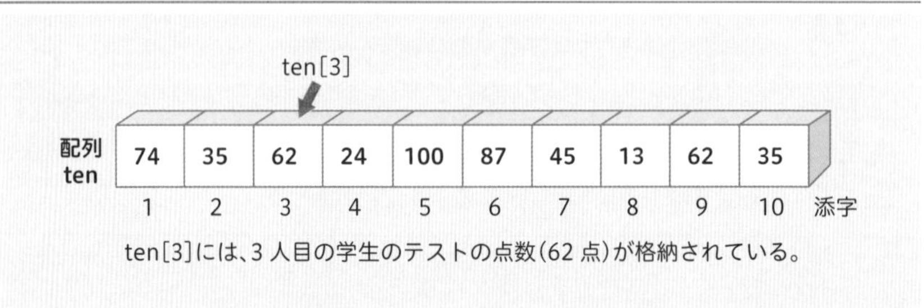

10人の学生のテスト結果を格納する変数は、ten[1] ～ ten[10]もしくはten[0] ～ ten[9]という配列で表すことができます。配列名のtenの後に、要素を **[ ]** で囲んで配列であることを表しています。[ ] の中の数字（要素番号）は**添字（そえじ）**と呼びます。配列では、**配列名[添字]**で各要素の場所を表します。

構文 各配列の要素

```
配列名[添字]
```

添字を用いて配列に学生の点数を格納する擬似言語

```
整数型の配列：ten
ten[1] ← 74    //1人目の学生の点数は、74点
ten[2] ← 35    //2人目の学生の点数は、35点
ten[3] ← 62    //3人目の学生の点数は、62点
```

ここが重要！

添字の先頭番号は「0」の場合も「1」の場合もあります。添字を間違えると、意図しているデータが扱えず正しく解答できません。問題文に示されているので注意しましょう。基本情報技術者のサンプル問題の多くは「1」から始まっています。

配列の利用方法

一つの配列で扱うデータは、「必ず同じ型のデータでなければならない」という原則があります。つまり、大量にデータが扱えるからといって、数字の「テストの点数」と文字の「学生の名前」という、性質の違うデータを同一の配列で扱うことはできません。

配列も変数と同様にプログラムの先頭で宣言してから利用します。配列の宣言時に初期値を代入することもできます。その場合の書式は次のとおりです。

構文 配列の宣言（宣言と同時に初期値を代入）

```
データ型の配列： 配列名 ← {値1, 値2, ...}
```

配列は要素数ゼロ（空の配列）で宣言して、プログラムの中で要素を追加していくこともできます。また、配列を関数の引数とすることもできます。

構文 配列の宣言（要素数がゼロ）

```
データ型の配列： 配列名 ← {    }
```

配列を利用すると、繰り返し処理を効率よく書くことができます。先ほどのtenという配列に入った点数を合計するプログラムを考えてみましょう。

配列tenで10人の学生の点数の合計を求める擬似言語

```
1. 整数型の配列： ten ← {74,35,62,24,100,87,45,13,62,35}
2. 整数型：i, total
3. total ← 0
4. for (iを1から10まで1ずつ増やす) ●―――― 繰り返しの開始とその条件
5.   total ← total + ten[i]
6. endfor ●―――――――――――――――― 繰り返しの終了
```

この擬似言語では1行目の配列の宣言時に、初期値として配列ten に10個の値を代入しています。

▼擬似言語のトレース表

繰り返し回数	iの値	ten [i] の値	5行目のtotalの計算	5行目のtotalの計算結果
1回目	1	74	0+74	74
2回目	2	35	74+35	109
3回目	3	62	109+62	171
4回目	4	24	171+24	195
5回目	5	100	195+100	295
6回目	6	87	295+87	382
7回目	7	45	382+45	427
8回目	8	13	427+13	440
9回目	9	62	440+62	502
10回目	10	35	502+35	537

例えば前述のプログラムを、点数の合計を戻り値として返す関数sumscoreにしてみましょう。配列にはすでに値(10人の学生の点数)が入っているものとします。

関数sumscoreで10人の学生の点数の合計を求める擬似言語

```
1. ○整数型：sumscore(整数型の配列：ten)
2.   整数型：i, total
3.   total ← 0
```

```
for (iを1から10まで1ずつ増やす) ●―――― 繰り返しの開始とその条件
  total ← total + ten[i]
endfor ●―――――――――――――――――― 繰り返しの終了
return total
```

このプログラムを実行すると、前の表のとおり最後の計算結果の「537」が **return total**によって返されます。

関数sumscoreの宣言の中で、配列tenが引数として設定されています。

配列（二次元配列）

ここまで解説したように、要素を一直線に並べたものが一次元配列です。それに対し、**二次元配列**は、要素を縦と横に長方形の形に並べたものと考えてください。

▼二次元配列a

	1	2	3	4
1	a[1, 1]	a[1, 2]	a[1, 3]	a[1, 4]
2	a[2, 1]	a[2, 2]	a[2, 3]	a[2, 4]
3	a[3, 1]	a[3, 2]	a[3, 3]	a[3, 4]

二次元配列の要素は、カッコの中に[X, Y]のように添字を二つもちます。マンションやホテルの部屋番号と考えると、わかりやすいでしょう。2階の3号室といったイメージです。

二次元配列の利用シーンとしては、表計算ソフトのように、年度を縦軸、月を横軸として各年・月の売り上げを管理する表などがあります。また、二次元の画像の描画といった使い方も可能です。

二次元配列は、一次元配列が複数重なった配列と考えることもできます。

▼二次元配列aは一次元配列が複数重なったもの

a[1]	a[1, 1]	a[1, 2]	a[1, 3]	a[1, 4]
a[2]	a[2, 1]	a[2, 2]	a[2, 3]	a[2, 4]
a[3]	a[3, 1]	a[3, 2]	a[3, 3]	a[3, 4]

一次元配列 a[1]、a[2]、a[3]が重なっている

この場合配列a [1] は、a [1,1]、a [1,2]、a [1,3]、a [1,4] という四つの配列を要素としてもつ配列と考えられます。

二次元配列への初期値の代入も、一次元配列とほぼ同様です。上図の二次元配列に初期値を代入してみましょう。

構文 二次元配列の初期値の代入

```
整数型配列の配列：a ← {{値, 値, 値, 値}, {値, 値, 値, 値},
                    {値, 値, 値, 値}}
```

※配列の要素の値は任意

配列aに初期値を代入する擬似言語

```
整数型配列の配列：a ← {{12, 11, 10, 9}, {8, 7, 6, 5}, {4, 3,
                    2, 1}}
```

これにより、前図の二次元配列aに、次のように初期値が入ります。

▼二次元配列aの初期値

a[1]	12	11	10	9
a[2]	8	7	6	5
a[3]	4	3	2	1

この初期値が入った二次元配列aのそれぞれの要素は添字で表現し、要素に格納された値を示すことができます。

構文 二次元配列の要素

```
配列名[行の添字, 列の添字]
```

1個ずつ個別の要素を指定して値を格納することも可能です。以下のようになります。要素を添字で指定できるので、効率的にデータを格納できます。

二次元配列の添字を指定して値を格納する擬似言語

```
整数型の二次元配列：a                         ── 配列aの宣言
a[1,1] ← 12 //値は12  ┐
a[2,2] ← 7  //値は7   ├──────────────── 値の代入
a[3,4] ← 1  //値は1   ┘
```

理論上は三次元、四次元、五次元といった配列を作ることができます。〇次元の数だけ、添字も増えていきます。このような二次元以上の配列を、**多次元配列**といいます。

ここが重要！

試験で二次元配列は、画像データの変換といった問題で問われることが多いです。縦横があり、二次元配列で扱うことが自然だからです。**このときの注意事項は添字のどちらが縦で、どちらが横かを間違えないことです。**最初の添字が行(縦)の要素番号、二つ目の添字が列(横)の要素番号のことが多いです。特に同じ要素数の場合、図では正方形になるためより間違えやすくなります。数えるときは、配列名(縦,横)です。気をつけましょう。

配列 H[3,5]の場合

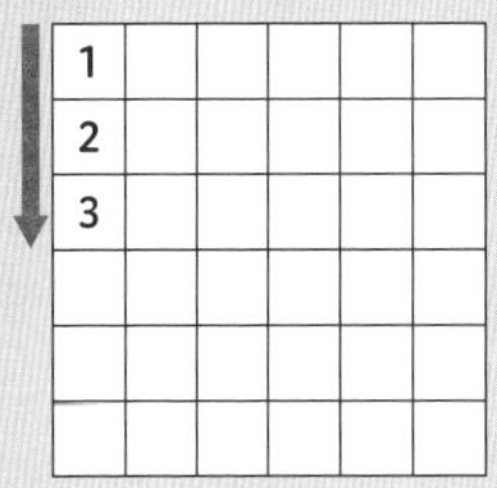

①縦に 3 数える

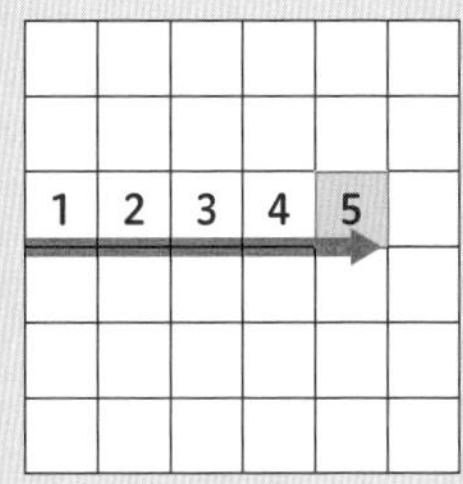

②横に 5 数える

2-1のまとめ

- 配列は同じ名前で複数のデータを扱えるデータ形式。
- 添字と呼ばれる要素番号で区別する。
- 添字を変化させることでプログラムを効率よく書ける。
- 添字を増やした多次元配列もある。

基本情報試験プログラム言語の変遷

第二種情報処理技術者試験（基本情報技術者試験の前身）の実施当初からプログラミングは出題されています。その変遷は以下の通りです。

▼第二種情報処理技術者の頃の出題内容

昭和44年～昭和51年	FORTRAN，ALGOL，COBOL，PL/I，擬似アセンブラ言語（この中から一言語を選択、以下同じ）
昭和52年～平成4年春期	FORTRAN，COBOL，PL/I，擬似アセンブラ言語
平成4年度秋期～平成6年春期	C，FORTRAN，COBOL，PL/I，擬似アセンブラ言語
平成6年度秋期～平成12年秋期	C，FORTRAN，COBOL，擬似アセンブラ言語

▼基本情報技術者試験と名称変更後の出題内容

平成13年春期	C，COBOL，擬似アセンブラ言語
平成13年秋期～平成20年秋期	C，COBOL，Java，擬似アセンブラ言語
平成21年春期～平成28年秋期	C，COBOL，Java，擬似アセンブラ言語，表計算ソフト
平成29年春期～令和4年秋期	C，Java，Python，擬似アセンブラ言語，表計算ソフト
令和5年春期～	特定の言語を廃止、擬似言語に一本化

プログラム言語にも、流行りすたりがあるのですね。

IPA公式サンプル問題＆徹底解説

基本情報サンプル問題（令和4年4月）問2

5 min

次のプログラム中の［ a ］と［ b ］に入れる正しい答えの組合せを，解答群の中から選べ。ここで，配列の要素番号は1から始まる。

次のプログラムは，整数型の配列arrayの要素の並びを逆順にする。

〔プログラム〕

```
整数型の配列: array ← {1, 2, 3, 4, 5}
整数型: right, left
整数型: tmp

for(left を 1 から(arrayの要素数 ÷ 2 の商)まで 1 ずつ増やす)
  right ← [    a    ]
  tmp ← array[right]
  array[right] ← array[left]
  [    b    ] ← tmp
endfor
```

解答群

	a	b
ア	array の要素数 − left	array[left]
イ	array の要素数 − left	array[right]
ウ	array の要素数 − left ＋ 1	array[left]
エ	array の要素数 − left ＋ 1	array[right]

解答はp.73

基本情報サンプル問題（令和4年12月）問3

5 min

次の記述中の [　　　] に入れる正しい答えを，解答群の中から選べ。ここで，配列の要素番号は1から始まる。

関数makeNewArrayは，要素数2以上の整数型の配列を引数にとり，整数型の配列を返す関数である。関数makeNewArrayをmakeNewArray({3, 2, 1, 6, 5, 4})として呼び出したとき，戻り値の配列の要素番号5の値は [　　　] となる。

〔プログラム〕

```
○整数型の配列: makeNewArray(整数型の配列: in)
  整数型の配列: out ← {} // 要素数0の配列
  整数型: i, tail
  outの末尾にin[1]の値を追加する
  for (iを2からinの要素数まで1ずつ増やす)
    tail ← out[outの要素数]
    outの末尾に(tail + in[i]) の結果を追加する
  endfor
  return out
```

解答群

ア 5　　イ 6　　ウ 9　　エ 11　　オ 12
カ 17　　キ 21

解答はp.74

基本情報サンプル問題（令和4年4月）問4

次の記述中の [a] ～ [c] に入れる正しい答えの組合せを，解答群の中から選べ。ここで，配列の要素番号は1から始まる。

要素の多くが0の行列を疎行列という。次のプログラムは，二次元配列に格納された行列のデータ量を削減するために，疎行列の格納に適したデータ構造に変換する。

関数transformSparseMatrixは，引数matrixで二次元配列として与えられた行列を，整数型配列の配列に変換して返す。関数transformSparseMatrixをtransformSparseMatrix({{3, 0, 0, 0, 0}, {0, 2, 2, 0, 0}, {0, 0, 0, 1, 3}, {0, 0, 0, 2, 0}, {0, 0, 0, 0, 1}})として呼び出したときの戻り値は，{{ [a] },{ [b] }, { [c] }} である。

〔プログラム〕

```
○整数型配列の配列: transformSparseMatrix(整数型の二次元
                                            配列: matrix)
  整数型: i, j
  整数型配列の配列: sparseMatrix
  sparseMatrix ← {{}, {}, {}} /* 要素数0の配列を三つ要
                                 素にもつ配列 */
  for (iを1からmatrixの行数まで1ずつ増やす)
    for (jを1からmatrixの列数まで1ずつ増やす)
      if (matrix[i, j]が0でない)
        sparseMatrix[1]の末尾にiの値を追加する
        sparseMatrix[2]の末尾にjの値を追加する
        sparseMatrix[3]の末尾にmatrix[i,j]の値を追加する
      endif
    endfor
  endfor
  return sparseMatrix
```

解答群

	a	b	c
ア	1,2,2,3,3,4,5	1,2,3,4,5,4,5	3,2,2,1,2,3,1
イ	1,2,2,3,3,4,5	1,2,3,4,5,4,5	3,2,2,1,3,2,1
ウ	1,2,3,4,5,4,5	1,2,2,3,3,4,5	3,2,2,1,2,3,1
エ	1,2,3,4,5,4,5	1,2,2,3,3,4,5	3,2,2,1,3,2,1

解答はp.76

解答・解説

基本情報サンプル問題（令和4年4月）問2　解答 ウ

この問題は、配列の要素の並びを逆順にする、というものです。つまり{1, 2, 3, 4, 5}と並んでいるものを、{5, 4, 3, 2, 1}にするわけです。

プログラムの中で整数型のrightとleftという変数を使っています。これは右と左を表すだろうと当たりをつけましょう。そして、forの繰り返しの中で、array[right]とarray[left]の要素を入れ替えています。leftは1から始まります。このとき、rightは「5」にならなければいけません。

「right ← [a] 」に当てはまる選択肢を考えてみましょう。arrayの要素数は「5」です。空欄aが「arrayの要素数 − left」ではrightの値が「4」になってしまいます。ここは「arrayの要素数 − left + 1」でなければいけません。

次に「 [b] ← tmp」の空欄bを考えます。tmpという変数は“temporary”（一時的な）の略で、一時的に値を格納する変数によく用いられます。1回目の繰り返しでarray[5]をtmpに代入することで、tmpに「5」が格納されます。次にarray[1]をarray[5]に代入することで、array[5]は「1」になります。その後、先ほど取っておいたtmpをarray[1]に代入すれば、array[1]は「5」になって、array[1]とarray[5]の要素が入れ替わります。

この問題をトレースすると次の表になります。

	left	right	array [] の状態
ループの前			{1, 2, 3, 4, 5}
ループ1回目	1	5	{5, 2, 3, 4, 1}
ループ2回目	2	4	{5, 4, 3, 2, 1}

解き方のアドバイス

少しでも早く問題を解くためには、「当たりをつける」ことも必要です。具体的にはロジックだけでなく、変数名や解答群などをヒントに推理することです。

基本情報サンプル問題（令和4年12月）問3　**解答** カ

問題文に関数の仕様が書かれていません。そこで、関数makeNewArrayをmakeNewArray({3, 2, 1, 6, 5, 4})として呼び出したときのプログラムの動きをトレース（プログラムの実行過程を1行ずつ追いかけること）してみましょう。inという名前の配列に{3, 2, 1, 6, 5, 4}が入っている状態で関数makeNewArrayが呼ばれます。

```
1. ○整数型の配列: makeNewArray(整数型の配列: in)
2.   整数型の配列: out ← { } // 要素数0の配列
3.   整数型: i, tail
4.   outの末尾にin[1]の値を追加する
5.   for (iを2からinの要素数まで1ずつ増やす)
6.     tail ← out[outの要素数]
7.     outの末尾に(tail+in[i])の結果を追加する
8.   endfor
9.   return out
```

4行目　in[1]の値は「3」なので、配列outが {3} になる

5行目　forの繰り返し条件でiに「2」が代入され、forループに入る。
iが「6」になるまで繰り返す。

6行目　配列outは {3} であり、要素数は1である。そのためtailにout[1]が代入される。out[1]の値は「3」なのでtailは「3」になる。

7行目　配列outの末尾に3+in[2]が追加される。in[2]の値は「2」なので、out[2]の値は「3+2」で「5」になる。したがって配列outが {3, 5} になる。

8行目　iに「3」が代入され、5行目に戻る

6行目　tailにout[2]が代入される。out[2]の値は「5」なのでtailは「5」になる。

7行目　配列outの末尾に5+in[3]が追加される。
in[3]の値は「1」なので、out[3]の値は「5+1」で「6」になる。配列outが {3, 5, 6} になる。

8行目　iに「4」が代入され、5行目に戻る

6行目　tailにout[3]が代入される。したがってtailは「6」になる。

7行目　配列outの末尾に6+in[4]が追加される。
in[4]は「6」なので、配列outが {3, 5, 6, 12} になる。

8行目　iに「5」が代入され、5行目に戻る。
6行目　tailにout[4]が代入される。したがってtailは「12」になる。
7行目　配列outの末尾に12+in[5]が追加される。
in[5]は「5」なので、配列outが{3, 5, 6, 12, 17}になる。

問題では要素5の値が問われているので、ここまでトレースすれば解答できます。

8行目　iに「6」が代入され、5行目に戻る。
6行目　tailにout[5]が代入される。したがってtailは「17」になる。
7行目　配列outの末尾に17+in[6]が追加される。
in[6]は「4」なので、配列outが{3, 5, 6, 12, 17, 21}になる。
8行目　iは「6」なので、繰り返しを終わる。
9行目　outを返却する。

したがって、戻り値の配列の要素番号5の値は「17」です。丁寧に追いかけましょう。

解答メモ

▼配列inの添字と格納している値

添字	1	2	3	4	5	6
値	3	2	1	6	5	4

▼配列outの添字と結果的に格納された値

添字	1	2	3	4	5	6
値	3	5	6	12	17	21

▼forの繰り返しによるiとtailの値

	iの値	変数tailの値
1回目	2	3
2回目	3	5
3回目	4	6
4回目	5	12
5回目	6	17

解き方のアドバイス

添字と配列の要素が混乱しやすいです。添字は部屋番号、要素の値はその部屋の住人として、キッチリ分けて考えましょう。inとoutの配列の表をメモに書いておきます。inは最初から埋まっています。プログラムをトレースしながら、outの表を埋めていきましょう。

基本情報サンプル問題（令和4年4月）問4　解答 イ

アルゴリズム問題は、一見するとものすごく難しそうに見えます。この問題も「疎行列！？」とビックリしてしまうかもしれません。しかしよく読むと意外と簡単だったりすることも多いです。こけおどしだと思って、落ち着いて問題を読みましょう。

これは、0の要素が多い行列のデータ量を削減するという問題です。関数transformSparseMatrixの引数は整数型の二次元配列です。今回matrixという配列名で与えられている引数の状態は次のようなものです。

解答メモ

▼引数の二次元配列

matrix

i＼j	1	2	3	4	5
1	3	0	0	0	0
2	0	2	2	0	0
3	0	0	0	1	3
4	0	0	0	2	0
5	0	0	0	0	1

これを引数として関数transformSparseMatrixを呼びます。戻り値は整数型配列の配列です。配列自体を要素とする配列と考えましょう。プログラムは二重ループになっています。フローチャートにすると次のようになります。

▼関数transformSparseMatrixのフローチャート

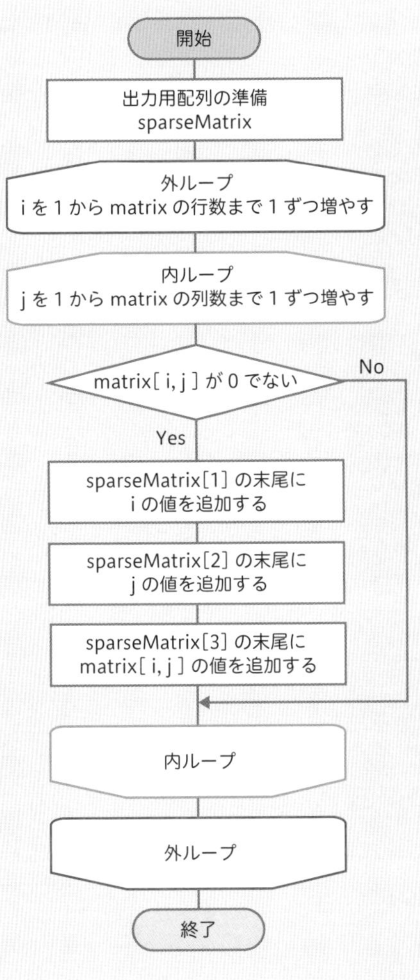

要するに、Matrix[i, j]が0以外の場合だけ、戻り値となる配列sparseMatrix[1]の末尾にiの値を、sparseMatrix[2]の末尾にjの値を、sparseMatrix[3]の末尾にMatrix[i, j]の値を追加しているだけです。

これをカウンターi、jに注意しながらトレースすると次のようになります。Matrix[i, j]が0の場合は何もしないで次に進みます。

解答メモ

▼関数transformSparseMatrixのトレース表

i	1	1	1	1	1	2	2
j	1	2	3	4	5	1	2
matrix[i, j]	3	0	0	0	0	0	2
sparseMatrix[1]	{1}						{1,2}
sparseMatrix[2]	{1}						{1,2}
sparseMatrix[3]	{3}						{3,2}

i	2	2	2	3	3	3	3
j	3	4	5	1	2	3	4
matrix[i, j]	2	0	0	0	0	0	1
sparseMatrix[1]	{1,2,2}						{1,2,2,3}
sparseMatrix[2]	{1,2,3}						{1,2,3,4}
sparseMatrix[3]	{3,2,2}						{3,2,2,1}

i	3	4	4	4	4
j	5	1	2	3	4
matrix[i, j]	3	0	0	0	2
sparseMatrix[1]	{1,2,2,3,3}				{1,2,2,3,3,4}
sparseMatrix[2]	{1,2,3,4,5}				{1,2,3,4,5,4}
sparseMatrix[3]	{3,2,2,1,3}				{3,2,2,1,3,2}

i	4	5	5	5	5	5
j	5	1	2	3	4	5
matrix[i, j]	0	0	0	0	0	1
sparseMatrix[1]						{1,2,2,3,3,4,5}
sparseMatrix[2]						{1,2,3,4,5,4,5}
sparseMatrix[3]						{3,2,2,1,3,2,1}

試験中は全部トレースしなくても選択肢の中から解答が選べるところまでで結構です。iが「3」のあたりまで進めば「イ」が正解であることがわかります。

解き方のアドバイス

何よりもまず、怖気づかないことです。やってみたら意外と簡単なはずです。ポイントは、配列の配列とはどういうものかを理解することと、丁寧にトレースすることです。ただ、丁寧ということは時間がかかるということでもあります。メモを作ってトレースし、選択肢のどれかが当てはまったら、そこで打ち切る必要があります。

コラム　プログラミングをやってみたい

序章のコラムで「アルゴリズム上達のための学習方法は自分でプログラミングしてみることだ」と書きました。絶対にそれが一番だと考えています。

ただし、最初のハードルが高いです。C言語でもJavaでもPythonでも、パソコンでプログラムを書いて実行できるようになるまでが一苦労です。ダウンロード、インストール、環境設定、といった手続き（環境構築）が必要です。ダウンロードした言語処理系のバージョンが異なるだけで、テキストに書いてあるように動かないことも多く、そこでつまずいてしまって、もう嫌になってしまう人もいるかもしれません。

そんな方にはWeb上で簡易にプログラミング体験できるサイトがお勧めです。**paiza**、**progate**、**CODEPREP**といったサイトがあります。大きなプログラムを組むことはできませんが、ちょっと試してみることは簡単にできるようになっています。中には無料のレッスン動画が何本も揃っているサイトもあります。試してみてはいかがでしょう。

2-2 大域変数と局所変数

ここまでの解説で変数がたくさん出てきました。実は変数は、使える範囲が決まっています。ここでは変数の有効範囲（スコープ）について解説します。

変数の有効範囲（スコープ）

通常は関数の冒頭で定義した変数は、その関数の中でだけ使えます。もちろん、同じ名前の変数名（例えばiやcntなどのよく使われる変数）を別の関数中でも使えますが、それはまったく別のものとして扱われます（コラムp.82）。

有効範囲が違う変数として、**大域（グローバル）変数**と**局所（ローカル）変数**があります。

大域変数と局所変数

大域変数は、どこからでも使える変数です。別の関数からでも中を見たり値を代入したりできます。

局所変数は使える範囲が決まっている変数です。関数内で宣言した変数はその関数の中でしか使えません。次のサンプルプログラムを見てください。

大域変数と局所変数を含む変数aと変数bの合計を表示する擬似言語

```
大域：整数型：a ← 1      // 大域変数の宣言と初期化
○main()
  整数型：i
  for (iを1から5まで1ずつ増やす)   //countを5回呼ぶ
    count()
  endfor

○count()
  整数型：b ← 1      // 局所変数の宣言と初期化
  aの値とbの値をコンマ区切りで表示して、改行する
```

```
11.  a ← a + 1          // 大域変数を1加算
12.  b ← b + 1          // 局所変数を1加算
```

関数mainを実行すると、次のような実行結果になります

関数mainの実行結果

```
1, 1
2, 1
3, 1
4, 1
5, 1
```

変数aは**大域変数**として定義されています。これはどの関数でも使えますし、関数を移っても値は保持されます。したがって、関数countで変数aに「1」加算されると、その結果は関数mainでも反映されます。

変数bは**局所変数**として定義されています。特に明言せずに宣言すると、局所変数となります。変数bの有効範囲は関数countの中だけです。基本的にはcountの中でしか使えません。ですから、関数countで変数bに「1」を加算しても、次に呼ばれたときにはまた「1」で初期化されます。10行目で変数bの値を表示すると常に「1」というわけです。

大域変数と局所変数の使い分け

大域変数の方がどの関数でも使えて便利そうに思えますが、どうしても大域変数でないといけない場合以外は、一般的に局所変数を使います。通常、プログラムはいくつかの部品に分けて、複数人で手分けして作るので、他の人も使っている大域変数をうっかり別の処理で書き換えてしまったりするとプログラムが正しく動かないなど大変なことになるからです。

ここが重要!

逆にいえば、あえて大域変数を使うとしたら、使わなければならない理由があるからです。2-4で学習するスタックやキューのサンプルプログラムのように、**複数の関数で同じ変数を使って操作する場合や、3-4で学習する再帰のプログラムなどの場合に大域変数を利用します。**

2-2のまとめ

- 大域変数は、どこからでも使える変数。別の関数からでも中を見たり値を格納したりできる。
- 局所変数は使える範囲が決まっている変数。関数内で宣言した変数はその関数の中でしか使えない。

コラム 大域変数と局所変数で同じ変数名は使えるか

大域変数と局所変数の使い分けについて学習しましたが、変数名を同じにできるのでしょうか。結論は、大域変数と局所変数で同じ変数名を使っても問題はありません。ただし、大変にややこしいことになります。

クイズだと思って次のプログラムで何が表示されるか、考えてみてください。

大域変数と局所変数で同じ変数iを使う擬似言語

```
大域：整数型：i
○ main()
  i = 10
  "VALUE1："とiを表示する
  test()
  "VALUE4："とiを表示する

○ test()
整数型：i
  i = 20
  "VALUE2："とiを表示する
  i = 30
  "VALUE3："とiを表示する
```

結果は次のようになります。同じ変数名だとわかりにくいですね。

関数mainの実行結果

```
VALUE1 : 10
VALUE2 : 20
VALUE3 : 30
VALUE4 : 10
```

2-3 リスト

たくさんのデータを扱いやすくするデータ構造として、配列の他にリストがあります。リストは、「連結リスト」ともいいます。

リストとは

リストとは、「値であるデータ」と「ポインタ：次のデータの場所を指し示す情報」がセットとなったデータ構造です。**ポインタ**とはデータのある場所、つまりアドレスのことです。

コンピュータのメモリは、先頭が0番地、その次が1番地、次が2番地…と全ての箱にアドレス(番地)がついています。これまでにない特徴として、**自分の次のデータのアドレス**をもっているのがリストというデータ構造です。

リストが保持するデータを利用する際は、先頭のデータから順番にたどっていくことになります。

リストの利用イメージ

リストを利用するには、まず「先頭データがどこのアドレスにあるか」という情報が必要です。これが**先頭データのポインタ**です。

リストのイメージは次のようなものです。新幹線の停車駅を例に解説します。

▼駅のデータを保持するリスト

先頭データへのポインタ　20

アドレス	データ	ポインタ
50	名古屋	30
40	新大阪	NULL
30	京都	40
20	東京	10
10	新横浜	50

▼駅のデータを先頭のポインタからアドレスをたどる1

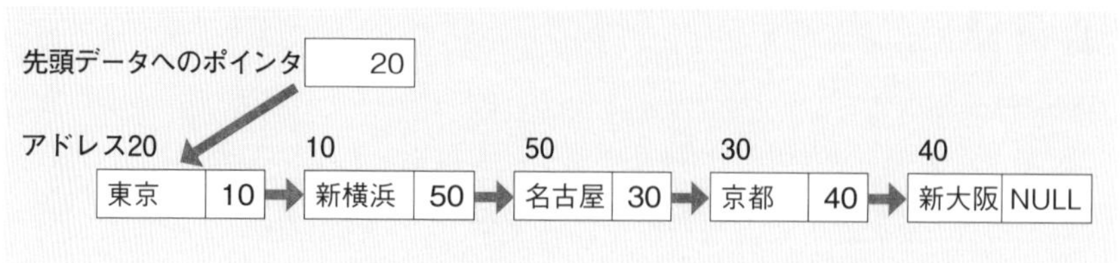

リストは、基本データ構造である変数や配列のように特定の形で宣言して使うことはありません。実際のプログラムでリストを表現する方法はさまざまです。C言語ではポインタ変数というアドレスを格納する特別な変数、Javaでは3章で解説するオブジェクト指向のメンバ変数を使います。そのため、情報処理試験でもリストの表現方法は問題に応じて考える必要があります。

メモ リストは、問題向きデータ構造という「特定の問題を解決するために一番便利なデータ構造」の一つです。

ここでは、配列を二つ使って、「リスト風」のデータ構造を考えましょう。stationという配列には駅名のデータを格納します。nextという配列には次のデータの添字を格納します。上図のアドレスの10の位を添字にします。あくまでも添字であり、アドレスではないので、厳密にいえばリストとはいえませんが、イメージをつかんでください。

先頭データの添字を格納するtopという変数を用意します。topが2なので、先頭データはstation[2]に格納されています。**その次のデータの添字**を同じ要素番号のnext[2]に格納する、という具合です。

最終データである「新大阪」の次のデータには、最終データを表す特別な値を格納します。ここではNULLを格納します。これは、何もないことを表す目印のようなものです。

▼駅のリストを二つの配列で表現したもの

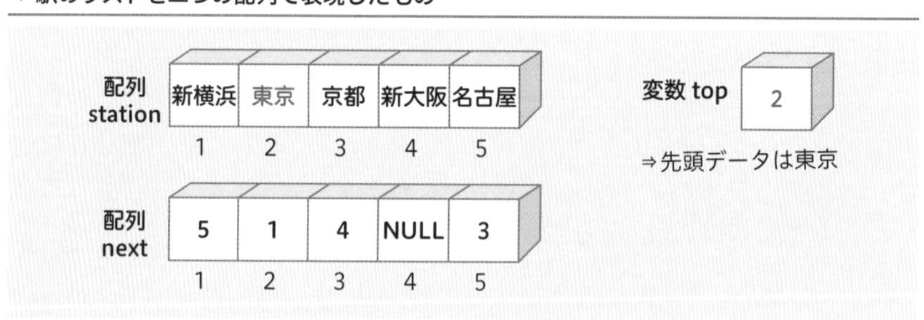

リストの特徴

リストの特徴は、データの挿入・削除が容易だということです。例えば「東京」と「新横浜」の間に「品川」というデータを挿入したい場合も、ポインタ(ここでは配列nextの値)の書き換えだけで可能です。

▼東京のポインタを「60」に書き換えて品川のデータを追加する

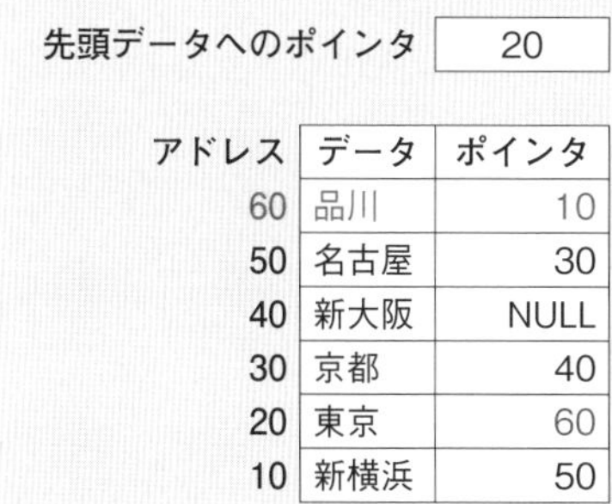

先頭データへのポインタ　20

アドレス	データ	ポインタ
60	品川	10
50	名古屋	30
40	新大阪	NULL
30	京都	40
20	東京	60
10	新横浜	50

▼駅のデータを先頭のポインタからアドレスをたどる2

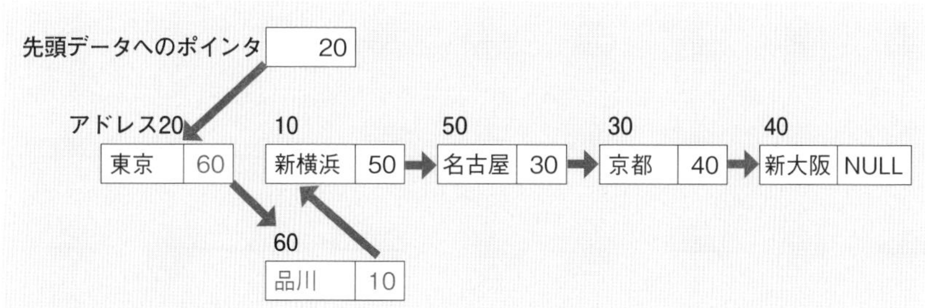

▼二つの配列に品川を挿入する場合

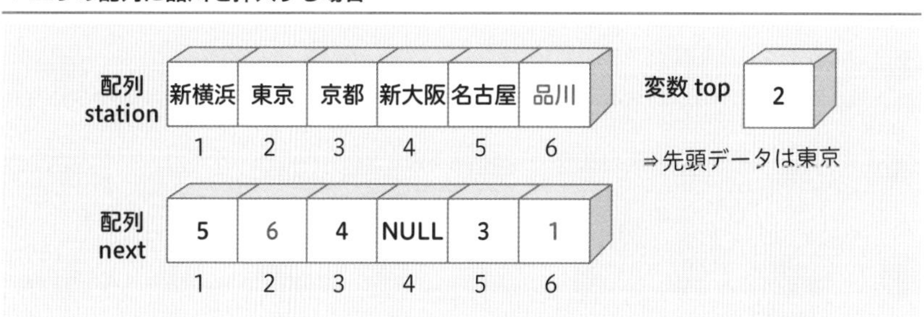

先ほどのstationとnextという配列の例で、「品川」を擬似言語で挿入すると次のようになります。

品川のデータを追加する擬似言語

```
next[2] ← 6
station[6] ← "品川"
next[6] ← 1
```

同様に、例えば「京都」を削除したい場合も、ポインタの書き換えのみで対応できます。

▼名古屋のポインタを「40」に書き換えて京都のデータを削除する

先頭データへのポインタ 20

アドレス	データ	ポインタ
50	名古屋	40
40	新大阪	NULL
30	京都	40
20	東京	10
10	新横浜	50

▼駅のデータを先頭のポインタからアドレスをたどる3

▼二つの配列から京都を削除する場合

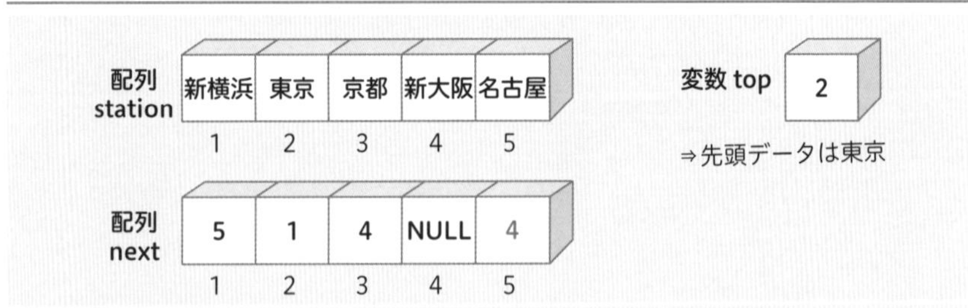

メモリ上は京都のデータは残っていますが、たどれないため削除したことになります(ここでは配列nextをメモリに見立てている)。先ほどのstationとnextという配列の例で「京都」を削除する擬似言語は次のようになります。

京都のデータを削除する擬似言語

```
next[5] ← 4
```

この一つだけの命令で削除できるため、容易にデータを管理できます。

ここが重要!

リストは他のデータ構造とからめて出題されることが多いです。特に挿入や削除の処理を問われるので、どこを変更したらデータを挿入・削除できるかを押さえておきましょう。

2-3のまとめ

- リストは、それぞれのデータと「次のデータへの宛先情報(ポインタ)」をセットで保持しているデータ構造である。
- データの挿入・削除に強い。

厳選過去問題&徹底解説

基本情報過去問題(平成30年春期)午前問6改題

リストを二つの1次元配列で実現する。配列要素box[i]とnext[i]の対がリストの一つの要素に対応し，box[i]に要素の値が入り，next[i]に次の要素の番号が入る。配列に図の状態ですでに値が入っている場合，リストの3番目と4番目との間に値がHである要素を挿入するプログラム中の[a]に入れる正しい答えはどれか。

ここで，next[0]がリストの先頭(1番目)の要素を指し，next[i]の値が0である要素はリストの最後を示し，next[i]の値が空白である要素はリストに連結されていない。

	0	1	2	3	4	5	6	7	8	9
box		A	B	C	D	E	F	G	H	I

	0	1	2	3	4	5	6	7	8	9
next	1	5	0	7		3		2		

〔プログラム〕

文字型の配列: box

整数型の配列: next

[a]

解答群

ア	next[3] ← 7 next[8] ← 5
イ	next[3] ← 8 next[8] ← 7
ウ	next[7] ← 8 next[8] ← 7
エ	next[3] ← 5 next[7] ← 8

解答・解説

基本情報過去問題（平成30年春期）午前問6改題　解答 イ

リストは、「値であるデータ」と「ポインタ：次のデータの場所を指し示す情報」がセットとなったデータ構造です。問題文にある配列の初期状態をリストの形で書くと次のようになります。

▼配列の初期状態

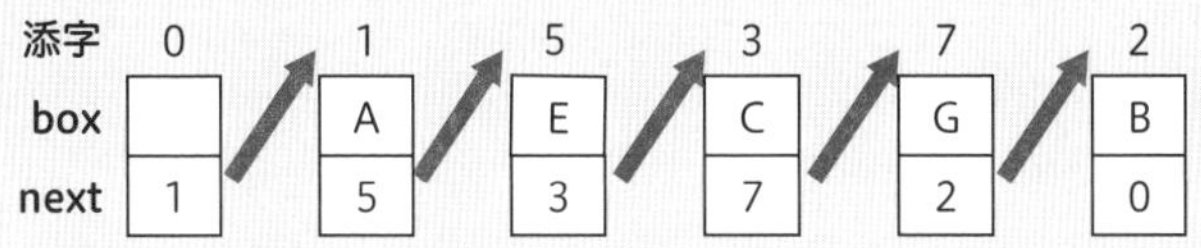

3番目の「C」と4番目の「G」の間に「H」を挿入するためには、直前の「C」が入っているbox[3]に対応するnext[3]を「8」に、また挿入する「H」が入っているbox[8]に対応するnext[8]を「7」に書き換える必要があります。

▼「H」を挿入するには

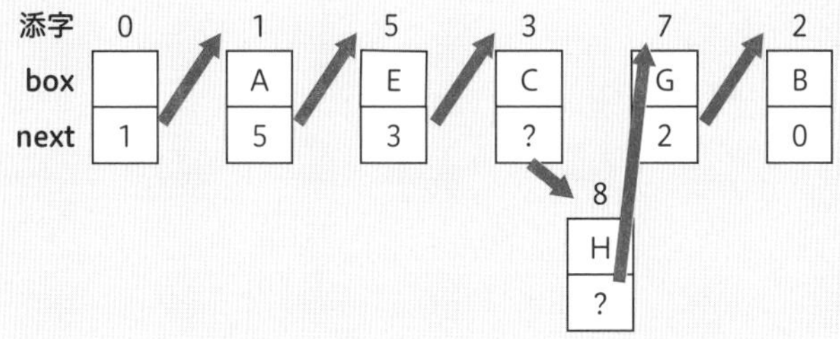

したがって、「next[3] ← 8」と「next[8] ← 7」である「イ」が正解です。

解き方のアドバイス

boxとnextを見ながら、メモにA→E→C→G→Bと書いていきます。この「C」と「G」の間に「H」を挿入するにはどうすればよいかを考えます。

2-4 スタックとキュー

スタックやキューというデータ構造もあります。この二つは入れたデータをどういう順番で取り出せるかが異なります。スタックもキューも問題向きデータ構造であり、プログラム内では、配列やリストを用いて実現します。

スタック

スタックは、箱に雑誌を放り込んでいくイメージのデータ構造です。下図のようにスタックの方式で雑誌を収納したとします。さて読もうとして、取り出すのは一番上にある最新号です。箱の一番下が一番古い号になり、最後に入れたものを最初に取り出します。このような構造を**後入先出**（あといれさきだし）**：LIFO（Last In First Out）**といいます。

▼スタックでデータを格納・取り出すイメージ

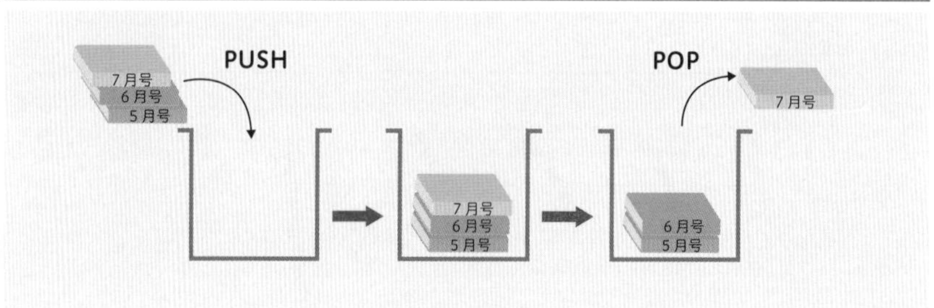

スタックにデータを入れることを**push**、データを取り出すことを**pop**といいます。スタックに3、5、7の順に**push**して、**pop**したものを出力する関数samplestを擬似言語で書くと次のようになります。

メモ なお、本来はスタックが空のときにpopしようとする場合や、スタックが満杯のときにpushしようとする場合のエラー処理を書かなければいけませんが、次のプログラムでは省略しています。

スタックを表現した擬似言語

```
1.  大域：整数型の配列：st  ← {} // スタックを表す配列
2.  大域：整数型：top ← 1  // スタックの先頭を表す変数
3.  ○push(整数型：value)
4.    st[top] ← value
5.    top ← top + 1
6.  ○整数型：pop()
7.    top ← top - 1
8.    return st[top]
9.  ○samplest()
10.   push(3)  // スタックに3を積む {} → {3}
11.   push(5)  // スタックに5を積む {3} → {3, 5}
12.   push(7)  // スタックに7を積む {3, 5} → {3, 5, 7}
13.   pop()の戻り値を出力する // 7を出力 {3, 5, 7} → {3, 5}
```

ここでは三つの関数を使っています。実行するのはsamplestで、その中で関数pushと関数popを呼んでいます。

1行目と2行目は大域変数の定義です。stはスタックとして利用する配列です。topは「スタック中の最後に追加された要素の次の要素の添字」を示す変数です。つまり追加要素を格納する配列の添字です。これらは三つの関数で共通して使用しますから、**大域変数**（2-2参照）として定義する必要があります。

関数pushの引数がスタックにpushしたい要素です。戻り値はありません。この関数は次ページの図のようにst[top]に追加要素を格納して、topを「1」増やします。

▼スタック(配列st)にデータを格納する

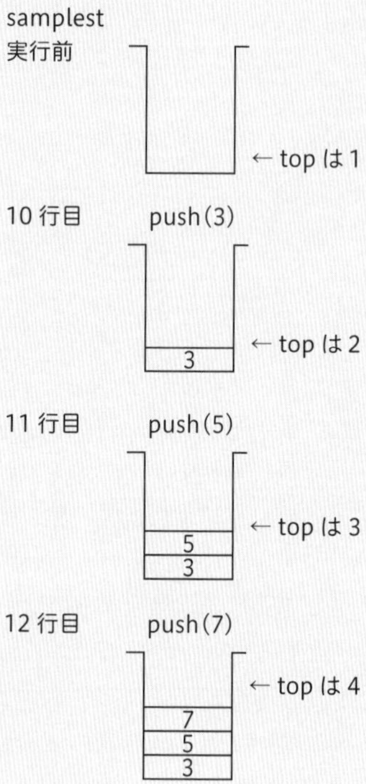

samplest
実行前
← top は 1

10 行目　push(3)
3
← top は 2

11 行目　push(5)
5
3
← top は 3

12 行目　push(7)
← top は 4
7
5
3

関数popは引数がありません。戻り値はスタックから取り出した値です。topを「1」減らすことによって、一番上の要素の添字になります。この要素を戻り値として出力します。

▼スタック(配列st)からデータを取り出す

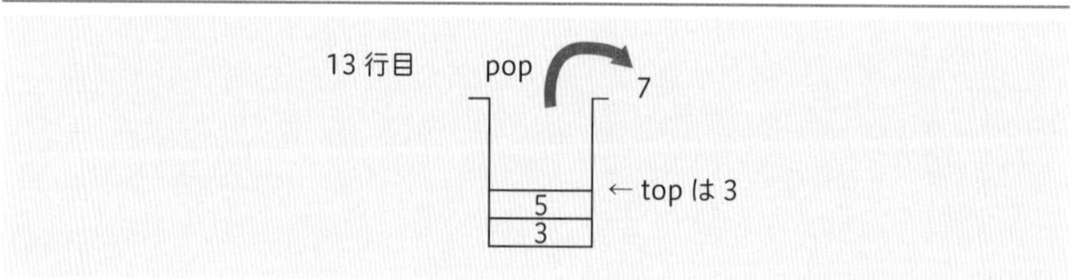

関数samplestが実行される関数です。引数も戻り値もありません。この中でpush関数とpop関数を呼んでいます。結果的に13行目まで処理が進み、「7」が出力されます。

キュー

キューは、待ち行列とも呼ぶデータ構造です。キューは列を作って順番待ちをしているイメージです。銀行の窓口やレジの列と同じようにデータが最後尾に着くと、だんだん前の方に進んでいき、ようやく自分の順番がきます。スタックと違い、最初に列に並んだもの（格納したデータ）が最初に取り出されます。このような構造を**先入先出：FIFO**（**First In First Out**）といいます。

▼キューでデータを格納・取り出すイメージ

キューにデータを入れることを**enqueue**、キューからデータを取り出すことを**dequeue**といいます。キューに3、5、7の順にenqueueした後、dequeueしたものを出力する関数samplequを擬似言語で書くと次のようになります。

メモ キューもスタックと同様に本来あるべきエラー処理は省略しています。

キューを表現した擬似言語

```
大域：整数型の配列：qu   // キューを表す配列
大域：整数型：tail ← 1, head ← 1  // キューの要素区間を表す変数
○enqueue(整数型 value)
    qu[tail] ← value
    tail ← tail + 1
○整数型：dequeue()
    整数型：res ← qu[head]
    head ← head + 1
    return res
○samplequ()
```

```
11.         enqueue(3) // キューに 3 を入れる {} → {3}
12.         enqueue(5) // キューに 5 を入れる {3} → {3, 5}
13.         enqueue(7) // キューに 7 を入れる {3, 5} → {3, 5, 7}
14.         dequeue()の戻り値を出力する // 3を出力 {3, 5, 7} → {5, 7}
```

スタックと同様に三つの関数を使っています。実行するのはsamplequで、その中で関数enqueueと関数dequeueを呼んでいます。

1行目と2行目は大域変数の定義です。quはキューとして利用する配列です。tailとheadはキューの要素の範囲を示します。tailが末尾、headが先頭という意味です。初期値はどちらも「1」です。headは先頭の要素の添字を表す変数です。tailは最後に追加された要素の次の添字を表す変数です。次に要素が入る配列の添字ということになります。

関数enqueueの引数がキューにenqueueしたい要素です。戻り値はありません。この関数は下図のようにqu[tail]に追加要素を格納して、tailを「1」増やします。

▼キュー（配列qu）にデータを格納する

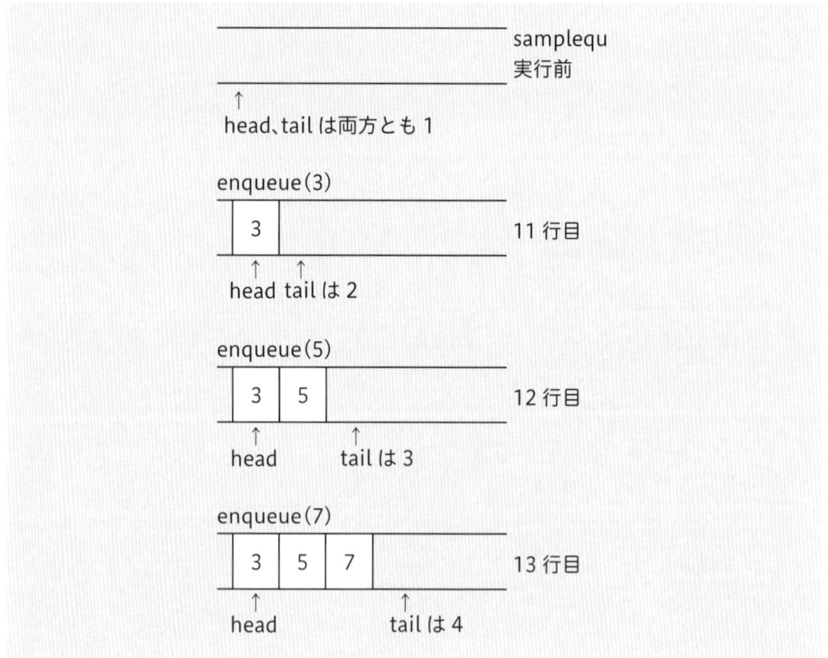

関数dequeueは引数がありません。戻り値はキューから取り出した値です。headから取り出します。取り出した後、headは「1」増やします（実際には配列中にデータは残りますが、もう使えません）。

▼キュー（配列qu）からデータを取り出す

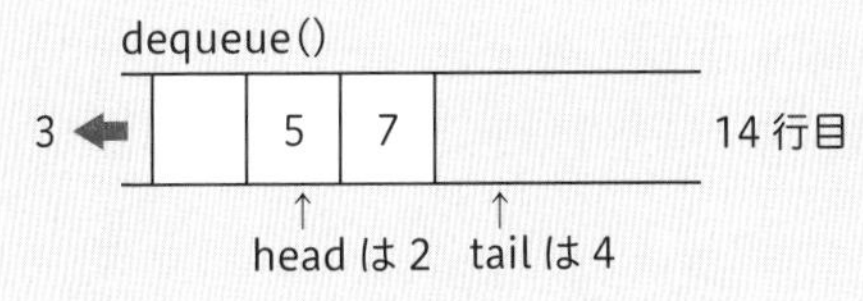

実行される関数samplequは、引数も戻り値もありません。この中でenqueue関数とdequeue関数を呼び、結果的に「3」が出力されます。

ここが重要！

擬似言語でのスタックやキューの実現方法は、これ以外にも考えられます。ただ、関数名や変数名から、問題で扱われているのがスタックなのかキューなのかは、すぐにわかります。スタックやキューの図をメモして、入力されるデータと出力されるデータを間違わないようにしましょう。

2-4のまとめ

- スタックは後入先出（あといれさきだし）（LIFO）のデータ構造。
- キューは先入先出（さきいれさきだし）（FIFO）のデータ構造。

厳選過去問題＆徹底解説

基本情報過去問題（平成31年春期）午前問6

5 min

三つのスタックA, B, Cのいずれの初期状態も[1, 2, 3]であるとき，再帰的に定義された関数f()を呼び出して終了した後のBの状態はどれか。ここで，スタックが[a_1, a_2, …, a_{n-1}]の状態のときにa_nをpushした後のスタックの状態は[a_1, a_2, …, a_{n-1}, a_n]で表す。

```
f(){
  Aが空ならば{
    何もしない。
  }
  そうでない場合{
    Aからpopした値をCにpushする。
    f()を呼び出す。
    Cからpopした値をBにpushする。
  }
}
```

解答群

ア[1,2,3,1,2,3]　　イ[1,2,3,3,2,1]

ウ[3,2,1,1,2,3]　　エ[3,2,1,3,2,1]

解答・解説

基本情報過去問題（平成31年春期）午前問6　解答 ア

スタックは後入先出しのデータ構造で、"pop"と"push"の二つの命令によってデータを操作します。

- pop：スタックからデータを取り出す
- push：スタックにデータを追加する

f()は自分自身を呼び出す再帰関数になっています。各スタックの状態の変化をトレースしてみましょう。

初期状態

f()の1回目　Aからpopした値をCにpushする

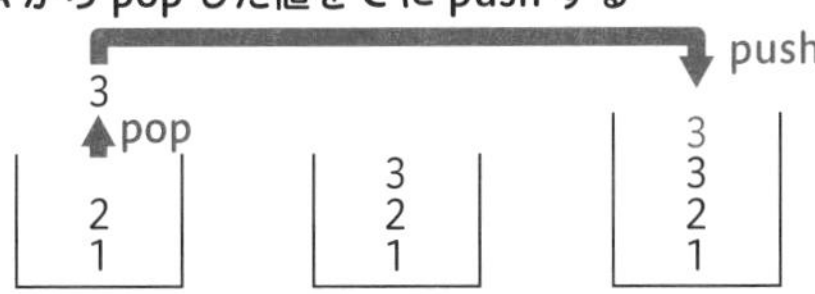

f()を呼び出す
f()の2回目　Aからpopした値をCにpushする

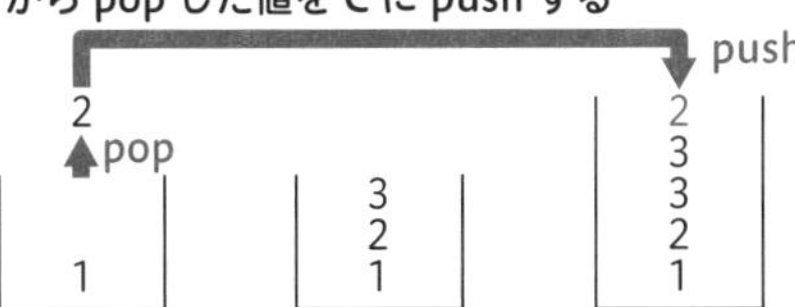

f()を呼び出す
f()の3回目　Aからpopした値をCにpushする

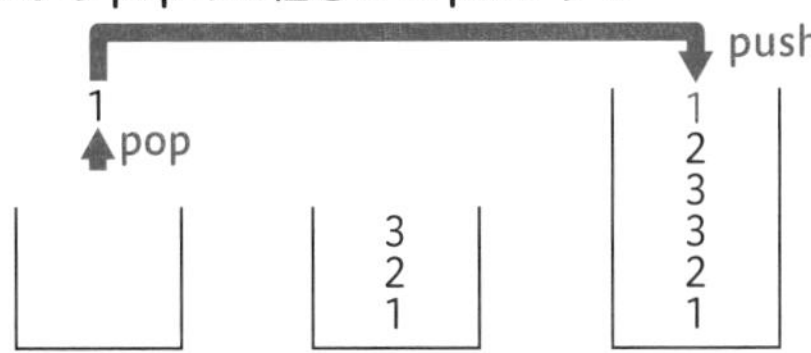

f()を呼び出す
f()の4回目　Aが空なので何もしない
3回目の続きに戻る　Cからpopした値をBにpushする

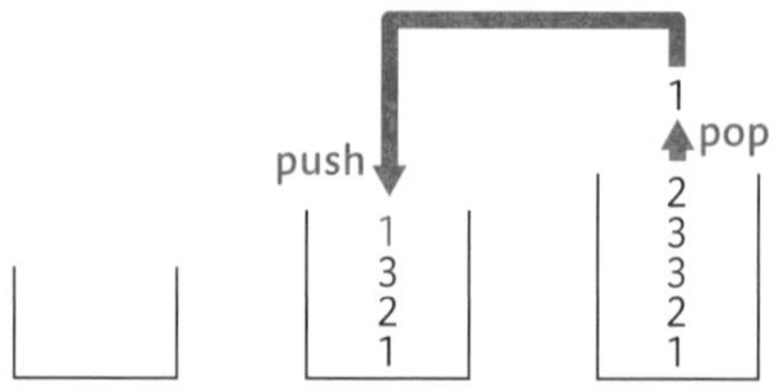

2回目の続きに戻る　Cからpopした値をBにpushする

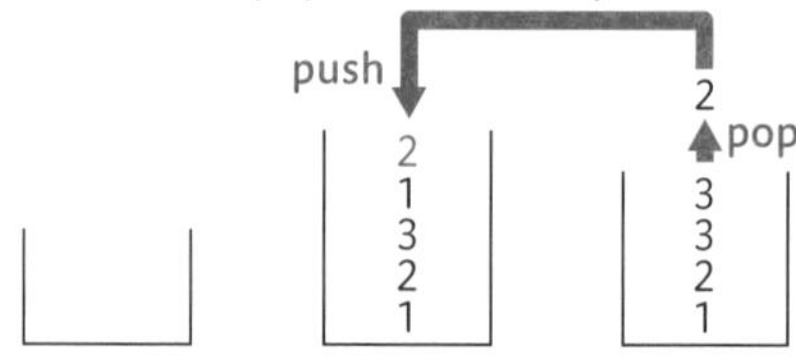

1回目の続きに戻る　Cからpopした値をBにpushする

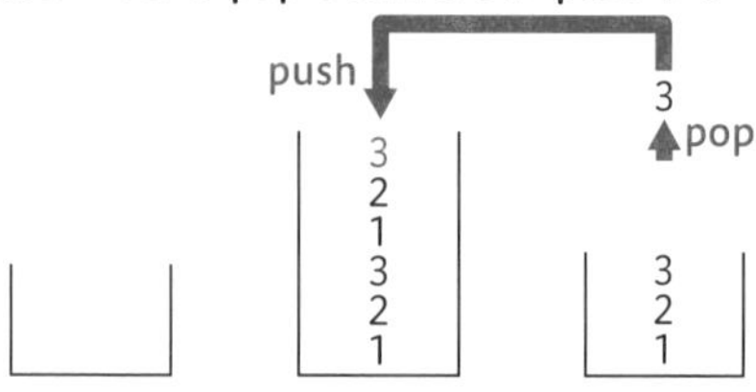

これでプログラムが終了します。

結果として関数$f()$が終了した後のBの状態は[1, 2, 3, 1, 2, 3]になっています。

解き方のアドバイス

再帰関数を使っているので、現時点では少し難しいかもしれません。3-4を学習してからでもよいでしょう。スタックやキューの問題は、メモに図を書いて考えましょう。

2-5 木

私たちの身近にあるデータ構造の一つに階層構造があります。例えば会社の組織は階層構造になっていることが多いでしょう。

木構造

階層構造は、層が重なりながら、枝分かれしています。

▼階層構造のイメージ（会社の組織図）

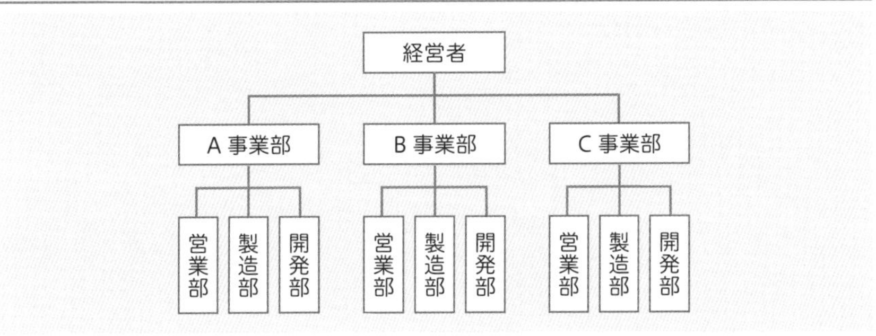

情報処理試験では、このようなデータ構造を木と呼んでいます。木というと、少し妙な感じがするかもしれません。上下をひっくり返してみてください。木の根っこから幹が出て、そこから枝が出て、さらに細い枝が出て、その先に葉がつく、そんなイメージです。

▼木構造は木の上下を逆にするとイメージしやすい

上のデータを**親**、そこから派生するデータを**子**といいます。

▼木のデータの呼び方（親子）

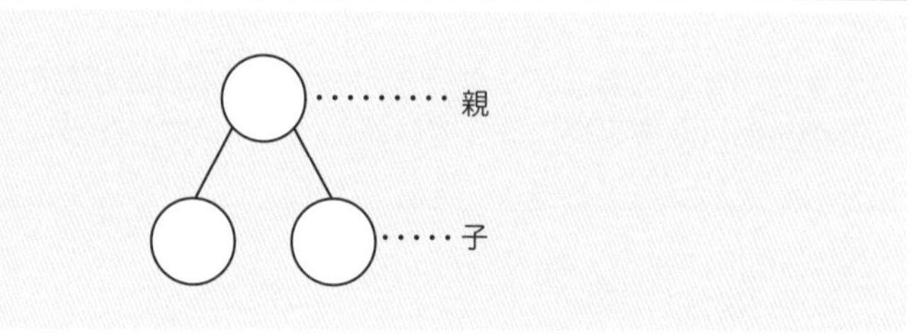

また、実際の木と同様に一番大本（おおもと）のデータを**根**、データが格納される部分を**節**、そこから分かれて行く道を**枝**、子のないデータは**葉**とも呼びます。

▼二分木の各データの呼ばれ方

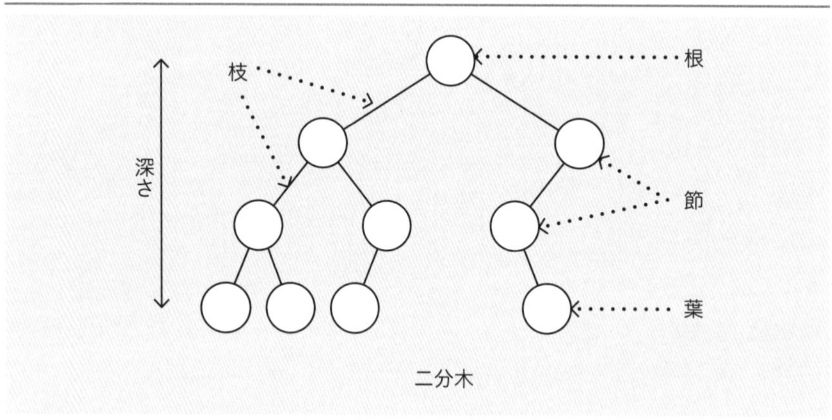

特に、親から見た子の数が最大でも「2」の木を**二分木**といいます。親から見た子が「0」か「1」か「2」ということになります。

▼親から見た子の数

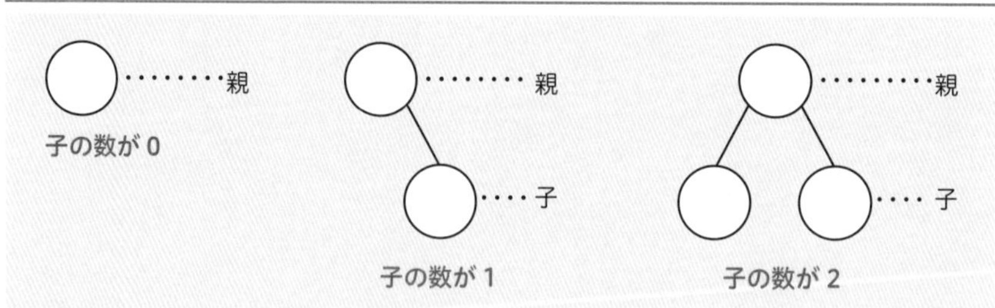

根を基準に、ある節や葉までの枝の数を**深さ**といいます。根の深さは0となります。ある節の左側を**左部分木**、右側を**右部分木**といいます。

▼根の深さと左右の部分木

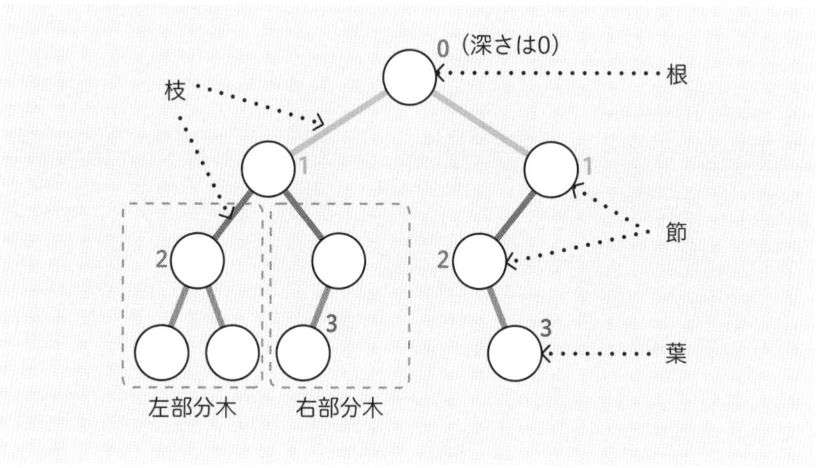

ここでは、基本情報技術者試験の午前問題を使って、木構造を配列で表現した場合にどうなるかを考えてみましょう。

【例題】基本情報過去問題（平成22年秋期）午前問6  **5 min**

節点1, 2, …, nをもつ木を表現するために，大きさnの整数型配列A[1], A[2], …, A[n]を用意して，節点iの親の番号をA[i]に格納する。節点kが根の場合はA[k]＝0とする。表に示す配列が表す木の葉の数は，幾つか。

i	1	2	3	4	5	6	7	8
A[i]	0	1	1	3	3	5	5	5

ア 1　　イ 3　　ウ 5　　エ 7

◎解説

実際に木の図を書きながら確認するとよいでしょう。まず、A[1]が「0」であることから節点1が根であることがわかります。

同様にして節点2と節点3の親が節点1、節点4と節点5の親が節点3、節点6と節点7と節点8の親が節点5なので、以下のような木となります。

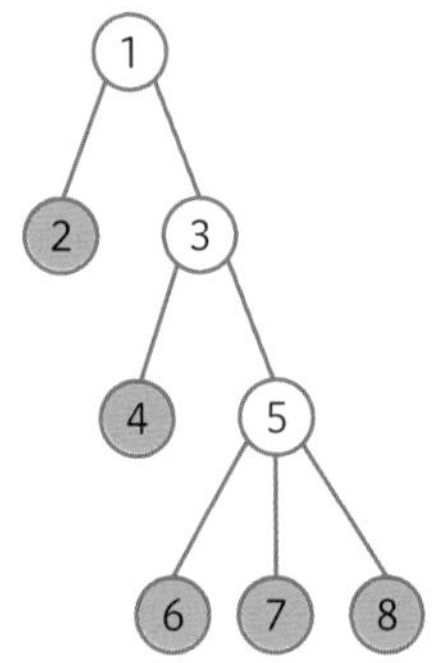

葉（子のない節）の数は「5」となります。答えは「ウ」です。

擬似言語で木を表現する

次に擬似言語を使って、木を表現してみましょう。これもさまざまな方法がありますが、**整数型配列の配列**を使って、次のような木構造を表現してみます。

配列treeの要素は、対応する節の子の節番号を、左の子、右の子の順に格納した配列です。例えば、配列treeの要素番号1の要素は、節番号1の子の節番号からなる配列であり、左の子の節番号2、右の子の節番号3を配列 {2, 3} として格納するものとします。

▼擬似言語で表現された木のイメージ

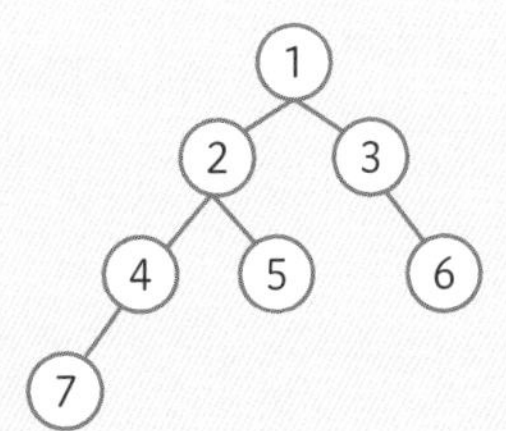

木を配列で表現した擬似言語

```
整数型配列の配列: tree ← {{2, 3}, {4, 5}, {,6}, {7,},{}, {},
                      {}}
```

ここで { } は要素数0の配列を示します。これにより、下図のように配列要素が格納されます。

▼配列treeと要素の格納状況

tree [1]	{2, 3}
tree [2]	{4, 5}
tree [3]	{6}
tree [4]	{7}
tree [5]	{ }
tree [6]	{ }
tree [7]	{ }

これは1の子が2と3、2の子が4と5、3の子が6、4の子が7、5と6と7は子がない（つまり葉）ということを意味します。

ここが重要！

木構造も問題向きデータ構造なので、擬似言語のプログラムによって、さまざまに表現されます。問題に木構造と書かれていたら、メモに木構造の図を書きながら考えましょう。

2-5のまとめ

- 親子の関係があるようなデータ構造を木構造という。
- 階層構造を表現するのに適している。

次のサンプル問題（令和4年12月）問9は、「再帰」の知識も必要です。3-4で再帰を学習してからチャレンジするとよいでしょう。

コラム 論理的思考のために（パズル編）

数独（ナンプレ）をやったことがありますか？

3×3のグループ（ブロック）に区切られた 9×9の正方形の枠内に1 ～ 9までの数字を入れるペンシルパズルです。縦1列、横1行、3×3のグループに同じ数字を入れないというのがルールです。単純ではありますが、結構頭を使います。

著者は**カックロ（加算クロス）**が好きです。ルールは次のようなものです。

・マスに 1 ～ 9 の数字を入れる。
・斜めに仕切られたマスにある数字のうち、右上にある数字は横へ続く空マスの計。左下にある数字は縦へ続く空マスの計を表す。
・横に連続する空マスの中に同じ数字は入らない（縦も同じ）。

言葉ではイメージしにくいので、ぜひ検索して試してみてください。

IPA公式サンプル問題＆徹底解説

基本情報サンプル問題（令和4年12月）問9

次の記述中の[ ]に入れる正しい答えを，解答群の中から選べ。ここで，配列の要素番号は1から始まる。

手続orderは，図の2分木の，引数で指定した節を根とする部分木をたどりながら，全ての節番号を出力する。大域の配列treeが図の2分木を表している。配列treeの要素は，対応する節の子の節番号を，左の子，右の子の順に格納した配列である。例えば，配列treeの要素番号1の要素は，節番号1の子の節番号から成る配列であり，左の子の節番号2，右の子の節番号3を配列{2，3}として格納する。

手続orderをorder(1)として呼び出すと，[ ]の順に出力される。

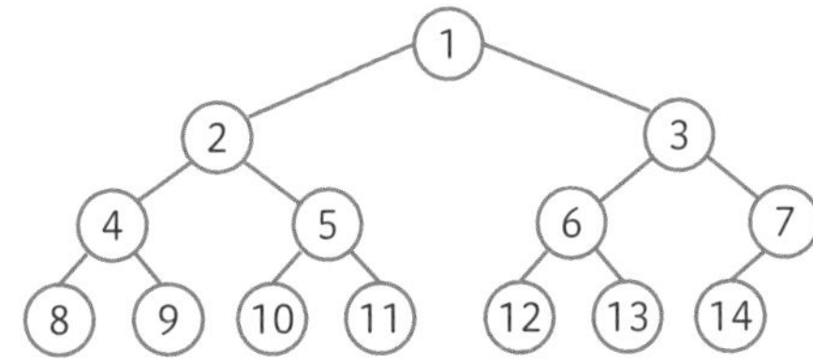

図　プログラムが扱う２分木

注記１　○の中の値は節番号である。
注記２　子の節が一つの場合は，左の子の節とする。

〔プログラム〕

```
大域: 整数型配列の配列: tree ← {{2, 3}, {4, 5}, {6, 7},
                                 {8, 9}, {10, 11},
                                 {12, 13}, {14}, {}, {},
                                 {},{}, {}, {}, {}} //
                                 {}は要素数0の配列
```

```
○order(整数型: n)
  if (tree[n]の要素数が2と等しい)
    order(tree[n][1])
    nを出力
    order(tree[n][2])
  elseif (tree[n]の要素数が1と等しい)
    order(tree[n][1])
    nを出力
  else
    nを出力
  endif
```

解答群

ア 1, 2, 3, 4, 5, 6, 7, 8, 9, 10, 11, 12, 13, 14
イ 1, 2, 4, 8, 9, 5, 10, 11, 3, 6, 12, 13, 7, 14
ウ 8, 4, 9, 2, 10, 5, 11, 1, 12, 6, 13, 3, 14, 7
エ 8, 9, 4, 10, 11, 5, 2, 12, 13, 6, 14, 7, 3, 1

解答・解説

基本情報サンプル問題（令和4年12月）問9　解答 ウ

配列を使った、木構造の走査（スキャン）の問題です。まず問題文から、配列にデータがどのように格納されるかを読み取りましょう。「配列を要素とする配列」は耳なじみがないかと思いますが、通常の二次元配列です。プログラム1行目の大域変数への代入により、二次元配列treeに2分木の節番号が代入されます。例えば、二次元配列treeの一段目の要素には、次のように初期値が代入されます。

```
tree[1] ← tree[1][1], tree[1][2] /*配列tree1に二つの要素が用意
                                   される*/
tree[1][1] ← 2 /*二次元配列tree[1][1]に2を値として代入する*/
tree[1][2] ← 3 /*二次元配列tree[1][2]に3を値として代入する*/
```

▼二次元配列treeの一段目の代入イメージ

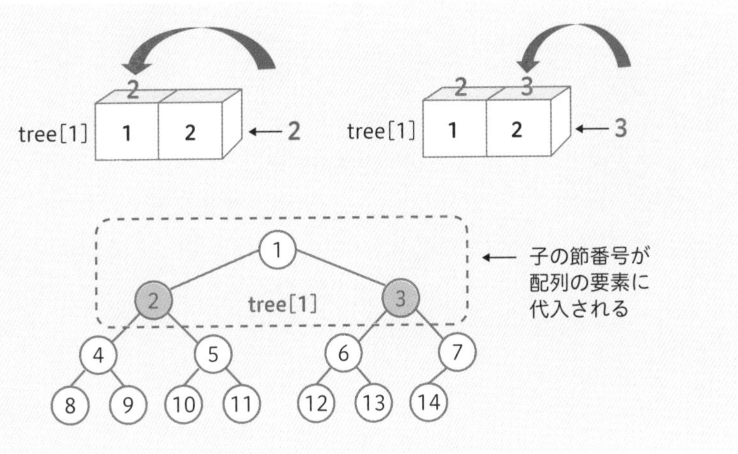

二次元配列treeの全ての要素に次のように代入されます。

解答メモ

▼二次元配列treeの要素に代入される値

	1つ目の要素	2つ目の要素
tree[1]	2	3
tree[2]	4	5
tree[3]	6	7
tree[4]	8	9
tree[5]	10	11
tree[6]	12	13
tree[7]	14	
tree[8]		
tree[9]		
tree[10]		
tree[11]		
tree[12]		
tree[13]		
tree[14]		

手続orderのフローチャートは次のようになります。フローチャートの長方形の両側が二重線になっているものは**定義済処理**とか**サブルーチン**と呼ばれ、別のフローチャートで定義した処理ということになります。再帰処理では、ここが自分自身の名前(今回は手続order)になるので、先頭に戻り、繰り返しの処理になります。

▼手続きorderのフローチャート

order(n)
tree[n] の要素が2と等しい
No
Yes
order(tree[n][1])
nを出力
order(tree[n][2])
tree[n] の要素が1と等しい
No
Yes
order(tree[n][1])
nを出力
nを出力
終了

プログラム内の手続orderは再帰になっています。以下の3、5、7行目に注目するとorderの引数として「二次元配列treeの要素の値」を指定して再帰していること（手続orderを頭から繰り返していること）がわかります。

```
1.  ○order(整数型:n)
2.    if (tree[n]の要素数が2と等しい)
3.      order(tree[n][1])
4.      nを出力
5.      order(tree[n][2])
6.    elseif (tree[n]の要素数が1と等しい)
7.      order(tree[n][1])
8.      nを出力
9.    else
10.     nを出力
11.   endif
```

問題文の最終行に記載のとおりにorder(1)として呼び出すと、次のように実行されます。

2行目　tree[1]の要素数は2なので3行目に。
3行目　order(2)を呼ぶ(tree[1][1]は2なので)。
1行目　order(2)
2行目　tree[2]の要素数は2なので3行目に。
3行目　order(4)を呼ぶ(tree[2][1]は4なので)。
1行目　order(4)
2行目　tree[4]の要素数は2なので3行目に。
3行目　order(8)を呼ぶ(tree[4][1]は8なので)。
2行目　tree[8]の要素数は0なので2行目と6行目の条件に当てはまらないため、10行目へ。
10行目　「8」を出力して、order(8)が終わり、order(4)に戻る。**関数の戻る場所はその関数が呼ばれたところです**。order(8)が呼ばれたのは、order(4)であることに注目します。order(4)は3行目まで実行済なため4行目に。
4行目　「4」を出力。
5行目　order(9)を呼ぶ(tree[4][2]は9なので)。
2行目　tree[9]の要素数は0なので2行目と6行目の条件に当てはまらないため、10行目へ。
10行目　「9」を出力して、order(9)が終わり、order(4)に戻る。order(4)の実行が終わったので、order(2)に戻る。order(2)は3行目まで実行済なので4行目に。
4行目　「2」を出力。
:

ここまでの段階で次のように出力されています。

8, 4, 9, 2

この段階で正解が「ウ」であることがわかります。

これは木構造の走査で、**深さ優先走査の中間順(通りがけ順)**と呼ばれている方法です。他の選択肢もそれぞれ走査方法に名前がついています。

ア　幅優先走査

イメージは以下になります。

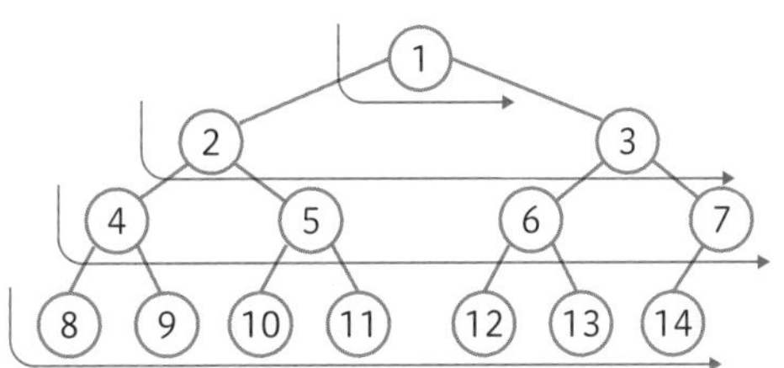

同じ深さの節を左から順に出力します。ですから、

1，2，3，4，5，6，7，8，9，10，11，12，13，14

という順になります。

イ、ウ、エは深さ優先走査といいます。以下の順に走査するイメージです。

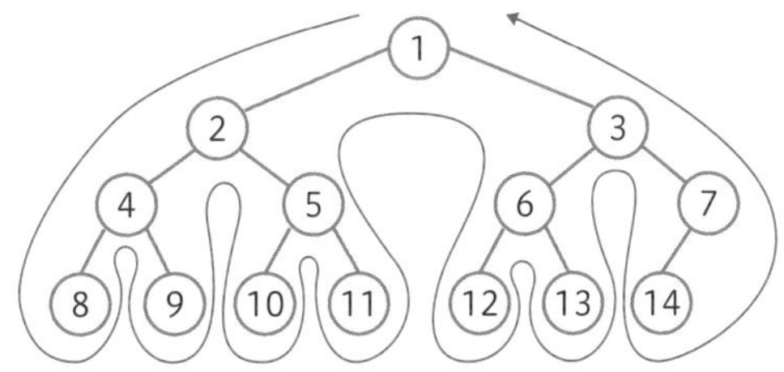

イ　先行順（行きがけ順）

親から左部分木、右部分木の順に出力します。先ほどのルートで、節を通ったら出力するイメージです。ですから、

1，2，4，8，9，5，10，11，3，6，12，13，7，14

という順になります。

ウ　中間順（通りがけ順）

左部分木から親、右部分木の順に出力します。先ほどのルートで、まだ左の子があれば出力しません。ですから最初は8です（子が存在しない）。次にその親の4、右の子の9です。これで左の部分木が終わったので、次は親にあたる2ということになります。ですから、

8，4，9，2，10，5，11，1，12，6，13，3，14，7

という順になります。

エ　深さ優先走査の後行順（帰りがけ順）

左部分木から右部分木、親の順に出力します。先ほどのルートで、最後（左右両方の節に移動できなくなったタイミング）に節を出ていくときに出力するイメージです。最初に1,2,4と通りますが、まだ後で通るから出力しません。8を出ていくときはこれが最後ですから出力します。4はまだ後で通るからこの時点では出力しません。9はこれが最後なので出力します。再び4を通りますが、4もこれが最後なので出力します。

ですから、

8，9，4，10，11，5，2，12，13，6，14，7，3，1

という順になります。

解き方のアドバイス

この問題は、木構造というよりも、再帰がポイントとなります。3-4を学習してからでもよいでしょう。ただ、木構造の走査については知っておくとよいと思います。

擬似言語の記述形式

これまで学習した内容は、各問題に注記がない限り、IPA（情報処理推進機構）で以下のように定義されています。言い回しにやや癖がありますが、復習や見直しに利用してください。

〔擬似言語の記述形式〕

記述形式	説明
○手続名又は関数名	手続又は関数を宣言する。
型名: 変数名	変数を宣言する。
/* 注釈 */ // 注釈	注釈を記述する。
変数名 ← 式	変数に式の値を代入する。
手続名又は関数名(引数, …)	手続又は関数を呼び出し，引数を受け渡す。

if (条件式1)
　処理1
elseif (条件式2)
　処理2
elseif (条件式n)
　処理n
else
　処理n + 1
endif
	選択処理を示す。
	条件式を上から評価し，最初に真になった条件式に対応する処理を実行する。以降の条件式は評価せず，対応する処理も実行しない。どの条件式も真にならないときは，処理n + 1を実行する。
	各処理は，0以上の文の集まりである。
	elseif と処理の組みは，複数記述することがあり，省略することもある。
	else と処理n + 1の組みは一つだけ記述し，省略することもある。

while (条件式)
　処理
endwhile
	前判定繰返し処理を示す。
	条件式が真の間，処理を繰返し実行する。
	処理は，0以上の文の集まりである。

do 　処理 while (条件式)	後判定繰返し処理を示す。 処理を実行し，条件式が真の間，処理を繰返し実行する。 処理は，0以上の文の集まりである。

for (制御記述)
　処理
endfor
	繰返し処理を示す。
	制御記述の内容に基づいて，処理を繰返し実行する。
	処理は，0以上の文の集まりである。

〔演算子と優先順位〕

演算子の種類		演算子	優先度
式		() .	高
単項演算子		not ＋ −	↑
二項演算子	乗除	mod × ÷	│
	加減	＋ −	│
	関係	≠ ≦ ≧ ＜ ＝ ＞	│
	論理積	and	↓
	論理和	or	低

注記　演算子 . は，メンバ変数又はメソッドのアクセスを表す。
　　　演算子 mod は，剰余算を表す。

[論理型の定数]

true，false

[配列]

配列の要素は，“[” と “]” の間にアクセス対象要素の要素番号を指定することでアクセスする。なお，二次元配列の要素番号は，行番号，列番号の順に “,” で区切って指定する。

“{” は配列の内容の始まりを，“}” は配列の内容の終わりを表す。ただし，二次元配列において，内側の “{” と “}” に囲まれた部分は，1 行分の内容を表す。

[未定義,未定義の値]

変数に値が格納されていない状態を，“未定義” という。変数に “未定義の値” を代入すると，その変数は未定義になる。

出典：基本情報令和5年7月公開問題

第3章 さまざまな分野のアルゴリズム

3-1 定番アルゴリズム

試験に出題されるアルゴリズムは多種多様のため、問題文に沿ってアルゴリズムを読み取る力をつけることが必要です。しかし実際には、すでに出来上がっているよく知られたアルゴリズム、つまり定番アルゴリズムとそれをアレンジしたものが多く出題されます。

3章で紹介する定番アルゴリズム

試験対策として洗練された効率のよいアルゴリズムを学ぶことで、実力がつきます。また、知識として知っているかどうかで、試験当日の解きやすさに大きく差がつきます。ここではそういったいくつかの定番アルゴリズムを押さえておきましょう。

定番とされているアルゴリズムには次のようなものがあります。

- 最大値（最小値）を求める
- うるう年の判定
- ユークリッドの互除法
- 探索（サーチ）、3-2で解説
- 整列（ソート）、3-2で解説

3-1では、初めの三つのアルゴリズムについて解説しましょう。

最大値（最小値）を求める

配列の中に入っている値の最大値を求めるアルゴリズムです。一般的には次の手順をとります。

① 配列の先頭の値を仮の最大値とする

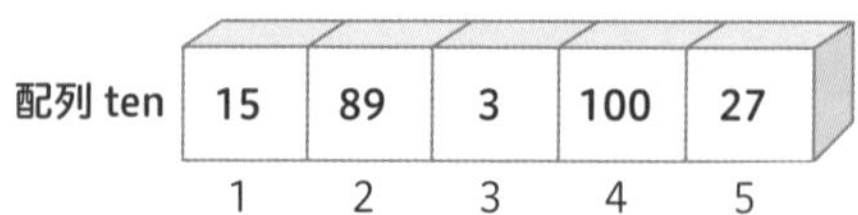

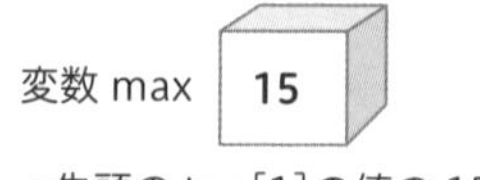

⇒先頭の ten[1]の値の 15

② 配列の次の値と最大値を比較して、配列の値の方が大きければ、そちらを最大値に代入する（上書きする）

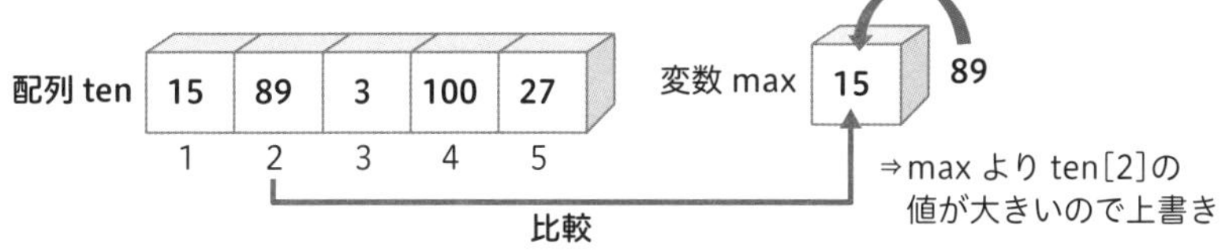

③ ②を配列の最後まで繰り返す

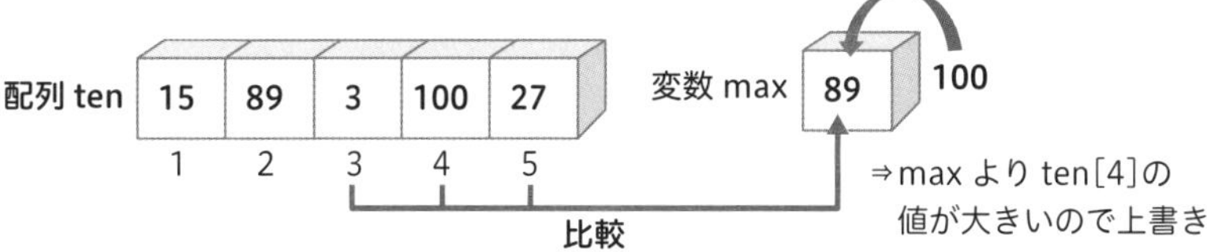

これを擬似言語で書いてみます。関数maxdataは、要素数2以上の整数型の配列を引数にとり、整数型の値を返す関数です。配列の要素番号は1から始まるものとします。

最大値を求める擬似言語

```
1.  /* 引数の配列の中から最大値を返す */
2.  ○整数型： maxdata(整数型の配列： ten)
3.    整数型：i, max
4.    max ← ten[1]
5.    for (iを2からtenの要素数まで1ずつ増やす)
6.      if max < ten[i]
7.        max ← ten[i]
8.      endif
9.    endfor
10.   return max
```

1行目の/* から */までの注釈は大きなヒントになります。ここでは、「この関数は、引数である配列tenの中の最大値を返す関数ですよ」というメッセージになっています。

関数maxdataを、maxdata({15, 89, 3, 100, 27})として呼び出したときのトレース表は以下のとおりです。

▼関数maxdataで最大値を求めるトレース表

	i	ten[i]	max
ループの前			15
ループ1回目	2	89	89
ループ2回目	3	3	89
ループ3回目	4	100	100
ループ4回目	5	27	100

繰り返しを抜けたときのmaxの値は「100」なので、結果として戻り値は「100」になります。

 うるう年の判定

今年がうるう年(1年が366日ある年)かどうかを判定するアルゴリズムです。現在私たちが使用しているグレゴリオ暦法では、うるう年を次のように決めています。

- **定義１**：西暦年号が4で割り切れる年をうるう年とする
- **定義２**：定義１の例外として、西暦年号が100で割り切れて400で割り切れない年は平年とする

ややこしいですね。試しに、次の年がうるう年かどうか判定してみましょう。

▼うるう年を判定する〜判定結果を丸で囲んでみましょう〜

2022年は、うるう年 or 平年
2023年は、うるう年 or 平年
2024年は、うるう年 or 平年
2300年は、うるう年 or 平年
2400年は、うるう年 or 平年

正解：2022年平年、2023年平年、2024年うるう年、2300年平年、2400年うるう年

いかがでしょうか。判定できましたか。こういった少し複雑なアルゴリズムは何通りも考え方があります。正解は一意（ただ一つ）ではありません。ここでは、その一例を挙げてみましょう。

▼うるう年を判定するフローチャート

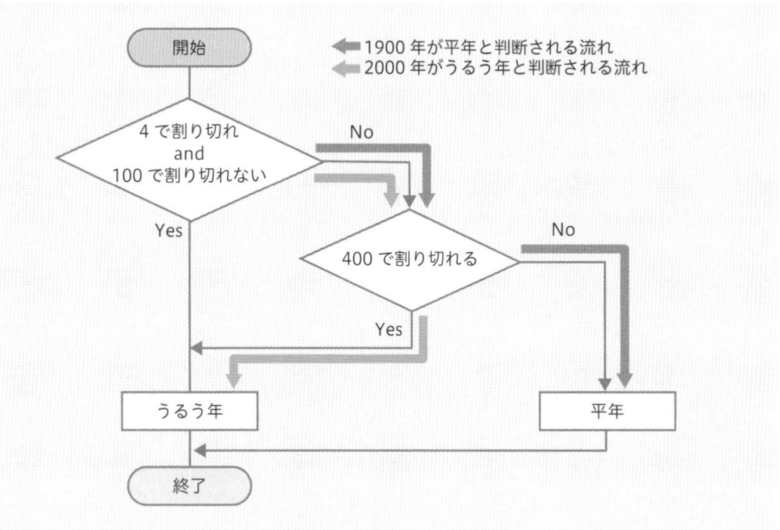

○うるう年を判定する条件の考え方

前提として、西暦の年号が「4」で割り切れなければ、4の倍数である「100」でも「400」でも割り切れません。その場合は最初の判断が「4で割り切れる」の部分で偽（No）ですし、当然二つ目の判断も偽ですから平年です（**定義1**）。

「4」で割り切れる場合はうるう年ですが、ここにさらに条件が加わります。例えば1900年は「100」で割り切れ、「400」で割り切れないので平年になります（**定義2**）。それを判別するために、最初の判断の「4で割り切れる」にand条件で「100で割り切れない」を加えています。この最初の判断が偽であっても、つまり「100」で割り切れる場合でも「400」で割り切れたらうるう年です。例えば2000年は「100」で割り切れますが、「400」でも割り切れるのでうるう年です。

メモ　これ以外にも条件の書き方はさまざまあります。自分で書ける方は書いてみるといいでしょう。

これを擬似言語で書いてみます。関数`leapyear`は、引数で与えられた西暦年（整数型）がうるう年ならば`true`（真）を、平年ならばfalse（偽）を返す関数です。

うるう年を判定する擬似言語

```
/* うるう年判定　西暦年号を引数として受け取り、うるう年ならばtrueを、
平年ならばfalseを返す */
○論理型： leapyear(整数型： adyear)
  論理型：ans
  if (adyear mod 4 = 0 and adyear mod 100 ≠ 0)
    ans ← true
  elseif (adyear mod 400 = 0)
    ans ← true
  else
    ans ← false
  endif
  return ans
```

ここが重要!

試験に出題されるソースプログラムは意外と記述方法がバラバラです。例えばサンプル問題の中には「adyearが4で割り切れる」という条件式の書き方が3通り登場します。

- adyearが4で割り切れる
- adyear mod 4 が 0 と等しい
- adyear mod 4 = 0

どの形で出題されても対応できるように、柔軟に考えましょう。

ユークリッドの互除法

ユークリッドの互除法は、二つの自然数の最大公約数を求めるアルゴリズムです。**最大公約数**とは、二つ以上の自然数の公約数（共通の約数）の中で最大のものです。例えば、「32」と「24」の最大公約数を考えてみましょう。

- 32の約数　　1, 2, 4, 8, 16, 32
- 24の約数　　1, 2, 3, 4, 6, 8, 12, 24

このうち公約数は「1, 2, 4, 8」です。その中で最大の「8」が最大公約数となります。

最大公約数を求めるには、二つの自然数をそれぞれ素因数分解すればよいのですが、元の数が大きくなると難しくなります。例えば「390」と「273」の最大公約数を求めるためにそれぞれを素因数分解するのは大変です。5桁、6桁の数字だったらなおさらです。そこで使われるのがユークリッドの互除法です。

ユークリッドの互除法は、一言でいえば「割り切れるまで、余りでお互いを割り続ける」方法です。先ほどの「390」と「273」で試してみましょう。

390 ÷ 273 = 1 余り 117

273 ÷ 117 = 2 余り 39

117 ÷ 39 = 3

割り切れたので「39」が最大公約数です。

これはやり方を少し変えて、「引く数と引かれる数が等しくなるまで、大きいほうから小さいほうを引く」としても同様の結果になります。「390」と「273」であれば、次のようになります。

390 − 273 = 117

273 − 117 = 156

156 − 117 = 39

117 − 39 = 78

78 − 39 = **39**

次の式では、引く数と引かれる数が「39」と等しくなり、結果が「0」になるので、「39」が最大公約数です。厳密には引き算をしているので「互除法」ではなく「互減法」かもしれませんが、理屈は同じです。

これを擬似言語で書いてみます。関数GetGCMは、引数で与えられた二つの整数の最大公約数を返す関数です。

ユークリッドの互除法で整数の最大公約数を求める擬似言語

```
/* 引数に指定された二つの値の最大公約数を返す（ユークリッドの互除法）*/
○整数型：GetGCM(整数型:A, 整数型：B)
  while (A ≠ B)
    if (A > B)
      A ← A − B
    else
      B ← B − A
    endif
  endwhile
  return A
```

関数GetGCMを、GetGCM(390, 273)として呼び出したときのトレース表は次のとおりです。

▼関数GetGCMで最大公約数を求めるトレース表

	A	B
初期値	390	273
ループ1回目	117	273
ループ2回目	117	156
ループ3回目	117	39
ループ4回目	78	39
ループ5回目	39	39

ループの5回目でAとBが等しくなるので、繰り返しを終了し、Aの値である「39」が戻り値となります。

3-1のまとめ

- 配列内の値の最大値（最小値）を求めるには、最大値（最小値）用の変数を利用しながら、値を順番に比較する。
- うるう年は、例外の年を判定するのに「4で割り切れる」以外で必要な条件を考える。
- ユークリッドの互除法で二つの自然数の最大公約数を求められる。

コラム 「技術がある」と口で言うだけじゃわからない

これは、2007年の情報処理技術者試験のキャッチコピーです。先輩や上司の中には「情報処理試験は意味ないよ」と言う人もいるかもしれません。「本当に優秀な技術者なら資格なんて必要ない。実務で使えないとね。」と。

しかし国家試験に合格するということは、自分自身のスキルを客観的に示せるということです。やりたい仕事があっても、必ずしもやらせてもらえるとは限りません。任せられるだけの根拠が必要です。情報処理技術者試験は格好の証明となります。学生の方なら、エントリーシートに書けて、「これってどういう資格なの？」と言われることのない資格です。

著者的には冒頭の先輩や上司は負け惜しみだと思っていますけどね。

IPA公式サンプル問題＆徹底解説

基本情報サンプル問題（令和4年12月）問4

5 min

次のプログラム中の [a] ～ [c] に入れる正しい答えの組合せを，解答群の中から選べ。

関数gcdは，引数で与えられた二つの正の整数num1とnum2の最大公約数を，次の(1)～(3)の性質を利用して求める。

(1) num1とnum2が等しいとき，num1とnum2の最大公約数はnum1である。
(2) num1がnum2より大きいとき，num1とnum2の最大公約数は，(num1 − num2)とnum2の最大公約数と等しい。
(3) num2がnum1より大きいとき，num1とnum2の最大公約数は，(num2 − num1)とnum1の最大公約数と等しい。

〔プログラム〕

```
○整数型: gcd(整数型: num1, 整数型: num2)
  整数型: x ← num1
  整数型: y ← num2
  [    a    ]
    if ( [    b    ] )
      x ← x − y
    else
      y ← y − x
    endif
  [    c    ]
  return x
```

解答群

	a	b	c
ア	if (x ≠ y)	x < y	endif
イ	if (x ≠ y)	x > y	endif
ウ	while (x ≠ y)	x < y	endwhile
エ	while (x ≠ y)	x > y	endwhile

解答・解説

基本情報サンプル問題（令和4年12月）問4　　解答 エ

最大公約数を求める「ユークリッドの互除法」という著名なアルゴリズムです。これを知っていると簡単に解くことができます。定番アルゴリズムは、知識として知っていると有利です。ただし、ここでは知らなかったと仮定して解説しましょう。

○トレースせずに選択肢から推理する

選択肢を見ると、空欄aと空欄cはペアになっています。「if ～ endif」と「while ～ endwhile」です。このどちらであるかを考えましょう。どちらも条件式が真の場合に直下の命令を実行します。違いは、ifは1回限りの命令、whileは繰り返しであることです。ここでは二つの正の整数の最大公約数を求めるために引き算を使っています。仮に「28」と「7」の最大公約数を考えたとき、1回の引き算で公約数が求められるはずもありません。ここは繰り返しである**while ～ endwhile**を使うでしょう。

だとすると選択肢は「ウ」か「エ」です。空欄bは「x < y」か「x > y」のどちらかです。空欄bが真の場合は「x ← x － y」を実行します。正の整数であることを考えると、大きいほうから小さいほうを引くことになります。したがって**x > y**です。よって「エ」が正しい選択肢です。

今回はトレースをせずに、推理で解きました。アルゴリズムが既知のものである場合は、この方が時間をかけずに解くことができます。選択肢「エ」が正しいかトレースして確認する場合は、例となる具体的な値が必要となります。ここではnum1に「36」、num2に「27」が入ったと仮定して、gcd(36, 27)が呼ばれた場合の、プログラムの動きをトレースしてみましょう。

```
○整数型: gcd(整数型: num1, 整数型: num2)
  整数型: x ← num1
  整数型: y ← num2
  [    a    ]  ←―――――――――― while (x≠y)
```

```
5.     if ( [   b   ] ) ●────────── x>y
6.       x ← x − y
7.     else
8.       y ← y − x
9.     endif
10.  [   c   ] ●────────── endwhile
11.  return x
```

2行目　x ← 36
3行目　y ← 27
4行目　36 ≠ 27なので、5行目に進む。
5行目　x > y なので、6行目に進む。
6行目　x ← 36 − 27 つまり x ← 9
10行目　4行目に戻る。
4行目　9 ≠ 27なので、5行目に進む。
5行目　x < y なので、8行目に進む。
8行目　y ← 27 − 9 つまり y ← 18
10行目　4行目に戻る。
4行目　9 ≠ 18なので、5行目に進む。
5行目　x < y なので、8行目に進む。
8行目　y ← 18 − 9 つまり y ← 9
10行目　4行目に戻る。
4行目　9 = 9なので、繰り返しを終わる。
11行目　x つまり「9」を返却する。

「36」と「27」の最大公約数は「9」なので、正しい結果が返されます。

解き方のアドバイス

問題文の「最大公約数」を読んだ際に、ユークリッドの互除法を思い出せると解きやすくなります。思い出せなかったとしても、計算しやすい数字でトレースしてプログラムの動きを確認しましょう。

3-2 サーチとソート

この節では、データを探したり並べ替えたりするアルゴリズムを紹介します。同じ目的に利用できるアルゴリズムは複数あります。例えば、現実でも目的地に着くための手段は、電車、車、自転車と色々です。電車を選んでも、経路は複数あり、状況に合わせて選択しているでしょう。状況に応じて手段（アルゴリズム）を使い分けるのはプログラミングでも同じです。

サーチとソートで扱う問題

サーチ（探索）は、多くのデータの中から、自分が求めるデータを探す問題です。データは配列に格納しておき、求めるデータが見つかったら「その配列の添字」を返すという方法が一般的です。

ソート（整列）は、データを小さい順（昇順）または大きい順（降順）に並べ替える問題です。いずれも定番の問題で、情報処理試験でもたびたび出題されています。

どちらも複数のアルゴリズムがあり、特にソートは本が1冊書けるほどアルゴリズムの種類があります。ここではサーチの代表例として線形探索と二分探索、ソートの代表例としてバブルソート（隣接交換法）を紹介します。

線形探索

線形探索（順次探索）は、配列の先頭から順番に、探索したいデータと比較していく処理を繰り返すものです。例えば、会議室に何人かの人がいて、その中から「山田さん」を探していくとしましょう。端（つまりは配列の要素番号の一番小さいデータ）から、順番に「あなたは山田さんですか？」と聞いていくアルゴリズムです。

▼山田さんを探す線形探索

	NAME[1]= '山田'？ NO！	→ NAME[2]= '山田'？ NO！	→ NAME[3]= '山田'？ NO！	→ NAME[4]= '山田'？ NO！	→ NAME[5]= '山田'？ YES！	
	1	2	3	4	5	6
配列NAME	田中	鈴木	中村	太田	山田	石井

線形探索のアルゴリズムを考えるにあたり、調べておくべき前提があります。

- 「山田さん」は必ずいるのか、いない場合もあるのか
- 2人以上の「山田さん」がいる場合はあるのか、あるとしたらどうするのか

今回は「山田さん」はいない場合もあるが、複数人はいない、したがって、見つかったらそれで探索を終了する、という前提で考えましょう。

擬似言語の関数として考えるならば、見つかったときは**その配列の要素番号**を、見つからなかったときは**−1（要素番号としてあり得ない値）**を返す、とします。他にも探索に必要な要素として、「山田」という探したい値は変数keyに、会議室にいる人数は変数Lenにもたせます。この条件で線形探索をフローチャートで表現すると以下のようになります。

▼山田さんを線形探索で探すフローチャート

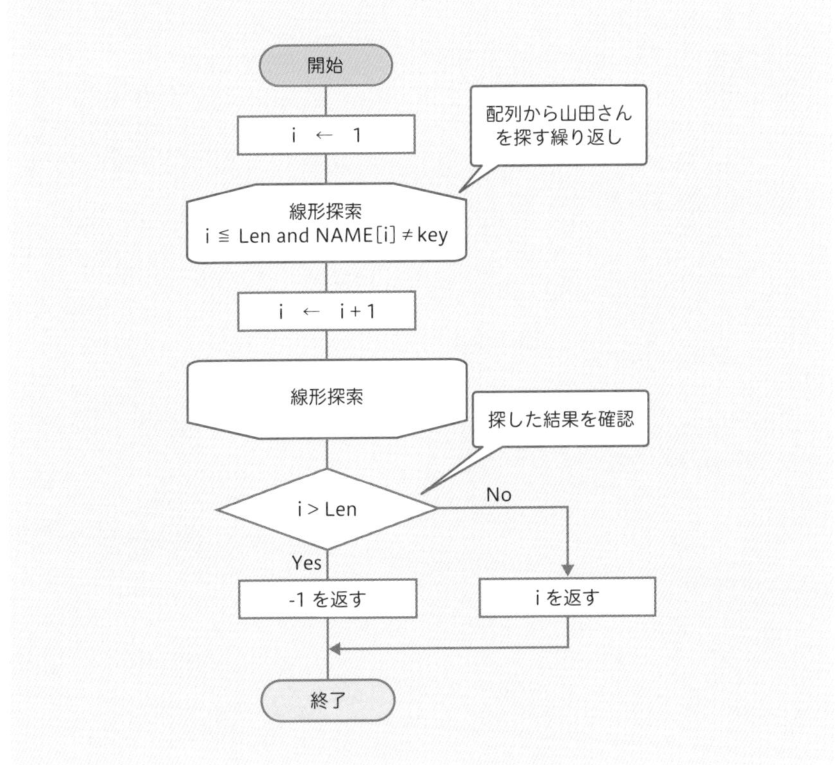

繰り返しの中では要素番号を増やしているだけです。その代わりに、繰り返しの継続条件を「i ≦ Len and NAME(i) ≠ key」としています。左の「i ≦ Len」が偽になるのは最後まで探しても見つからなかったときです。「i ← i + 1」を繰り返し、iがLenになっても見つからないと、さらに1大きくなるので「i ≦ Len」が偽になります。

右の「NAME(i) ≠ key」が偽になるのは見つかったときです。配列NAMEでkeyと等しい要素が見つかったら、繰り返しから抜けます。

繰り返しの後で、iの値によって返却値を変えています。見つかったときはそのときのiを、見つからなかったときは「−1」を返します。

これを擬似言語で書いてみます。関数SeqSearchは、指定された値を線形探索する関数です。引数NAME[]は探索対象の配列、Lenは配列の要素数、keyは探索する値です。

配列NAMEから値を探す線形探索の擬似言語

```
/* 線形探索 */
○整数型：SeqSearch(文字列型：NAME[], 整数型：Len,
                   文字列型：key)
  整数型：i
   i  ← 1
  while (i ≦ Len and NAME(i) ≠ key)
    i  ←  i + 1
  endwhile
  if (i > Len)
    return −1
  else
    return i
  endif
```

ここが重要!

whileやdoの条件は継続条件を書きます。ただ、継続条件よりも終了条件の方が考えやすいこともあります。例えば線形探索は「目的の値が見つからず、かつ最後まで探していない間は繰り返す」よりも「目的の値が見つかったか、最後まで探したら終了する」の方がピンとくる感じがします。

その場合は、終了条件を考えてその否定を作る、というやり方もあります。継続条件は、終了条件の否定です。つまり、終了条件が「i > Len or NAME[i] = key」ならば、継続条件はその否定ということになります。「i > Len」が「i ≦ Len」に、「NAME[i] = key」が「NAME[i] ≠ key」になるのはすぐわかります。**orがandになるところがポイントです。**

andとorの関係を言葉で考えてみましょう。「数学が80点以上または英語が80点以上」の否定は「数学が80点未満かつ英語が80点未満」になります。このように、orの否定はandになります。同様にandの否定はorになります。

終了条件の方がわかりやすければ、一度それを作ってから、否定を考えるのも一つの手でしょう。

 二分探索

線形探索はわかりやすいのですが、効率がよくありません。人が100人いれば最大100回、1万人なら最大1万回聞く必要があるからです。もう少し効率のよいやり方はないでしょうか。ここでは二分探索を解説します。**二分探索**はあらかじめ整列済(大きい順または小さい順に並んでいる)の配列から目的のデータを探します。探索対象の**真ん中のデータ**と**目的のデータ**を比較し、その大小によって、探索範囲を狭めていくやり方です。

◯二分探索でデータを探す

線形探索と同様、苗字が山田の人を探すこともできますが、ここではわかりやすくするために、会議室の中から「身長170cmの人」を探すことにしましょう。

まず、背の順に並んでもらいます。これは必須です。今回は小さい順に並んでもらいましょう。真ん中の人に「あなたは170cmですか?」と尋ねます。「いいえ、170cmより大きいです」という返事だとしたら、170cmの人がいる場合、どこにいるでしょう。前半分にいますね。これで探索範囲が半分になります。

その前半分の真ん中の人を選び、「あなたは170cmですか？」と尋ねます。「いいえ、170cmより小さいです」という返事だとしたら、170cmの人はその人よりも後ろ半分にいるはずです。これで探索範囲はさらに半分、全体からすると1/4になります。二分探索は、これを繰り返す方法です。1回の比較で探索範囲が半分になるので、線形探索よりも比較回数をずっと減らせます。

▼170cmの人を探す二分探索のイメージ

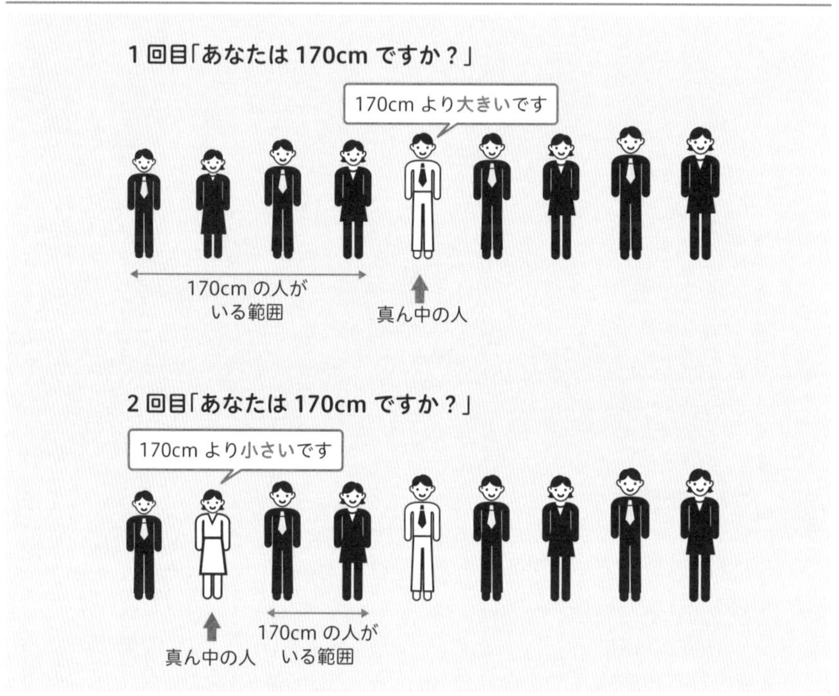

前提条件は線形探索と同じで、170cmの人はいない場合もあるが、複数人はいないとします。したがって、見つかったらそれで探索を終了します。見つかったときは、**その配列の要素番号**を、見つからなかったときは**−1（要素番号としてあり得ない値）**を返す、とします。

身長のデータはStatureという配列に入っています。これは最初から値（背の高さ）の小さい順に並べ替えてあるという前提です。Lenは配列の要素数、keyは探索する値（170cm）です。探す範囲の両端の人の位置を変数RightとLeft、真ん中の人の位置を変数Midとして扱います。

まず、フローチャートで考えてみましょう。

▼身長170cmの人を二分探索で探すフローチャート

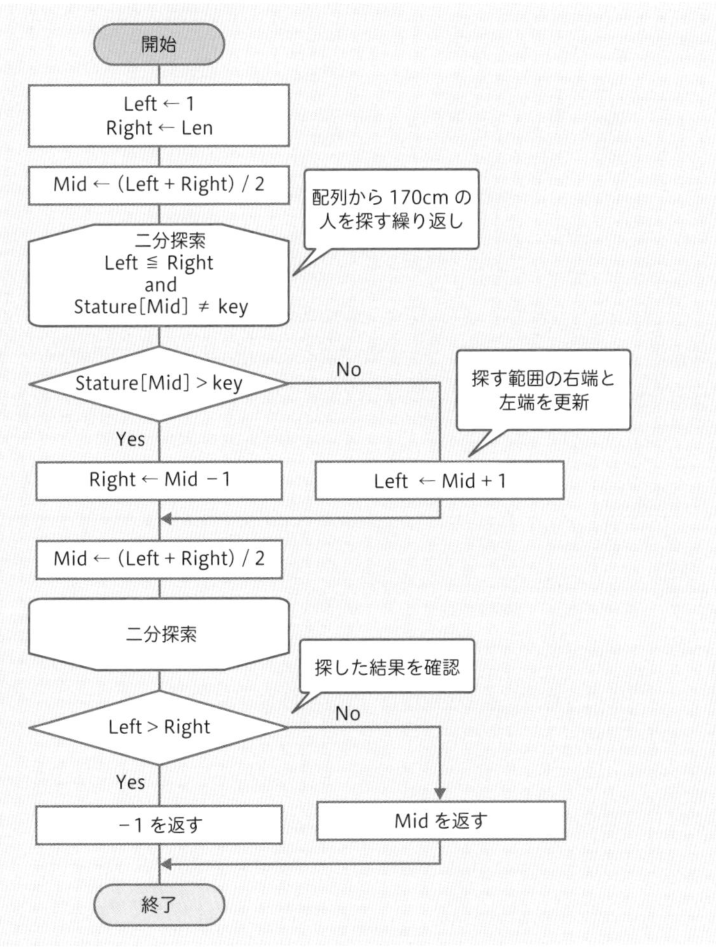

初期処理として、探索するデータの最小の要素番号である「1」を`Left`に、最大の要素番号である「`Len`」を`Right`に代入しています。真ん中の要素番号を求めるために`Left`と`Right`を足して「2」で割ります。

ここで疑問がわきます。要素数が偶数だったら、真ん中はどうなるのだろうか。例えば要素数が10個だったら、`Left`は「1」、`Right`は「10」です。足して「2」で割ると「5.5」になってしまいます。でも、安心してください。実際の擬似言語では、`Mid`は**整数型**で定義しておきます。すると、小数点以下は切り捨てられ、「5」になります。ここでは、比較対象の人(データ)が決まればよいので、「真ん中の人」は「ちょうど真ん中」でなくても問題ありません。

▼配列Statureと各変数の初期値のイメージ

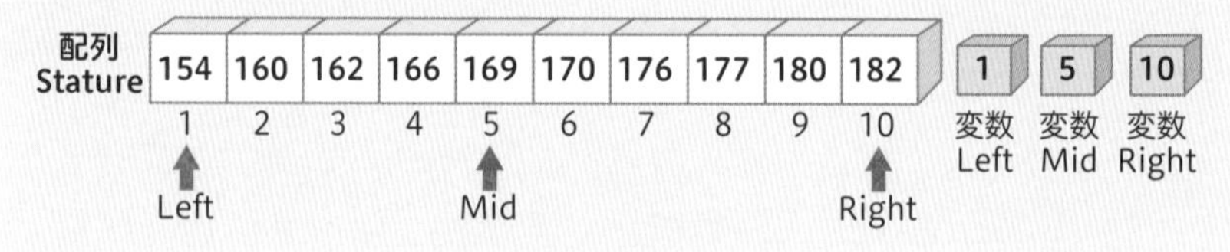

繰り返しの中で、keyつまり170cmと真ん中の人の身長を比較しています。「170cmより大きいです」という返事であれば、170cmの人はいるとしたら、前半分にいるわけですから、Rightを動かして探索範囲を狭めます。どこまで動かせるかというとMidまで、ではありません。Mid − 1まで動かせます。なぜならばMidの人はもう170cmでないことがわかっているので、探索対象から外せるからです。

▼真ん中の人が「170cmより大きい」場合

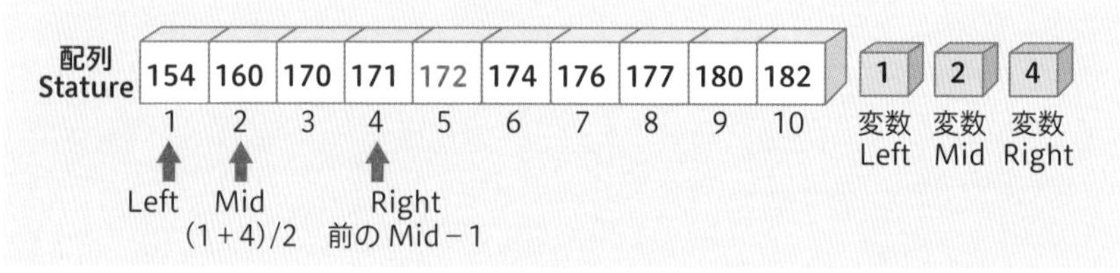

逆に「170cmより小さいです」という返事だとしたら、Leftを動かします。この場合はMid + 1まで動かせます。これで新しいLeftとRightが決まったので、再びその真ん中を求めます。

▼真ん中の人が「170cmより小さい」場合

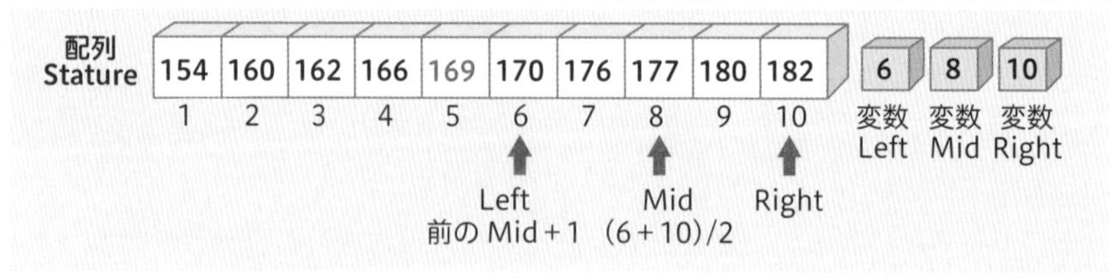

次に繰り返しの終了条件を考えましょう。わかりやすい終了条件は、Stature[Mid]= keyが真で170cmの人が見つかった場合です。では、最後

まで探して見つからなかった場合はどうなるでしょうか。繰り返しの中で、LeftとRightは徐々に近づいていきます。LeftとRightがほぼ等しい値になったとき、つまり探索範囲が徐々に狭くなり、最後の一人になったわけです。この一人も比較する必要があります。このとき、MidもLeftかRightと同じ値になります。この最後の一人に「あなたは170cmですか？」と尋ねます。そして「170cmより大きいです」という返事だとしたらRightは「Mid − 1」になります。「170cmより小さいです」という返事だとしたら、Leftは「Mid + 1」になります。どちらにしても、LeftとRightが逆転、つまりLeft > Rightになります。これが最後の一人まで探して見つからなかったときの条件です。

▼「170cmの人がいない場合」(最後の人が170cmより大きい)

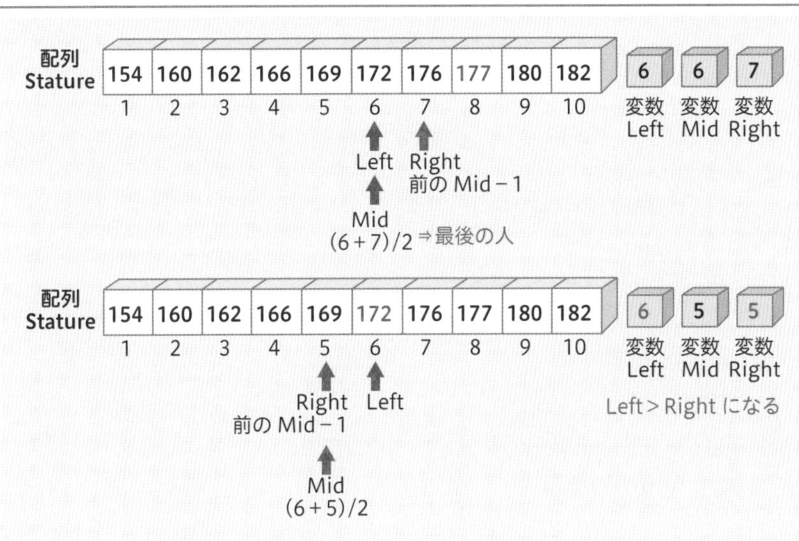

したがって繰り返しの継続条件は、Left ≦ Right and Stature[Mid] ≠ Keyということになります。

繰り返しを終了した後、このどちらの条件で終了したかによって返却値を変えています。見つかったときはそのときのMidを、見つからなかったときは「−1」を返します。

これを擬似言語で書いてみます。関数BinSearchは、指定された値を二分探索する関数です。引数Stature[]は探索対象の配列であり昇順(小さい順)に並べ替えた状態で関数に渡されます。Lenは配列の要素数、keyは探索する値です。

⊟二分探索の擬似言語

```
/* 二分探索 */
○整数型：BinSearch(整数型：Stature[], 整数型：Len,
                              整数型：key)
  整数型：Left, Mid, Right
  Left  ← 1
  Right ← Len
  Mid ← (Left + Right) / 2
  while (Left ≦ Right and Stature(Mid) ≠ key)
    if (Stature(Mid) > key)
      Right ← Mid −1
    else
      Left ← Mid + 1
    endif
    Mid ← (Left + Right) / 2
  endwhile
  if (Left > Right)
    return −1
  else
    return Mid
  endif
```

配列Statureが下記の状態だったときに、170cmの人を探す処理をトレースした表は次のようになります。

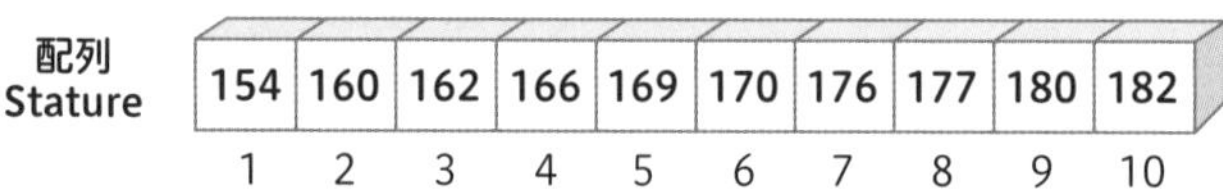

▼二分探索のトレース表

	Left	Right	Mid
ループの外	1	10	5
ループ1回目	6	10	8
ループ2回目	6	7	6

←Stature (Mid) =keyなのでループから抜ける

ここが重要!

探索(サーチ)の問題は、出題されるとしたら線形探索と二分探索のどちらかのアレンジでしょう。まずはどちらなのかを見極めてください。特に二分探索の場合のポイントは次の2点です。

- 比較して等しくなかったときに、探索範囲の指標(今回はLeftとRightという変数名を使いましたが、そうとは限りません)のどちらをどこまで動かせるか。
- 最後まで探しても見つからなかったときは、どう繰り返しを終了するか。

バブルソート

次は、整列(ソート・並べ替え)です。先に書いたように、さまざまなアルゴリズムがありますが、代表的なアルゴリズムとして、**隣接交換法**を紹介します。これは**バブルソート**とも呼ばれます。小さい順にソートすることを**昇順**(階段を昇る順)、大きい順にソートすることを**降順**(階段を降りる順)といいます。

隣接交換法は、言葉どおり「隣接(隣り合わせ)の要素を比較し、逆順だったら交換する」を繰り返す方法です。

プログラムにおける値の交換の考え方

まず、交換について考えます。変数Aの値と変数Bの値を交換したいときに

変数Aと変数Bの値を交換する(誤り)

```
A ← B
B ← A
```

とやってはいけません。代入は上書きなのでA ← Bの時点で、AとBは両方ともBの値になってしまうからです。

▼誤った値の交換方法

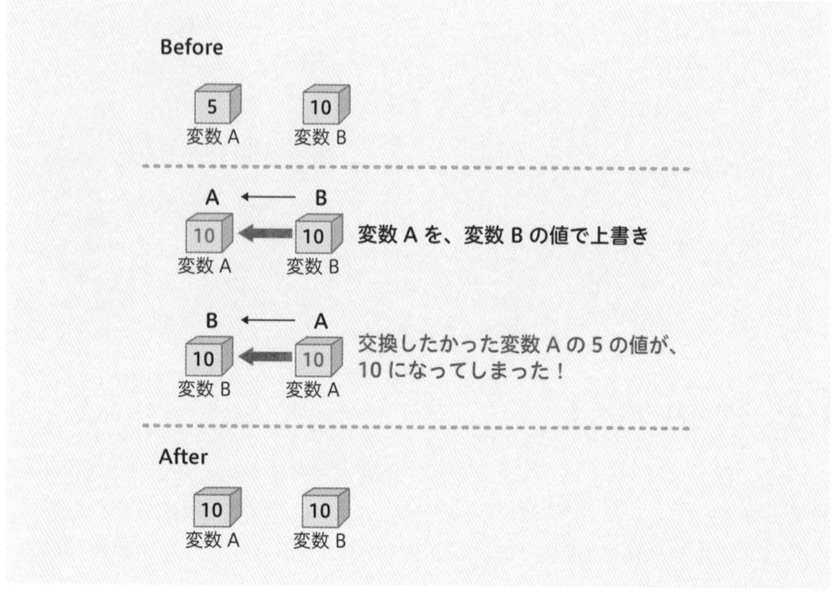

牛乳の入ったグラスとビールの入ったジョッキがあって、中身を交換したいときにどうするか、と考えましょう。交換するには、どうしてももう一つ器が必要です。プログラミングでは、器の代わりにもう一つWという変数（Workを意味する）を用意します。

目 変数Aと変数Bの値を正しく交換する（変数をもう一つ利用）

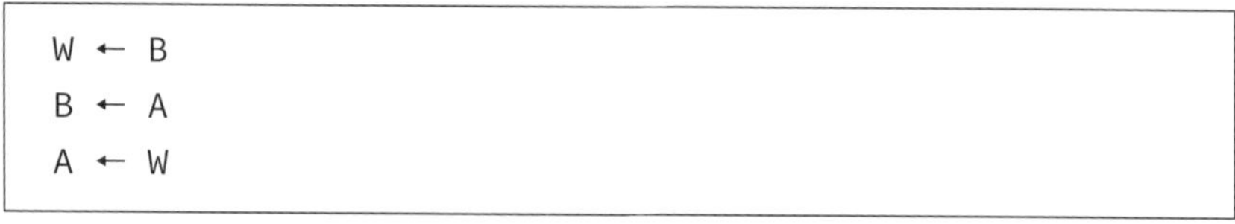

```
W ← B
B ← A
A ← W
```

これで変数Aと変数Bの値が交換できます。

▼正しい値の交換方法

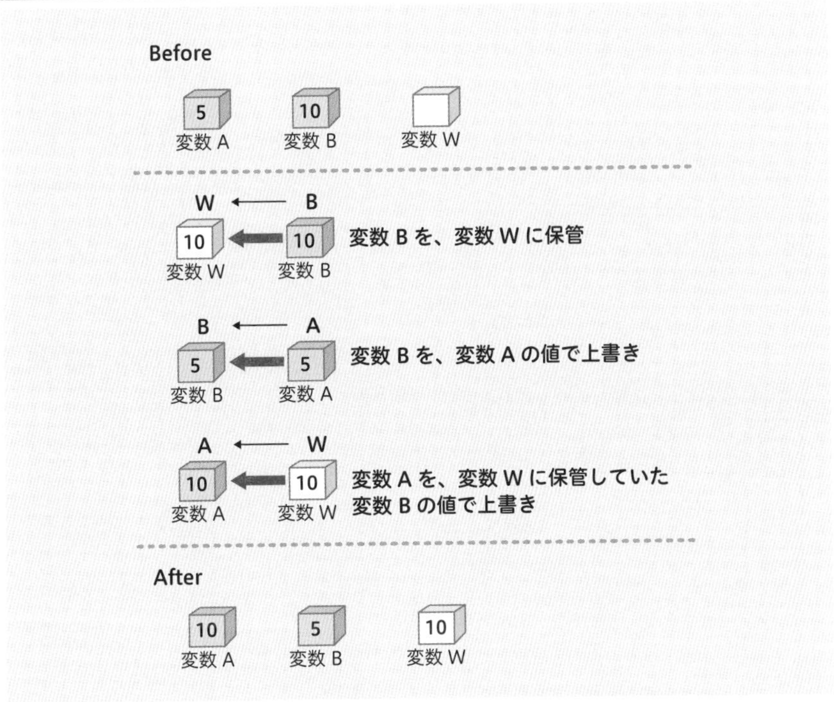

Before
5
変数 A
10
変数 B
変数 W
W
B
10
10
変数 W
変数 B
変数 B を、変数 W に保管
B
A
5
5
変数 B
変数 A
変数 B を、変数 A の値で上書き
A
W
10
10
変数 A
変数 W
変数 A を、変数 W に保管していた
変数 B の値で上書き
After
10
変数 A
5
変数 B
10
変数 W

バブルソートの仕組み

ここではd[1]からd[5]に格納された{4, 1, 2, 5, 3}というデータを昇順にソートするシミュレーションをします。

①一番大きい値を確定する

①-1　最初にd[1]とd[2]を比較します。もし逆順(d[1]>d[2])なら交換します。

d[1]d[2]d[3]d[4]d[5]
4
1
2
5
3
交換

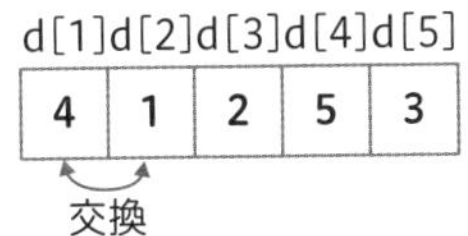

①-2　次にd[2]とd[3]を比較します。d[2]＞d[3]なので交換します。

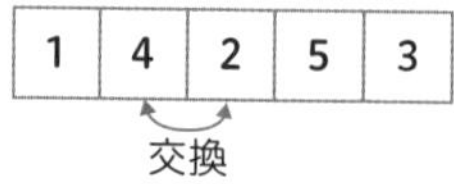

①-3　d[3]とd[4]を比較します。今回はd[3]＜d[4]なので交換しません。

①-4　d[4]とd[5]を比較し、値を交換します。ここまで進むと、最大値が一番右のd[5]に格納されます。

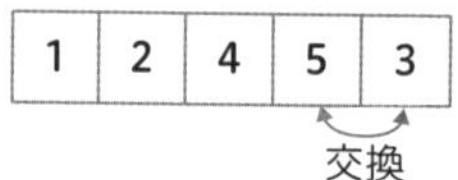

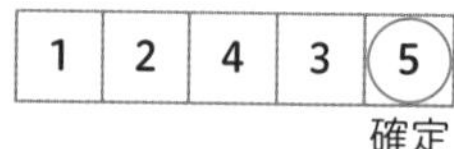

②2番目に大きい数を確定する

次に再度d[1]とd[2]に戻って同じように比較します。今度はd[5]は確定しているので、d[3]とd[4]の比較までで、2番目に大きい値を確定できます。

③3番目に大きい数を確定する

この例では、ここでソートは完了しています。しかし、もとの並び方がどうであっても、並べ替えが終わっているかどうかはアルゴリズム(アルゴリズムを実行しているパソコン)からはわかりません。再度d[1]とd[2]に戻って比較します。今度はd[2]とd[3]の比較までで、3番目に大きい値を確定できます。

④4番目に大きい数を確定する

最後に再度d[1]とd[2]に戻って比較します。これで全ての要素の位置が確定して終了です。

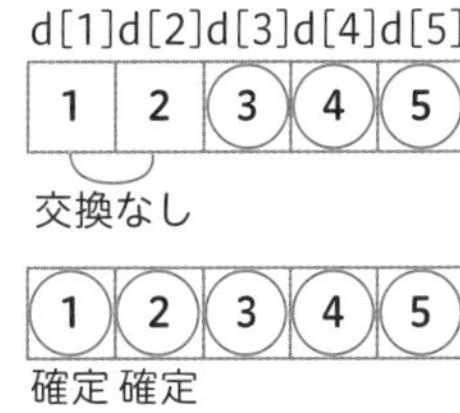

 バブルソートをフローチャートと擬似言語で表現する

ではd[1]からd[Len]に格納されているデータを、バブルソートで並べ替えるフローチャートを考えてみましょう。変数iは配列の「どの要素の値」を確定するか(最大値を確定するか)を表しており、配列の一番右の要素から順に確定します。変数jは、確定したい要素のために「何回隣同士の値を比較するか」を表します。

▼d[1]からd[Len]に格納されているデータをバブルソートで並べ替えるフローチャート

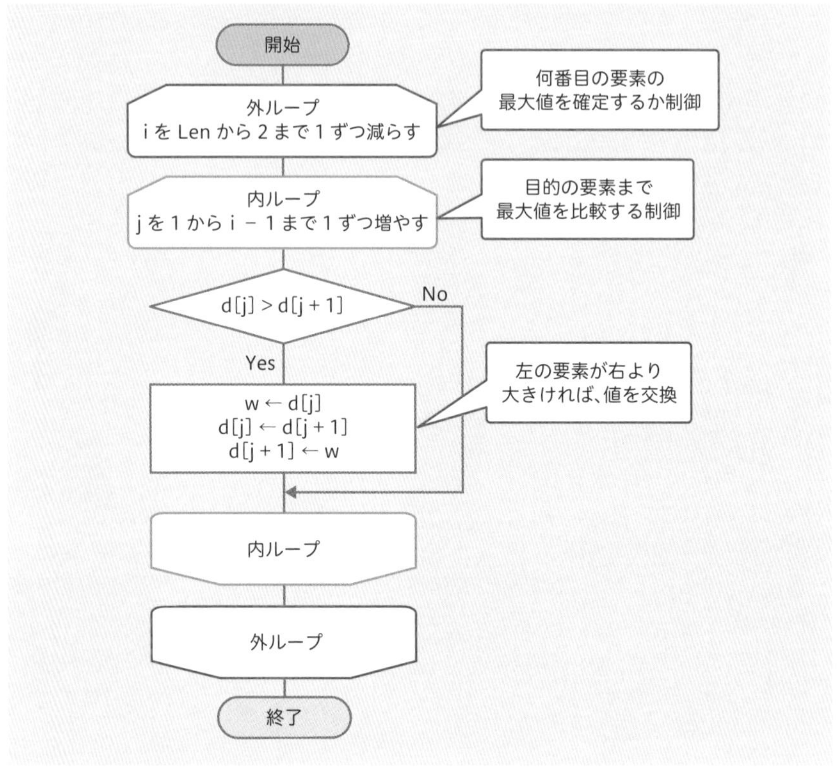

Lenを「5」として、iとjの遷移をトレースしてみましょう。

メモ 繰り返しの回数を数えているこういった変数を**ループカウンター**と呼びます

▼バブルソートのトレース表

i	5				4			3		2
j	1	2	3	4	1	2	3	1	2	1
j +1	2	3	4	5	2	3	4	2	3	2

前述のシミュレーションと照らし合わせながら見てください。バブルソートは「隣接」交換法ですから、隣り合う要素を比較して、それが逆順なら交換します。それがd[j]とd[j+1]を比較している部分です。1回目の繰り返し（iが5のとき）

では、内側の繰り返しでjは「1」から始めて「4」まで増やします。ここで内側の繰り返しを出て、外側の繰り返しに入ります。このときにiが「1」減ります(一番大きい数が確定)。また内側の繰り返しでjは「1」から始めて今度は「3」までです。この「比較をどこまで繰り返すか」の制御にiを使っているわけです。そして外側の繰り返しのループカウンターのiは、「2」まででで終わりです(配列の要素2の値まで決まれば、配列の要素1の値は消去法で決まるため)。

ではこれを擬似言語にしてみましょう。関数BubbleSortは、引数として渡された配列d[]を昇順にソートする関数です。引数Lenは配列の要素数です。戻り値はありません。この関数を実行するとd[]が昇順に並べ変わる、と考えましょう。

バブルソートの擬似言語

```
/* バブルソートのプログラム */
○BubbleSort(整数型: d[], Len)
  整数型: i, j
  for ( iをLenから2まで1ずつ減らす)
    for ( jを1からi - 1まで1ずつ増やす)
      if (d[j] > d[j + 1])
        w ← d[j]
        d[j] ← d[j + 1]
        d[j + 1] ← w
      endif
    endfor
  endfor
```

ここが重要!

繰り返すようですが、バブルソートのアルゴリズム一つとっても擬似言語での書き方は色々あります。例えば、外側のループカウンターを増やす方向で書くこともできます。問題としてバブルソートが出題された場合、二重ループは混乱しやすいので、手元のメモでループカウンターのトレースをするとよいでしょう。

その他のソート

他にも、さまざまなソートのアルゴリズムがあります。「単純でわかりやすいが、効率が悪いもの」「アルゴリズムは複雑だが、効率のよいもの」「ある限られた条件であれば高速なもの」などです。

ここでは、各ソートの名称とアルゴリズムの概要だけ紹介しましょう。

◎単純ソート

- **隣接交換法（バブルソート）**：隣接する値同士の比較、入れ替えを繰り返す。（前出）

- **選択法**：「1番目の値から最後の値までの中で最小値を見つけ出し、1番目の要素と交換する。次に、2番目から最後の値までの中で最小値を見つけ出し、2番目の要素と交換する。次に3番目の…」という手順を繰り返す。
  例：(4, 1, 2, 5, 3)を選択ソートする
  ① 1が最小値なので、4と入れ替える
  (1, 4, 2, 5, 3)
  ② 残りの要素の中で2が最小値なので、4と入れ替える
  (1, 2, 4, 5, 3)
  ③ 残りの要素の中で3が最小値なので、4と入れ替える
  (1, 2, 3, 5, 4)
  ④ 残りの要素の中で4が最小値なので、5と入れ替える
  (1, 2, 3, 4, 5)

- **挿入法**：「前から2個要素を取り出し、順序が逆なら入れ替える。次に3個目の値を取り出し、2個目までの中の適切な位置に挿入する。次に4個目の値を取り出し、3個目までの中の適切な位置に挿入する。…」という値の挿入を繰り返す。
  例：(4, 1, 2, 5, 3)を挿入ソートする
  ① 最初の二つの要素を並べ替える（実際には交換）
  (1, 4, 2, 5, 3)
  ② 次の「2」を「1と4の間」に挿入する
  (1, 2, 4, 5, 3)

③ 次の「5」はこのままの位置でOK
(1, 2, 4, 5, 3)
④ 次の「3」を「2と4の間」に挿入する
(1, 2, 3, 4, 5)

◎高速ソート

単純ソートと比べて、高速ソートはアルゴリズムが若干複雑です。ここでは考え方だけ紹介します。

- **クイックソート：ピボット**と呼ばれる基準値を決め、データ群を基準値以上と基準値未満の二つのグループに分割し、この処理を繰り返すことで要素を入れ替えていく。
- **ヒープソート：ヒープ**という木構造を用いてソートを行う。ヒープは根に最小値（または最大値）がくるので、それを取り出し、残りの要素でヒープの再構築を行う。この処理を繰り返す。
- **マージソート**：配列データを徐々に分解する。再帰的に最小限まで分解を行い、分解し終わった後、マージ（併合）を行う。

整列対象：(4, 3, 5, 7, 1, 38, 6, 2)

分解の例

2分割：(4, 3, 5, 7) (1, 38, 6, 2)
更に2分割：(4, 3) (5, 7) (1, 38) (6, 2)
更に2分割：(4) (3) (5) (7) (1) (38) (6) (2)

併合の例

並び替えしながら戻す：(3, 4) (5, 7) (1, 38) (2, 6)
並び替えしながら戻す：(3, 4, 5, 7) (1, 2, 6, 38)
並び変えしながら戻す：(1, 2, 3, 4, 5, 6, 7, 38)

◎限定的なソート

ある限定的な条件のときにだけ使えるソートアルゴリズムもあります。

- **バケットソート（バケツソート、binソート）**：あらかじめデータがとりうる値全ての要素番号の配列（これがバケツ）を用意しておき、値を対応する要素番号の配列に格納する。

例：(4, 1, 2, 5, 3)をバケットソートする。
d[4] ← 4, d[1] ← 1, d[2] ← 2, d[5] ← 5, d[3] ← 3

比較も交換もないので、非常に高速。ただし、データがとりうる値がわかっていなければソートのための配列を準備することができないのでこのアルゴリズムは使えない。またソート対象のデータは重複が許されない。

- **鳩の巣ソート**：上記のバケットソートは、数字以外のソートには使えない。数字を付帯する何かしらのデータ（例えば試験の点数と氏名）をソートしたい場合、事前にデータの持ち方を工夫する必要がある。そこで、数字を収める配列とは別に、データを収める配列を確保してバケットを適用する。

例：以下のような値の対を、それぞれの先頭の値（試験の点数と考える）をキーとして鳩ノ巣ソートする。

```
(6,"山田") (3,"田中") (8,"鈴木") (5,"池田")
```

キーの値は「3から8」なので、それぞれについて**鳩の巣**（これが配列）を設定し、各要素を鳩の巣に移動する。これにより、氏名も一緒にソートされる。

```
3:(3,"田中")
4:
5:(5,"池田")
6:(6,"山田")
7:
8:(8,"鈴木")
```

メモ 大量データの場合は、メモリ上でソートを行うことが困難になるアルゴリズムもあります。100万件のデータがあった場合、作業用のメモリ領域を多く必要とするアルゴリズムは実用的ではありません。そういった場合はファイルに書き出すことでソートするのに適したアルゴリズムもあります。

メモ ソートという単純なタスクのアルゴリズムは今なお進化中で、新しいアルゴリズムが発表されてエンジニアの間で話題になることもあります。

ここが重要！

ソートの問題は、試験で多く出題されます。とはいえ、アルゴリズムの種類も多いため、特定のアルゴリズムに絞ったヤマは張りにくい分野です。ただ、本書執筆時点では、高速ソートのような複雑なソートの出題がありません。ですから、単純ソートはアルゴリズムを、高速ソートは考え方を押さえておくとよいでしょう。

3-2のまとめ

- 二分探索は、探索対象の中央の値と比較することで探索範囲を狭くする手法。
- バブルソートは、隣接する値を比較して要素を並べ替える手法。
- ソートには、単純ソート、高速ソート、限定的なソートとさまざまな手法がある。

IPA公式サンプル問題＆徹底解説

基本情報サンプル問題（令和4年12月）問11　5 min

次の記述中の［　　　］に入れる正しい答えを，解答群の中から選べ。ここで，配列の要素番号は1から始まる。

関数binSortをbinSort(［　　　］)として呼び出すと，戻り値の配列には未定義の要素は含まれておらず，値は昇順に並んでいる。

〔プログラム〕

```
○整数型の配列: binSort(整数型の配列: data)
  整数型: n ← dataの要素数
  整数型の配列: bins ← {n個の未定義の値}
  整数型: i

  for (i を 1 から n まで 1 ずつ増やす)
    bins[data[i]] ← data[i]
  endfor

  return bins
```

解答群

ア {2, 6, 3, 1, 4, 5}　　イ {3, 1, 4, 4, 5, 2}
ウ {4, 2, 1, 5, 6, 2}　　エ {5, 3, 4, 3, 2, 6}

解答はp.152

基本情報サンプル問題（令和4年12月）問13　7 min

次の記述中の［　　　］に入れる正しい答えを，解答群の中から選べ。

ここで，配列の要素番号は1から始まる。

関数searchは，引数dataで指定された配列に，引数targetで指定された値が含まれていればその要素番号を返し，含まれていなければ−1を返す。dataは昇順に整列されており，値に重複はない。

関数searchには不具合がある。例えば，dataの ＿＿＿＿ 場合は，無限ループになる。

〔プログラム〕

```
○整数型: search(整数型の配列: data, 整数型: target)
  整数型: low, high, middle

  low ← 1
  high ← dataの要素数

  while (low ≦ high)
    middle ← (low + high) ÷ 2 の商
    if (data[middle] < target)
      low ← middle
    elseif (data[middle] > target)
      high ← middle
    else
      return middle
    endif
  endwhile

  return −1
```

解答群

ア 要素数が1で，targetがその要素の値と等しい

イ 要素数が2で，targetがdataの先頭要素の値と等しい

ウ 要素数が2で，targetがdataの末尾要素の値と等しい

エ 要素に−1が含まれている

解答はp.154

基本情報公開問題（令和5年7月）問3

次の記述中の [　　] に入れる正しい答えを，解答群の中から選べ。ここで，配列の要素番号は1から始まる。

次の手続sortは，大域の整数型の配列dataの，引数firstで与えられた要素番号から引数lastで与えられた要素番号までの要素を昇順に整列する。ここで，first＜last とする。手続sortをsort(1, 5)として呼び出すと，/*** α ***/ の行を最初に実行したときの出力は“ [　　] ”となる。

〔プログラム〕

```
大域: 整数型の配列: data ← {2, 1, 3, 5, 4}

○sort(整数型: first, 整数型: last)
  整数型: pivot, i, j
  pivot ← data[(first + last) ÷ 2 の商]
  i ← first
  j ← last

  while (true)
    while (data[i] < pivot)
      i ← i + 1
    endwhile
    while (pivot < data[j])
      j ← j − 1
    endwhile
    if (i ≧ j)
      繰返し処理を終了する
    endif
    data[i]とdata[j]の値を入れ替える
    i ← i + 1
    j ← j − 1
  endwhile
```

```
  dataの全要素の値を要素番号の順に空白区切りで出力する /*** α ***/
  if (first < i - 1)
    sort(first, i - 1)
  endif
  if (j + 1 < last)
    sort(j + 1, last)
  endif
```

解答群

ア 1 2 3 4 5　　イ 1 2 3 5 4

ウ 2 1 3 4 5　　エ 2 1 3 5 4

解答はp.156

解答・解説

基本情報サンプル問題（令和4年12月）問11　解答 ア

binソート（バケットソート、バケツソートとも）と呼ばれるソートのアルゴリズムに関する問題です。ただ、その知識がなくともトレースにより正解は導き出せます。選択肢アが引数として呼び出されるとどうなるか、トレースしてみましょう。選択肢アの配列dataの初期状態は次のとおりです。

▼選択肢ア　配列dataの初期値

i	1	2	3	4	5	6
data[i]	2	6	3	1	4	5

プログラムはfor（iを1からnまで1ずつ増やす）ですから、iは「1」から始まります。したがって、bins[data[1]] ← data[1]となり、[data[1]の値は「2」なので、bins[2]←2として代入されます。

bins[data[1]] ← data[1]

代入後の配列bins[]は、以下のようになります。

▼選択肢ア　iが1のときの配列bins

i	1	2	3	4	5	6
bins[i]		2				

これをiが6になるまで繰り返すと、次のようになるはずです。

▼選択肢ア　iが6のときの配列bins

i	1	2	3	4	5	6
bins[i]	1	2	3	4	5	6

値は昇順に並びます。なんだか当たり前すぎて、これでいいのか、疑わしくなってきます。念のために選択肢イで試してみましょう。初期値は次のようなものです。

▼選択肢イ　配列dataの初期値

i	1	2	3	4	5	6
data[i]	3	1	4	4	5	2

`i`が「1」から始まり、「3」までは順調です。

▼選択肢イ　iが3のときの配列bins

i	1	2	3	4	5	6
bins[i]	1		3	4		

ところが、次にiが4になると`data[4]`は「4」なので、上書きされることになります。最終的に次のようになります。

▼選択肢イ　iが6のときの配列bins

i	1	2	3	4	5	6
bins[i]	1	2	3	4	5	

`bins[6]`には値が入りませんでした。これは、`bins[6]`が未定義ということです。よって選択肢イは、問題文の「戻り値の配列には未定義の要素は含まれておらず」を満たしていません。また、「値は昇順に並んでいる」ですから、本当なら{1, 2, 3, 4, 4, 5}となってほしいところです。よってこれは正解ではありません。選択肢の中で、データの重複がないのは「ア」だけです。

解き方のアドバイス

何をしているのか、一読した限りではわからない問題は、具体的な値を入れて考えましょう。この問題のように、解答群が具体例だった場合は、それを使います。今回はたまたま「ア」でしたが、最悪でも4回選択肢を代入すればよいはずです。

基本情報サンプル問題(令和4年12月)問13 解答 ウ

二分探索に関する問題です。二分探索は定番アルゴリズムの一つです。ソート済のデータを対象にして、探索したいデータが中央の要素より大きいか小さいかを調べます。これにより、データが全体の前半分にあるか後ろ半分にあるかを判定することができます。探索対象が半分になるわけです。そして半分になったデータ群の中央の要素と再び比較し、もう一度前半と後半のどちらに探索したいデータがあるかを調べます。二分探索はこの操作を繰り返し行うことで、効率よく探索を進める方法です。

ただし、問題のプログラムには不具合があるため、ある条件のときは**無限ループ**になってしまうとされています。解答群を調べてみましょう。今、「7」を探索する、つまりtargetが「7」であると仮定します。

ア

要素数が「1」でtargetがその要素の値と等しいのですから、次のような状態です。

data	[1]
	7

このときlowは「1」、highも「1」ですから、加算して2で割ったmiddleも「1」です。data[1]とtargetを比較して、これが等しいので、middleつまり「1」を返却してプログラムを終了します(ifとelseifの条件に当てはまらず、elseへ処理が進んだ)。

イ

要素数が「2」でtargetがdataの先頭要素の値と等しいのですから、次のような状態です。

data	[1]	[2]
	7	9

このときlowは「1」、highは「2」ですから、加算して2で割ると「1.5」です。

しかしmiddleは整数型なので、小数点以下は切り捨てられます。したがってmiddleは「1」です。data[1]とtargetを比較して、これが等しいので、middleつまり「1」を返却してプログラムを終了します。

ウ

要素数が「2」でtargetがdataの末尾要素の値と等しいのですから、次のような状態です。

data	[1]	[2]
	5	7

このときlowは「1」、highは「2」ですから、選択肢イと同様にmiddleは「1」です。data[1]とtargetを比較して、data[1] < targetなので、「low ← middle」が実行されます。lowは「1」のまま、次の繰り返しに入ります。再び「while (low ≦ high)」でlowとhighを比較し、「middle ← (low ＋ high) ÷ 2の商」によりmiddleは再び「1」になります。よって、同じことが繰り返される無限ループにおちいってしまいます。

エ

要素に「−1」が含まれているのですから、次のような状態です。要素数の指定はないので、適当な数で考えます。

data	[1]	[2]	[3]	[4]
	−3	−1	7	9

このときlowは「1」、highは「4」ですから、加算して2で割ると「2.5」ですが、これは「2」になります。したがってmiddleは「2」です。data[2]とtargetを比較して、data[2] < targetなので、「low ← middle」が実行されます。lowが「2」になって、次の繰り返しに入ります。

lowは「2」、highは「4」ですから、加算して「2」で割ったmiddleは「3」です。data[3]とtargetを比較して、これが等しいので、middleつまり「3」を返却してプログラムを終了します。

以上のことから、無限ループになるのは「ウ」です。

◎正しいプログラムにするには

ちなみに正しいプログラムにするためには、プログラム中の「low ← middle」を「low ← middle + 1」に、「high ← middle」を「high ← middle − 1」に修正します。なぜこれでうまくいくかを考えてみてください。

◎うまくいく理由

無限ループになったのは、「low ← middle」のところで、lowの値が変化しなかったからです。「low ← middle + 1」にすることでlowの値が変化します。low(またはhigh)とmiddleの値が同じになると、無限ループになります。また、そもそもdata[middle]がtargetと等しくないのですから、もうdata[middle]は探索対象から除外していいことになります。

解き方のアドバイス

二分探索について知識のある人なら、どこが不具合なのかはすぐに見つけられるでしょう。しかしどういうdataならば無限ループになるかは、やはり具体的な例を作ってトレースしてみないとわかりません。解答群から具体例を作ることができるかどうかが、ポイントになります。

基本情報公開問題(令和5年7月)問3　解答 エ

高速ソートの一種である**クイックソート**のプログラムです。クイックソートを知っていて、どういうアルゴリズムかがわかっていると、早く解けます。ただ、クイックソートは再帰関数になっていてその部分が難しいのですが、今回は、その再帰に入る前の段階での配列の状態が問われています。そのためトレースすることで、解ける問題になっています。

プログラムをフローチャートにすると右のようになります。

プログラムの全体像

プログラムの全体像を解説します。

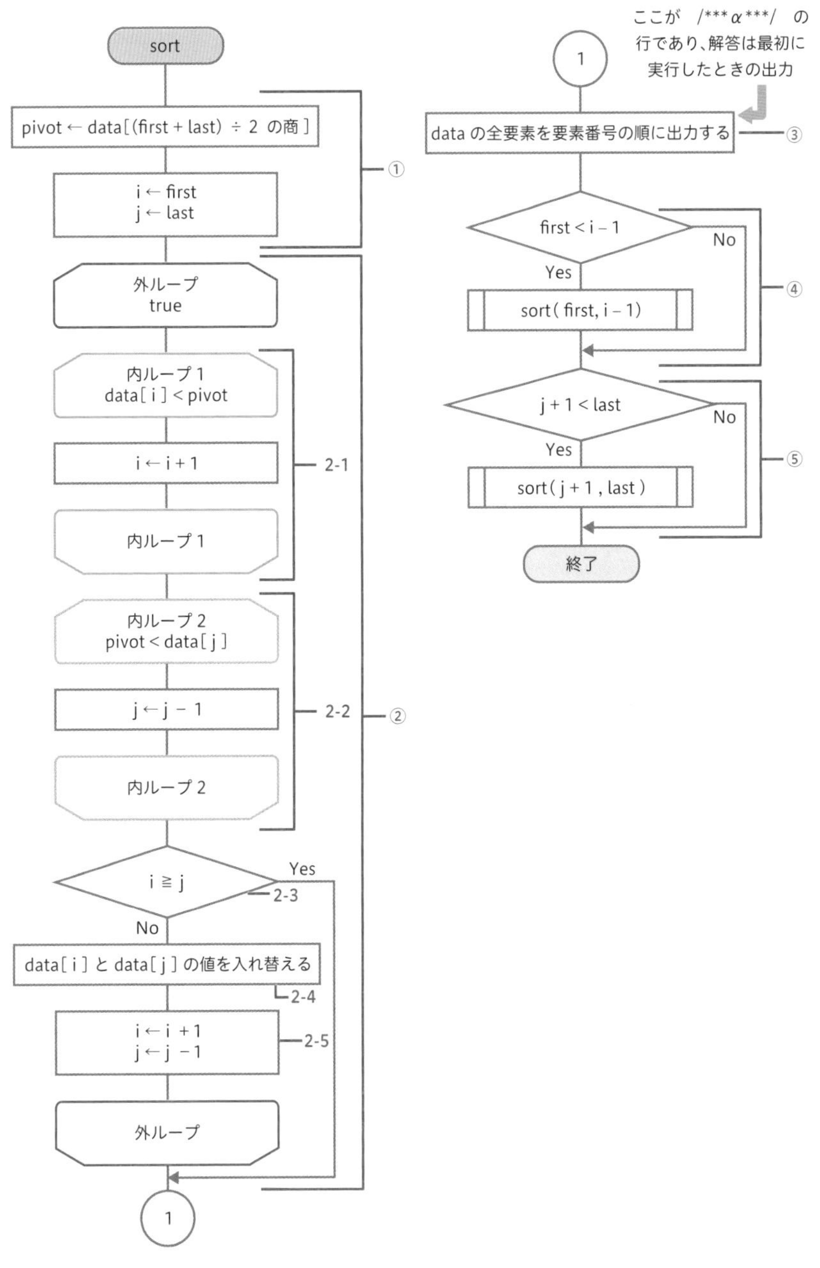
sort
pivot ← data[(first + last) ÷ 2 の商]
i ← first
j ← last
①
外ループ
true
内ループ 1
data[i] < pivot
i ← i + 1
2-1
内ループ 1
内ループ 2
pivot < data[j]
j ← j − 1
2-2
②
内ループ 2
i ≧ j
Yes
2-3
No
data[i] と data[j] の値を入れ替える
2-4
i ← i + 1
j ← j − 1
2-5
外ループ
1
1
ここが /***α***/ の行であり、解答は最初に実行したときの出力
data の全要素を要素番号の順に出力する
③
first < i − 1
No
Yes
sort(first, i − 1)
④
j + 1 < last
No
Yes
sort(j + 1 , last)
⑤
終了

①基準値pivotを決める。ここでは配列の中央の値をpivotとする。
iには左端の添字、jには右端の添字を代入する。
②外ループに入る。
2-1 配列の一番左から比較を始めて、pivot以上の値になるまでiを増やす。
⇒要するにpivotより左側からpivot以上の大きい値を探している。
2-2 配列の一番右から比較を始めて、pivot以下の値になるまでjを減らす。
⇒要するにpivotより右側からpivot以下の小さい値を探している。
2-3 i≧jだったら、外ループから抜ける（③へ進む）。
2-4 data[i]とdata[j]を入れ替える。
2-5 iを「1」大きく、jを「1」小さくして②に戻る（外ループを繰り返す）。
③dataの全要素の値を要素番号の順に空白区切りで出力する。
④pivotの左側を対象にして、sortを呼ぶ。
⑤pivotの右側を対象にして、sortを呼ぶ。

問題文に与えられた値でトレースしてみる

では、問題文に与えられた値でトレースしてみましょう。

① 初期値の代入

初期値は次のように代入されます。

```
pivot ← 3
i ← 1
j ← 5
```

② 外ループに入る

▼2-1 左側の検査（pivotは3）

i	1	2	3
data[i]	2	1	3
data[i]<pivot	真	真	偽

▼2-2 右側の検査（pivotは3）

j	5	4	3
data[j]	4	5	3
pivot < data[j]	真	真	偽

▼2-3

このときi = jなので、外ループから抜けます。

③ dataの全要素の値を要素番号の順に空白区切りで出力

入れ替えを行っていないので、配列dataは元のまま{2, 1, 3, 5, 4}と出力されます。

④ 以降はクイックソートの次の段階のための処理ですが、この問題では最初の出力を聞いているので考える必要はありません。

今回は、**元の要素の並びのまま**が正解ということです。最初からpivotの左にpivotより小さい値が、pivotの右にpivotより大きい値が並んでいたため、このような結果になりました。もちろん配列の初期状態によっては、**2-4**で入れ替えが行われるので、結果も異なります。また④、⑤で自分自身を呼ぶ再帰の形になっているので、範囲を小さくして繰り返すことになるのですが、この問題では問われていません。

解き方のアドバイス

クイックソートはソートの中でもアルゴリズムが難しいものです。そのためかわかりませんが、与えられた条件がかなり易しいものとなっています。諦めずにトレースをしてみましょう。

3-3 論理演算

ここからは、アルゴリズムの問題を解くために必要とされる知識を解説します。特に「ビット」は、前提となる必須知識です。コンピュータでは全てのデータを2値、つまり「0」と「1」で扱っています。数値も文字も画像も音声も、突き詰めれば「0」と「1」の並び(ビット列)として扱います。この「0」または「1」を表す最小単位がビットです。

論理演算

論理演算とは、命題や命題変数などの論理的な表現を扱うための演算のことです。ビットとビットの演算と考えましょう。命題として考えるときは、「0」が偽、「1」が真となります。論理演算には以下のものがあります。

- 否定(NOT):「1」と「0」を反転させる演算
- 論理和(OR):少なくとも片方が「1」であるときに「1」となる演算
- 論理積(AND):「1」と「1」のときだけ「1」となる演算
- 排他的論理和(XOR):「0」と「1」または「1」と「0」のときに「1」となる演算

否定は**単項演算**、その他は**二項演算**です。この演算を表にしたものを**真理値表**といいます。

▼論理演算をまとめた真理値表

A	否定 NOT $\overline{A}$
0	1
1	0

A	B	論理和 OR A + B	論理積 AND A・B	排他的論理和 XOR $A \oplus B$
0	0	0	0	0
0	1	1	0	1
1	0	1	0	1
1	1	1	1	0

この論理演算は、**1ビットの値**に対する論理演算です。これに対し演算装置内で使われる論理演算は**ビット列**に対する論理演算がほとんどです。ビット列に対する論理演算といっても理屈は同じで、1ビットごとに独立した演算と考えればよいのです。例えば8ビットのビット列、A＝01010101とB＝00111100があるとき、AとBの論理和、論理積は次のようになります。

AとBの論理和

```
   01010101
+  00111100
-----------
   01111101
```

AとBの論理積

```
   01010101
・ 00111100
-----------
   00010100
```

ビット列の論理演算では、算術演算と異なり桁上がりを考える必要はありません。

シフト演算

シフトとは桁を移動することです。**シフト演算**は、ビット列を指定されたビット数だけ、右または左に移動させる演算です。ビット列を単なるビットの並びとして扱う**論理シフト**と、ビット列を数値データとして扱う**算術シフト**があります。これにより、シフト演算には次の4種類があります。

◎論理右シフト

- シフト対象は全てのビット列。
- シフトによってあふれる右のビットは捨てる。
- シフトによって空いた左のビットには、「**0**」を埋める。

元のビット列が11010011のとき、右に2ビット論理シフトすると**00**110100になります。

▼論理右シフトのイメージ(2ビット分)

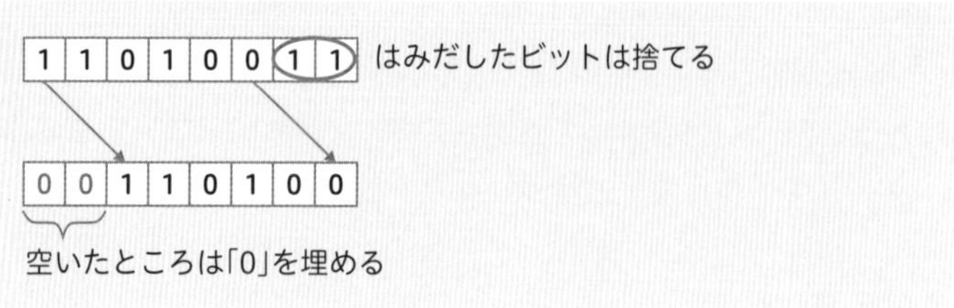

○論理左シフト

- シフト対象は全てのビット列。
- シフトによってあふれる左のビットは捨てる。
- シフトによって空いた右のビットには、「**0**」を埋める。

元のビット列が11010011のとき、左に2ビット論理シフトすると01001100になります。

▼論理左シフトのイメージ(2ビット分)

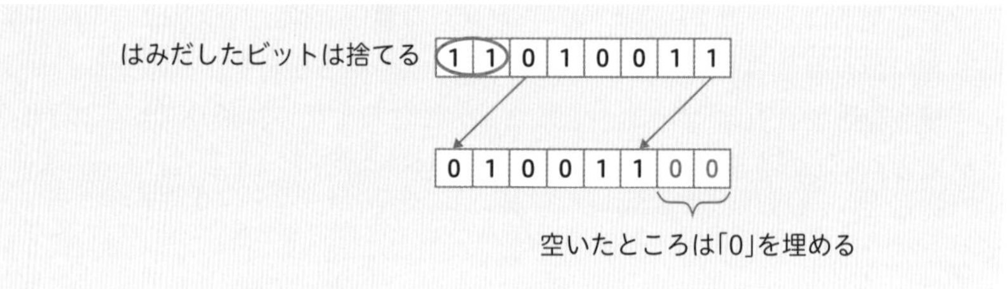

○算術右シフト

- 最上位ビット(一番左のビット)はシフト対象としない。
- シフトによってあふれる右のビットは捨てる。
- シフトによって空いた左のビットには、**最上位ビットの値と同じ値**を埋める。

元のビット列が11101100のとき、右に2ビット算術シフトすると11111011になります。

▼算術右シフトのイメージ（2ビット分）

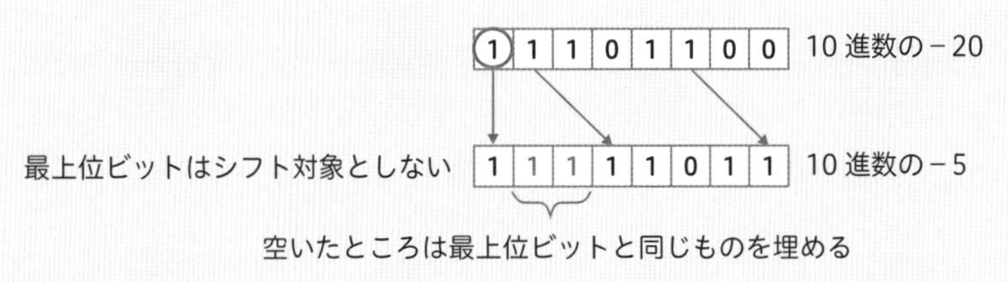

上の図からわかるように、nビットの算術右シフトは、ビット列を数字データとみなした場合に「2^n」で割るという意味をもちます。ただし「1」のビットが右にあふれた場合を除きます。例えば、2進数で一番右の最下位ビットが「1」ということは10進数の奇数であるわけですから、「2」では割り切れません。イメージとしては理解できると思います。

◎算術左シフト

- 最上位ビット（一番左のビット）はシフト対象としない。
- シフトによってあふれる左のビットは捨てる。
- シフトによって空いた右のビットには、「**0**」を埋める。

元のビット列が11101100のとき、左に2ビット算術シフトすると101100**00**になります。

▼算術左シフトのイメージ（2ビット分）

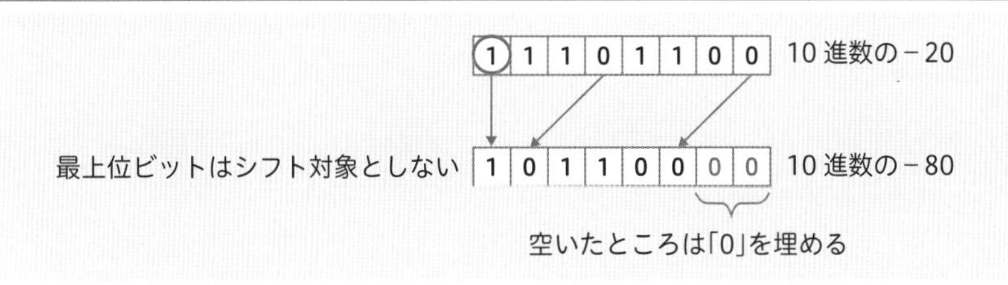

nビットの算術左シフトは、ビット列を数字データとみなした場合に「2^n」を掛けるという意味をもちます。ただし、正の数は「1」、負の数は「0」のビットが左にあふれた場合を除きます。

左にあふれた場合は、**オーバーフロー**となるためです。オーバーフローとは、そのビット数で表現できる数値の範囲を超えることです。

マスク演算

ビット列から特定の部分を取り出すための演算を、**マスク演算**といいます。

◎AND演算(論理積)を利用したマスク演算

例えば8ビットのビット列の下位4ビットだけをそのまま、上位4ビットは全て「0」にすることを考えてみましょう。この場合は上位4ビットは「0」、下位4ビットは「1」のビット列(00001111)を用意し、このビット列と元のビット列のAND演算(論理積)を行えばよいのです。この用意するビット列のことを**マスクパターン**と呼びます。

例として、上位4ビットは全て「0」にしたいビット列が10101010の場合は、マスクパターンとの演算結果は以下のようになります。

10101010と00001111のAND演算

```
  10101010
・ 00001111
──────────
  00001010
```

目的どおり元のビット列の下位の1010だけをそのまま、上位4ビットは「0」になりました。

これを擬似言語で書いてみます。関数lower4bitは、渡された8ビット型の変数byteを引数として、ビット列の下位4ビットだけをそのまま、上位4ビットは全て0にした値(ビット列)を返す関数です。演算子「∧」はビット単位の論理積を表します。

▤ 8ビット列の下位4ビットをそのまま、上位4ビットは全て0にした値(ビット列)を返す擬似言語①

```
/* マスク演算のプログラム */
○8ビット型：lower4bit(8ビット型：byte)
  8ビット型：rbyte
  8ビット型：mask ← 00001111
  rbyte ← byte ∧ mask
  return rbyte
```

具体的には引数として受け取ったビット列と、マスクパターンとして用意した00001111というビット列のビット単位での論理積をとり、それを戻り値としています。「0」との論理積は必ず「0」になります。「1」との論理積は元のビットのままです。そのため、結果は元のビット列の下位4ビットだけをそのまま、上位4ビットは全て「0」にした値となります。

◎シフト演算を利用したマスク演算

AND演算と同じ処理(マスク演算)を、2回のシフト演算で行うこともできます。例えば引数として与えられる元のビット列が01010011だったとします。まず、このビット列を4ビット左に論理シフトすると00110000になります。下位4ビットが上位にずれ、空いた場所は「0」で埋めるからです(1回目)。

▼01010011の論理左シフトのイメージ

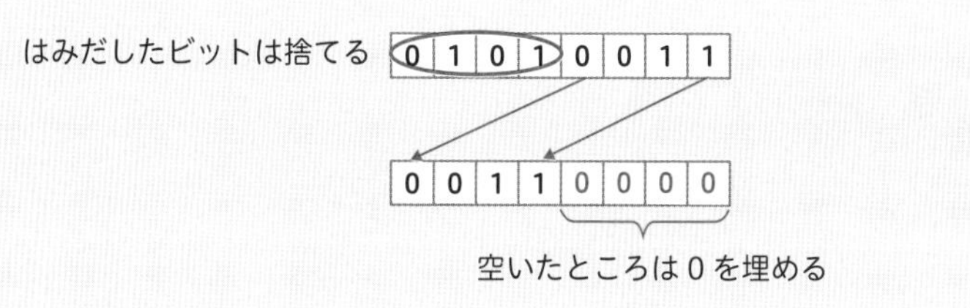

このビット列をさらに4ビット右に論理シフトすると00000011になります。上位4ビットが下位にずれ、空いたところは「0」で埋めるからです(2回目)。

▼00110000の論理右シフトのイメージ

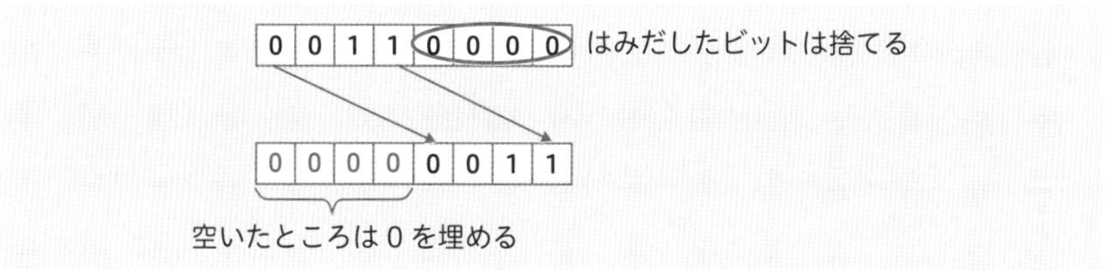

結果として、元のビット列(01010011)の下位4ビットだけをそのまま、上位4ビットは全て0にした値(00000011)となります。

これを擬似言語の関数lower4bit2で書いてみます。演算子「>>」は論理右シフト、演算子「<<」は論理左シフトを表します。例えば、value >> nはvalueの値をnビットだけ右に論理シフトし、value << nはvalueの値をnビットだけ左に論理シフトします。

▤ 8ビット列の下位4ビットをそのまま、上位4ビットは全て0にした値（ビット列）を返す擬似言語②

```
/* シフト演算のプログラム */
○8ビット型：lower4bit2(8ビット型：byte)
  8ビット型：rbyte
  rbyte ← byte <<  4
  rbyte ← rbyte >> 4
  return rbyte
```

ここが重要！

ビット演算の問題は、慣れるまでややこしい感じがすると思います。頭の中で考えるのは難しいので、自分で例を作って、それをメモしながら解く必要があります。例は00000000とか11111111ではわからなくなるので、0と1が適当に混ざったビット列を用意します。それが論理演算やシフト演算でどのように変わるかを丁寧にトレースしていきましょう。

3-3のまとめ

- 論理演算で、「0」と「1」のビット演算を行う。
- シフト演算は、ビット列を任意の数だけ左右にずらす。
- マスク演算で、特定のビット列の値を取り出すことができる。

IPA公式サンプル問題＆徹底解説

基本情報サンプル問題（令和4年12月）問6　10 min

次のプログラム中の [ ] に入れる正しい答えを，解答群の中から選べ。

関数revは8ビット型の引数byteを受け取り，ビットの並びを逆にした値を返す。例えば，関数revをrev(01001011)として呼び出すと，戻り値は11010010 となる。

なお，演算子∧はビット単位の論理積，演算子∨はビット単位の論理和，演算子>>は論理右シフト，演算子<<は論理左シフトを表す。例えば，value >> nはvalueの値をnビットだけ右に論理シフトし，value << nはvalueの値をnビットだけ左に論理シフトする。

〔プログラム〕

```
○8ビット型: rev(8ビット型: byte)
  8ビット型: rbyte ← byte
  8ビット型: r ← 00000000
  整数型: i
  for (i を 1 から 8 まで 1 ずつ増やす)
    [          ]
  endfor
  return r
```

解答群

ア r ← (r << 1) ∨ (rbyte ∧ 00000001)
　rbyte ← rbyte >> 1

イ r ← (r << 7) ∨ (rbyte ∧ 00000001)
　rbyte ← rbyte >> 7

```
ウ r ← (rbyte << 1) ∨ (rbyte >> 7)
  rbyte ← r

エ r ← (rbyte >> 1) ∨ (rbyte << 7)
  rbyte ← r
```

解答・解説

基本情報サンプル問題（令和4年12月）問6 **解答** ア

ビット演算についての知識が必要です。論理和、論理積、シフト演算、マスク演算といった知識です。問題文中に例がありますから、この例を使って、解答群のソースプログラムをトレースしてみましょう。といっても、繰り返しを正直に8回やってみる時間はありません。2 〜 3回繰り返してみると、見当がつくはずです。選択肢アを2回だけ丁寧にやってみましょう。解答群の選択肢アの1行目について、左右をそれぞれ演算すると以下のようになります。

① forの繰り返しの1回目　∨の左側（r<< 1）
rの初期値は00000000ですから、rを1ビット論理左シフトしても 00000000です。

① forの繰り返しの1回目　∨ の右側（rbyte ∧ 00000001）
問題文の「関数revをrev(01001011)として呼び出すと〜」より、引数byte(01001011)の値が、プログラム2行目でrbyteに代入されています。
rbyteつまり01001011と00000001の論理積は 00000001です。

　01001011
∧00000001
　00000001

① forの繰り返しの1回目　（（r << 1）∨（rbyte ∧ 00000001））
(r << 1)00000000と**(rbyte ∧ 00000001) 00000001**の論理和は00000001です。

　00000000
∨00000001
　00000001

これがrに代入されます。

選択肢ア2行目の「rbyte ← rbyte >> 1」によって、rbyte(01001011)は1ビット論理右シフトするので、00100101になります。

② forの繰り返しの2回目　左(r << 1)

rは 00000001 ですから、rを1ビット論理左シフトすると 00000010 です。

② forの繰り返しの2回目　右(rbyte ∧ 00000001)

rbyteつまり00100101と00000001の論理積は00000001です。

```
  00100101
∧ 00000001
----------
  00000001
```

② forの繰り返しの2回目　((r << 1) ∨ (rbyte ∧ 00000001))

(r << 1)00000010と**(rbyte ∧ 00000001) 00000001**の論理和は00000011です。

```
  00000010
∨ 00000001
----------
  00000011
```

これがrに代入されます。

選択肢ア2行目の「rbyte ← rbyte >> 1」によって、rbyteは論理右シフトするので、00010010 になります。

このように丁寧にトレースすると次のようになります。

▼ rとrbyteのトレース表

	r << 1 ①	rbyte ∧ 00000001 ②	① ∨ ② 新しい r	rbyte>>1 新しいrbyte
1回目	00000000	00000001	00000001	00100101
2回目	00000010	00000001	00000011	00010010
3回目	00000110	00000000	00000110	00001001
4回目	00001100	00000001	00001101	00000100
5回目	00011010	00000000	00011010	00000010
6回目	00110100	00000000	00110100	00000001
7回目	01101000	00000001	01101001	00000000
8回目	11010010	00000000	11010010	00000000

3回目か4回目で見当がついてくると思います。(rbyte ∧ 00000001)はrbyteの一番右の最下位ビットを取り出しています。それを最下位ビットにセットしたビット列 r を作り、左シフト演算することによりビットの並びを逆にしたビット列を作っています。

解き方のアドバイス

試験時に、この問題の全ての解答群を最後までトレースするとなると、時間がいくらあっても足りません。繰り返しの2、3回目で、この処理は何をしているのかの見当をつけたいところです。
一方ビット演算に慣れていない人は、練習になりますから、一度このサンプル問題で全部トレースをしてみましょう。コツですが、メモにビット列をきちんと揃えて書くことをお勧めします。急いでいるからといって乱雑に書くとかえって混乱します。8ビットでも「0」と「1」の並びは意外と書きにくいです。上位4ビットと下位4ビットの間に少しスペースをあけると揃えやすくなります。

3-4 再帰（再帰関数）

再帰関数は、自身の定義の中で自身を呼び出す関数です。呼ばれた時点で、関数の先頭に戻って実行されるので、繰り返し処理を再帰呼び出しによって実現できます。

再帰演算で階乗を計算する

再帰関数の例として、階乗を計算する関数があります。階乗とは「1からある数」までの連続する整数の積のことです。「1からn」までの連続するn個の整数の積をnの階乗といい、n!と書き表します。なお、0の階乗は1と定められています。ここでnを「5」とすると以下のように計算します。

▼5の階乗の計算

5! = 5 × 4 × 3 × 2 × 1
　= 120

公式 nの階乗

```
n! = n×(n−1)×(n−2)×・・・3×2×1
ただし0! = 1
```

この階乗をFact()という関数で表すと関数Fact(n)の定義は次のように表すことができます。ここで、nは非負の整数とします。

定義 nの階乗を計算する関数Fact(n)

```
n＞0のとき、Fact(n) = n × Fact(n − 1)
n＝0のとき、Fact(n) = 1
```

関数Factは、定義の中に**引数を「n－1」に変えた関数Fact**を使っているので再帰関数であることがわかります。

先ほどと同様にnを「5」とすると5! = 5 × 4!と定義しているわけです。

5!を求めるためには、上記の式のとおり「5」に掛け算する4!の値を計算する必要があります。4!の計算は以下のように、さらに階乗として計算されます。

▼4!の計算

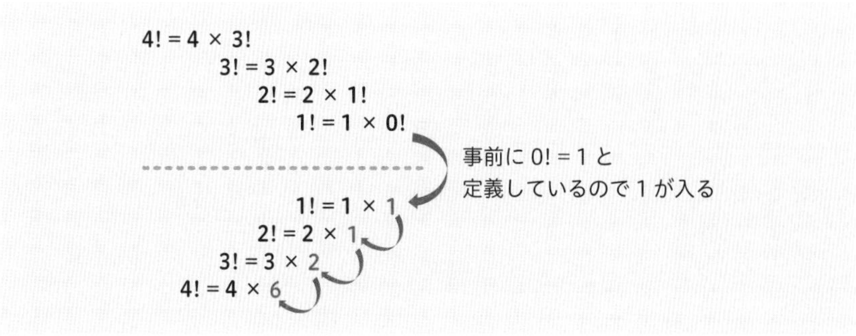

```
4! = 4 × 3!
        3! = 3 × 2!
            2! = 2 × 1!
                1! = 1 × 0!
------------------------------
                1! = 1 × 1
            2! = 2 × 1
        3! = 3 × 2
    4! = 4 × 6
```

事前に 0! = 1 と
定義しているので 1 が入る

以上により4!は「24」なので、5! = 5 × 24 = 120と戻って計算されます。これを擬似言語で書いてみます。関数Factは、引数として受け取ったnの階乗を戻り値として返します。

階乗を求める再帰の擬似言語

```
1. /* 階乗を求める再帰プログラム */
2. ○整数型：Fact(整数型：n)
3.   if (n = 0)
4.     return 1
5.   else
6.     return n × Fact(n − 1)
7.   endif
```

新しい引数でFact関数を
呼び出し、
処理が先頭に戻る

4!の計算の図に比べて、行数が少なくずいぶんシンプルです。3行目の判断でnが「0」ならば「1」を返します。nが「0」でないときは

```
return n × Fact(n − 1)
```

が実行されます。これによりFact関数の先頭に処理が戻るので、nが「0」になるまで繰り返し処理が実行されます。関数Factを、Fact(5)として呼び出したときのトレース表は次のとおりです。

▼関数Factを、Fact(5)として呼び出したときのトレース表

n	Fact(n)
5	5 × Fact(4)
4	4 × Fact(3)
3	3 × Fact(2)
2	2 × Fact(1)
1	1 × Fact(0)
0	1
1	1
2	2
3	6
4	24
5	120

再帰は、階段を降りて行って、底まで到達したらまた上がってくるイメージでしょうか。再帰関数を使用すると、複雑なアルゴリズムをシンプルに表現することができます。一方で、再帰関数は無限ループに陥る可能性があるため、適切な終了条件を設定する必要があります。

ここが重要！

再帰の問題が試験に出題された場合、具体的な値を入れてみないとイメージがわきにくいでしょう。そこで、例となる値を引数として、関数をトレースして把握します。再帰関数をトレースする中で、同じ再帰関数がまた登場します。**そのときに引数(Fact(n)のnの値)がどうなっているのか、がポイントです。**

3-4のまとめ

- 再帰関数とは、関数の定義の中で自分自身を呼んでいる関数。
- 処理が先頭に戻るため、繰り返し処理をシンプルに表現できる。

IPA公式サンプル問題＆徹底解説

基本情報サンプル問題（令和4年12月）問7

5 min

次のプログラム中の [　　　] に入れる正しい答えを，解答群の中から選べ。

関数factorialは非負の整数nを引数にとり，その階乗を返す関数である。非負の整数nの階乗はnが0のときに1になり，それ以外の場合は1からnまでの整数を全て掛け合わせた数となる。

〔プログラム〕

```
○整数型: factorial(整数型: n)
  if (n = 0)
    return 1
  endif
  return [　　　]
```

解答群

ア (n − 1) × factorial(n)
イ factorial(n − 1)
ウ n
エ n × (n − 1)
オ n × factorial(1)
カ n × factorial(n − 1)

解答・解説

基本情報サンプル問題（令和4年12月）問7　解答 カ

再帰関数に関する問題です。再帰関数を使った階乗処理は定番アルゴリズムの一つです。階乗とは、「1からある自然数n」までの数を全て掛け合わせた積のことをいいます。したがって本問の関数factorialを使えばfactorial(4)は「4×3×2×1＝24」ですので、returnで「24」を返します。数学の記号では「!」を使って「4!」と書き、展開すると以下になります。

```
4! = 4×3×2×1 = 4×3!
```

さらに3!も同様に以下のように展開されます。

```
3! = 3×2×1 = 3×2!
2! = 2×1 = 2×1!
1! = 1×0!
```

ここで0!は1と定義されているので、上の式を逆にたどって4!を求めることができます。

したがって n ≠ 0 の場合はfactorial(n) = n × factorial(n − 1)と定義されます。

解き方のアドバイス

階乗の再帰関数は定番アルゴリズムですから、知識があると、ほとんど考えずに解けるはずです。一方で「ひっかけ」かもしれません。「これ知ってる！」と思っても、必ずアルゴリズムのチェックをしましょう。

3-5 データサイエンス

データサイエンスとは、数学や統計学・機械学習・プログラミングなどの理論を活用して、莫大なデータの分析や解析を行い、有益な洞察を導き出す学問分野です。

データサイエンスが必要な背景

インターネットの普及やIoTといった技術により、多くのデータを収集することが容易になりました。いわゆるビッグデータです。しかしいくらたくさんのデータがあっても、それだけでは単なるデータであって、経営判断や将来予測に結びつきません。そのため、データサイエンスによってビッグデータの分析や解析を行い、そこから価値のある情報を導き出すことが求められています。

試験におけるデータサイエンスの出題範囲と問題の特徴

試験問題として出題される分野は、多岐にわたります。数学・統計・画像処理・ゲーム・お金の計算などです。時には擬似言語のプログラムではない形で出題されることもあります。出題分野が広いだけに、知識ではなく、その場で条件に合わせて考えることが要求されます。ここではサンプル問題を解いてみて、どんな形で出題されるのか確認しておきましょう。

3-5のまとめ

- 知らない、見たことがない、という問題でも慌てない。
- わからなくても解答群を絞り込み、「当たる確率」を少しでも上げる。

IPA公式サンプル問題＆徹底解説

基本情報サンプル問題（令和4年12月）問5

7 min

次のプログラム中の [　　　] に入れる正しい答えを，解答群の中から選べ。

関数calcは，正の実数xとyを受け取り，$\sqrt{x^2+y^2}$ の計算結果を返す。関数calcが使う関数powは，第1引数として正の実数aを，第2引数として実数bを受け取り，aのb乗の値を実数型で返す。

〔プログラム〕

```
○実数型: calc(実数型: x, 実数型: y)
  return [　　　]
```

解答群

ア (pow(x, 2) + pow(y, 2)) ÷ pow(2, 0.5)
イ (pow(x, 2) + pow(y, 2)) ÷ pow(x, y)
ウ pow(2, pow(x, 0.5)) + pow(2, pow(y, 0.5))
エ pow(pow(pow(2, x), y), 0.5)
オ pow(pow(x, 2) + pow(y, 2), 0.5)
カ pow(x, 2) × pow(y, 2) ÷ pow(x, y)
キ pow(x, y) ÷ pow(2, 0.5)

解答はp.187

基本情報サンプル問題（令和4年12月）問14

10 min

次の記述中の [　　　] に入れる正しい答えを，解答群の中から選べ。ここで，配列の要素番号は1から始まる。

要素数が1以上で，昇順に整列済みの配列を基に，配列を特徴づける五つの値を返すプログラムである。

関数summarizeをsummarize({0.1, 0.2, 0.3, 0.4, 0.5, 0.6, 0.7, 0.8, 0.9,1})として呼び出すと，戻り値は [ ] である。

〔プログラム〕

```
○実数型: findRank(実数型の配列: sortedData, 実数型: p)
  整数型: i
  i ← (p × (sortedDataの要素数 − 1)) の小数点以下を切り
           上げた値
  return sortedData[i ＋ 1]

○実数型の配列: summarize(実数型の配列: sortedData)
  実数型の配列: rankData ← {} /* 要素数0の配列 */
  実数型の配列: p ← {0, 0.25, 0.5, 0.75, 1}
  整数型: i
  for (i を 1 から pの要素数 まで 1 ずつ増やす)
    rankDataの末尾 にfindRank(sortedData, p[i])の戻り
    値を追加する
  endfor
  return rankData
```

解答群

ア {0.1, 0.3, 0.5, 0.7, 1}
イ {0.1, 0.3, 0.5, 0.8, 1}
ウ {0.1, 0.3, 0.6, 0.7, 1}
エ {0.1, 0.3, 0.6, 0.8, 1}
オ {0.1, 0.4, 0.5, 0.7, 1}
カ {0.1, 0.4, 0.5, 0.8, 1}
キ {0.1, 0.4, 0.6, 0.7, 1}
ク {0.1, 0.4, 0.6, 0.8, 1}

解答はp.188

基本情報サンプル問題（令和4年12月）問15

7 min

次の記述中の [a] と [b] に入れる正しい答えの組合せを，解答群の中から選べ。

三目並べにおいて自分が勝利する可能性が最も高い手を決定する。次の手順で，ゲームの状態遷移を木構造として表現し，根以外の各節の評価値を求める。その結果，根の子の中で最も評価値が高い手を，最も勝利する可能性が高い手とする。自分が選択した手を○で表し，相手が選択した手を×で表す。

〔手順〕

（1） 現在の盤面の状態を根とし，勝敗がつくか，引き分けとなるまでの考えられる全ての手を木構造で表現する。

（2） 葉の状態を次のように評価する。

① 自分が勝ちの場合は10

② 自分が負けの場合は－10

③ 引き分けの場合は0

（3） 葉以外の節の評価値は，その節の全ての子の評価値を基に決定する。

① 自分の手番の節である場合，子の評価値で最大の評価値を節の評価値とする。

② 相手の手番の節である場合，子の評価値で最小の評価値を節の評価値とする。

ゲームが図の最上部にある根の状態のとき，自分が選択できる手は三つある。そのうちAが指す子の評価値は [a] であり，Bが指す子の評価値は [b] である。

▼図　三目並べの状態遷移

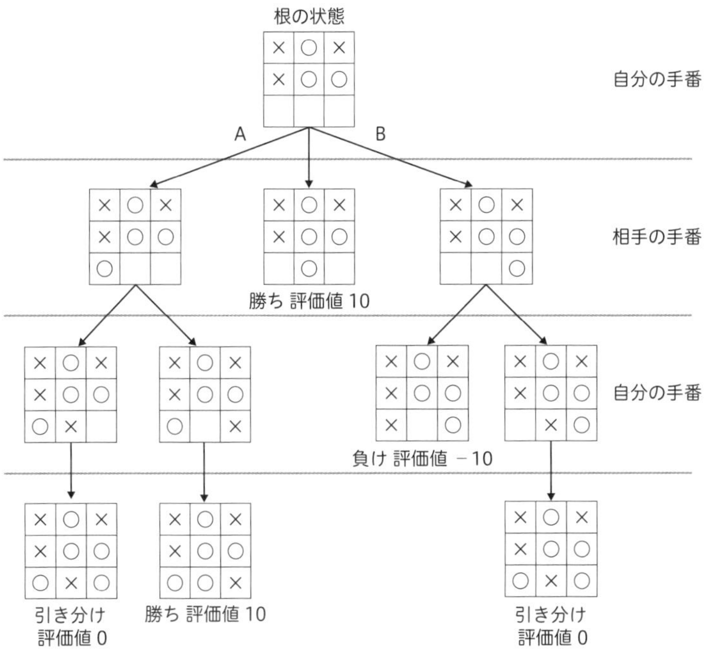

根の状態

×	○	×
×	○	○

自分の手番

A　B

×	○	×
×	○	○
○		

×	○	×
×	○	○
	○	

勝ち 評価値 10

×	○	×
×	○	○
		○

相手の手番

×	○	×
×	○	○
○	×	

×	○	×
×	○	○
○		×

×	○	×
×	○	○
×		○

負け 評価値 －10

×	○	×
×	○	○
	×	○

自分の手番

×	○	×
×	○	○
○	×	○

引き分け
評価値 0

×	○	×
×	○	○
○	○	×

勝ち 評価値 10

×	○	×
×	○	○
○	×	○

引き分け
評価値 0

解答群

	a	b
ア	0	－10
イ	0	0
ウ	10	－10
エ	10	0

解答はp.190

基本情報サンプル問題(令和4年12月)問16　12 min

次のプログラム中の [　　　] に入れる正しい答えを，解答群の中から選べ。二つの [　　　] には，同じ答えが入る。ここで，配列の要素番号は1から始まる。

Unicodeの符号位置を，UTF-8の符号に変換するプログラムである。本問で数値の後ろに“(16)”と記載した場合は，その数値が16進数であることを表す。

Unicodeの各文字には，符号位置と呼ばれる整数値が与えられている。UTF-8は，Unicodeの文字を符号化する方式の一つであり，符号位置が800(16)以上FFFF(16)以下の文字は，次のように3バイトの値に符号化する。

3バイトの長さのビットパターンを 1110<u>xxxx</u> 10<u>xxxxxx</u> 10<u>xxxxxx</u> とする。ビットパターンの下線の付いた“<u>x</u>”の箇所に，符号位置を2進数で表した値を右詰めで格納し，余った“<u>x</u>”の箇所に，0を格納する。この3バイトの値がUTF-8の符号である。

例えば，ひらがなの“あ”の符号位置である3042(16)を2進数で表すと11000001000010である。これを，上に示したビットパターンの“<u>x</u>”の箇所に右詰めで格納すると，1110<u>xx11</u> 10<u>000001</u> 10<u>000010</u> となる。余った二つの“<u>x</u>”の箇所に0を格納すると，“あ”のUTF-8の符号11100011 10000001 10000010が得られる。

関数encodeは，引数で渡されたUnicodeの符号位置をUTF-8の符号に変換し，先頭から順に1バイトずつ要素に格納した整数型の配列を返す。encodeには，引数として，800(16)以上FFFF(16)以下の整数値だけが渡されるものとする。

〔プログラム〕

```
○整数型の配列: encode(整数型: codePoint)
  /* utf8Bytesの初期値は，ビットパターンの“x”を全て0に置き換え，
     8桁ごとに区切って，それぞれを2進数とみなしたときの値 */
  整数型の配列: utf8Bytes ← {224, 128, 128}
  整数型: cp ← codePoint
```

```
整数型: i
for (i を utf8Bytesの要素数 から 1 まで 1 ずつ減らす)
  utf8Bytes[i] ← utf8Bytes[i] + (cp ÷ [    ] の
                余り)
  cp ← cp ÷ [    ] の商
endfor
return utf8Bytes
```

解答群

ア ((4 − i) × 2)　　イ (2の(4 − i)乗)
ウ (2のi乗)　　エ (i × 2)
オ 2　　カ 6
キ 16　　ク 64
ケ 256

解答はp.192

基本情報公開問題（令和5年7月）問4

次の記述中の [   ] に入れる正しい答えを，解答群の中から選べ。ここで，配列の要素番号は1から始まる。

関数addは，引数で指定された正の整数valueを大域の整数型の配列hashArrayに格納する。格納できた場合はtrueを返し，格納できなかった場合はfalseを返す。ここで，整数valueをhashArrayのどの要素に格納すべきかを，関数calcHash1及びcalcHash2を利用して決める。

手続testは，関数addを呼び出して，hashArrayに正の整数を格納する。手続testの処理が終了した直後のhashArrayの内容は，[   ] である。

〔プログラム〕

```
大域: 整数型の配列: hashArray

○論理型: add(整数型: value)
  整数型: i ← calcHash1(value)
  if (hashArray[i] = −1)
    hashArray[i] ← value
    return true
  else
    i ← calcHash2(value)
    if (hashArray[i] = −1)
      hashArray[i] ← value
      return true
    endif
  endif
  return false

○整数型: calcHash1(整数型: value)
  return (value mod hashArrayの要素数) + 1

○整数型: calcHash2(整数型: value)
  return ((value + 3) mod hashArrayの要素数) + 1

○test()
  hashArray ← {5個の −1}
  add(3)
  add(18)
  add(11)
```

解答群

ア {−1, 3, −1, 18, 11}
イ {−1, 11, −1, 3, −1}
ウ {−1, 11, −1, 18, −1}
エ {−1, 18, −1, 3, 11}
オ {−1, 18, 11, 3, −1}

解答はp.195

基本情報公開問題（令和5年7月）問5

5 min

次のプログラム中の [a] と [b] に入れる正しい答えの組合せを，解答群の中から選べ。ここで，配列の要素番号は1から始まる。

コサイン類似度は，二つのベクトルの向きの類似性を測る尺度である。関数calcCosineSimilarityは，いずれも要素数がn(n≧1)である実数型の配列vector1とvector2を受け取り，二つの配列のコサイン類似度を返す。配列vector1が{a_1, a_2, …, a_n}，配列vector2が{b_1, b_2, …, b_n}のとき，コサイン類似度は次の数式で計算される。ここで，配列vector1と配列vector2のいずれも，全ての要素に0が格納されていることはないものとする。

$$\frac{a_1b_1 + a_2b_2 + \cdots + a_nb_n}{\sqrt{a_1{}^2 + a_2{}^2 + \cdots + a_n{}^2}\ \sqrt{b_1{}^2 + b_2{}^2 + \cdots + b_n{}^2}}$$

〔プログラム〕

```
○実数型: calcCosineSimilarity(実数型の配列: vector1,
                               実数型の配列: vector2)
  実数型: similarity, numerator, denominator, temp ← 0
  整数型: i
  numerator ← 0

  for (i を 1 から vector1の要素数 まで 1 ずつ増やす)
    numerator ← numerator + [ a ]
  endfor

  for (i を 1 から vector1の要素数 まで 1 ずつ増やす)
    temp ← temp + vector1[i]の2乗
  endfor
  denominator ← tempの正の平方根
```

```
temp ← 0
for (i を 1 から vector2の要素数 まで 1 ずつ増やす)
  temp ← temp + vector2[i]の2乗
endfor
denominator ← [  b  ]

similarity ← numerator ÷ denominator
return similarity
```

解答群

	a	b
ア	(vector1[i] × vector2[i])の正の平方根	denominator × (tempの正の平方根)
イ	(vector1[i] × vector2[i])の正の平方根	denominator + (tempの正の平方根)
ウ	(vector1[i] × vector2[i])の正の平方根	tempの正の平方根
エ	vector1[i] × vector2[i]	denominator × (tempの正の平方根)
オ	vector1[i] × vector2[i]	denominator + (tempの正の平方根)
カ	vector1[i] × vector2[i]	tempの正の平方根
キ	vector1[i]の2乗	denominator × (tempの正の平方根)
ク	vector1[i]の2乗	denominator + (tempの正の平方根)
ケ	vector1[i]の2乗	tempの正の平方根

解答はp.198

解答・解説

基本情報サンプル問題（令和4年12月）問5　解答 オ

プログラムというよりも、数学の問題です。第1引数として正の実数a、第2引数として実数bを受け取り、aのb乗の値を実数型で返す関数powを通常の数式で書くと、次のようになります。

$$\mathrm{pow}(a, b) = a^b$$

ここからx^2はpow(x, 2)です。したがって、「$x^2 + y^2$」は「pow(x, 2)+ pow(y, 2)」と表せます。また、2乗してaになる数は $\sqrt{a}$ です。$(\sqrt{a})^2=a$
さらに数学では次の式が成り立ちます。

$$a^{\frac{1}{2}}=\sqrt{a}$$

この式は、次のように$a^{\frac{1}{2}}$を2乗するとaになるために成立します。

$$a^{\frac{1}{2}} \times a^{\frac{1}{2}}=a^{\left(\frac{1}{2}+\frac{1}{2}\right)} = a$$

以上のことから $\sqrt{x^2+y^2}$ は、次の式で表せます。

```
pow(pow(x, 2)+ pow(y, 2), 0.5)
```

解き方のアドバイス

数学が苦手だと、見た瞬間にあきらめたくなるかもしれません。そのとき、一歩粘ってください。関数calcの戻り値は $\sqrt{x^2+y^2}$ ですから、xとyを入れ替えても同じ結果になるはずです（数学では対称式といいます）。解答群の中で、xとyが異なる数値のとき、入れ替えても同じ結果になるのは、ア、ウ、オだけです。これだけで「当たる確率」が1/7から1/3になります。

基本情報サンプル問題（令和4年12月）問14 解答 ク

配列を特徴づける五つの値を返すプログラムです。関数の中で別の関数を呼んでいる点が特徴です。具体的には、実行される関数はsummarizeですが、その中で関数findRankを呼んでいます。複数の配列が使われているので、混乱しないように気をつけましょう。

問題文より、関数summarizeの引数となる配列sortedDataは次のようになっています。

i	1	2	3	4	5	6	7	8	9	10
sortedData[i]	0.1	0.2	0.3	0.4	0.5	0.6	0.7	0.8	0.9	1

また、関数summarizeの3行目で初期値として配列pに次の値が入ります。

i	1	2	3	4	5
p[i]	0	0.25	0.5	0.75	1

forの繰り返しの中、iの初期値は「1」で、p[1]は「0」です。したがってfindRank(sortedData,0)が呼ばれ、関数findRankに移動します。関数findRankの定義はfindRank(実数型の配列：sortedData, 実数型：p)ですから、配列と実数が引数となります。関数findRankのiに値を代入する処理は、第二引数pが「0」で、sortedDataの要素数は「10」ですから、i ← (0 × (10 − 1))となってiに「0」が代入されます。

関数findRankの最後の処理で関数findRankの戻り値sortedData[i + 1]はsortedData[1]となり「0.1」が返されます。

関数summarizeに戻って、rankDataの末尾に「0.1」が追加され、繰り返しの1回目が終了します。

findRank(sortedData,p)の第二引数であるpが、関数summarizeでp[i]と指定されていることに注意しながら、関数findRankの戻り値がどうなるか、トレースしていきましょう。

▼関数findRankの戻り値のトレース表

forの繰り返し	1回目	2回目	3回目	4回目	5回目	
p	0	0.25	0.5	0.75	1	
i p×9の小数点以下切上げ	0	3	5	7	9	⇒findRank関数で更新されるi
戻り値 sortedData[i + 1]	0.1	0.4	0.6	0.8	1	⇒findRank関数の戻り値

この戻り値がsummarize関数に渡り、順に配列rankDataに追加されます。よって戻り値は{0.1, 0.4, 0.6, 0.8, 1}となります。

解き方のアドバイス

ややこしくて、混乱しやすいので、きちんと変数の遷移を追いかけましょう。p[i]は小数なので、そのままだと配列sortedDataの添字に使えません。そのため、掛け算にして小数点以下を切り上げる工夫をしています。この工夫がわかるかどうか、がポイントです。

基本情報サンプル問題（令和4年12月）問15 解答 ア

三目並べにおける手の評価値を求める問題です。プログラムはなく、ゲームの状態遷移を表現した木構造から評価値を求めます。複雑に見えますが、仕様をよく読めば、容易に解答できます。

図には葉の評価値がすでに書かれているので、葉以外の節の評価値を求めます。ここでは説明のために葉以外の節に①～⑤の番号を振りました。

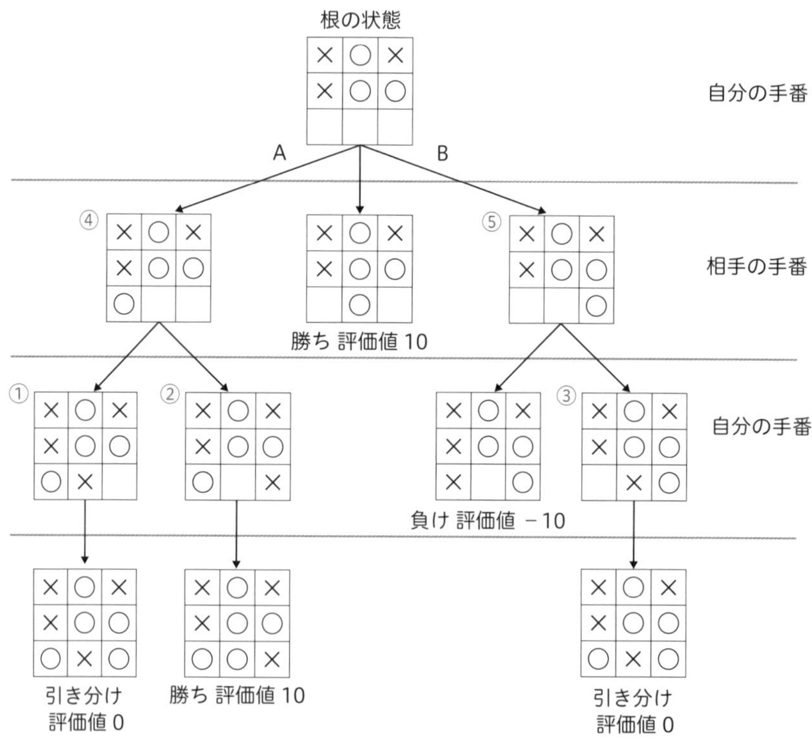

①～③は自分の手番なので、子の評価値のうち最大のものが評価値になります。というものの、子がそれぞれ一つしかありませんので、それがそのまま節の評価値になります。

④は相手の手番なので、子の評価値のうち最小のものが評価値になります。①が「0」、②が「10」なので、小さいほうの「0」が評価値です。

⑤は④と同様に左側の子が「－10」、③ が「0」なので、小さいほうの「－10」が評価値です。

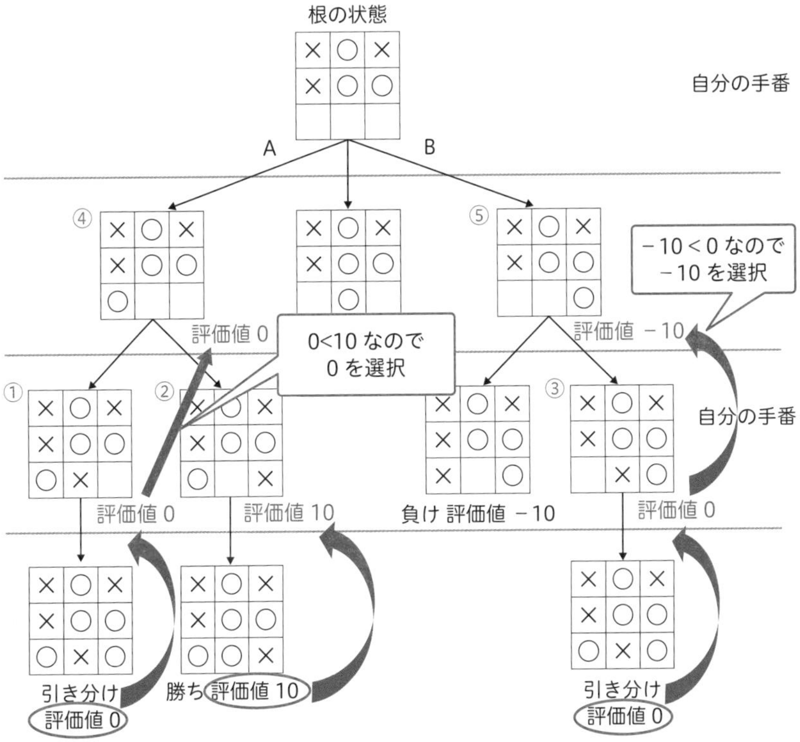

根の状態

自分の手番

A

B

④ 評価値 0

⑤ 評価値 －10

－10＜0 なので
－10 を選択

0<10 なので
0 を選択

① 評価値 0

② 評価値 10

負け 評価値 －10

③ 評価値 0

自分の手番

引き分け
評価値 0

勝ち 評価値 10

引き分け
評価値 0

以上のことから、Aが指す子の評価値は0、Bが指す子の評価値は－10です。

解き方のアドバイス

アルゴリズム自体は難しくありません。問題文をきちんと読めるかどうかの勝負です。特に自分の手番と相手の手番の評価値の決め方が異なる点がポイントです。紙で出題される問題は、図中に書き込みができますが、画面を見ながらだとそれができません。メモに書き写す時間が惜しいので、ごく簡単な木構造を書いて、そこに評価値を書き込んでいきましょう。

基本情報サンプル問題（令和4年12月）問16　解答 ク

Unicodeの符号位置を、UTF-8の符号に変換するプログラムです。問題を解くために直接必要というわけではありませんが、最初にUnicodeとUTF-8の概要を解説しておきます。

Unicodeとは、世界中の文字を扱えるようにしたISO（国際標準化機構）規格の文字集合を指します。文字集合の文字に対応したビット値は、符号位置（コードポイント）と呼ばれています。これが、問題文中にある「ひらがなの“あ”の符号位置である3042(16)」というものです。これを2進数で表すと11 0000 0100 0010となります。

一方UTF-8はUnicodeで割り振った符号位置をコンピュータで扱える形に変換した文字符号化方式の一つです。Unicodeの文字は符号化されており、これが、問題文にある「“あ”のUTF-8の符号11100011 10000001 10000010が得られる」というものです。

UTF-8の符号はUnicodeの符号位置の2進数を2桁, 6桁, 6桁に分割して、それを問題文の説明にあるビットパターンの“x”の箇所に格納することで得られます。

ひらがなの“あ”	11	000001	000010
ビットパターン	1110xxxx	10xxxxxx	10xxxxxx
UTF-8	11100011	10000001	10000010

プログラムの穴埋めを考えるとき、このひらがなの“あ”の符号位置11 000001 000010を例にすると、わかりやすいでしょう。初期値として`utf8Bytes`に`{224, 128, 128}`が代入されています。これはその前の行にコメントで説明されているように「ビットパターンの“x”を全て0に置き換え、8桁ごとに区切って、それぞれを2進数とみなしたときの値」です。具体的に2進数にしてみましょう。

utf8Bytes	[1]	[2]	[3]
10進数	224	128	128
2進数	11100000	10000000	10000000

プログラム中の`for`文では「`i`を`utf8Bytes`の要素数から1まで1ずつ減らす」

ですから、iは3→2→1と変化します。作成したいUTF-8符号の下位（右側）の桁から作っていくイメージです。

◎1回目のループ

1回目のループでiは「3」なので、utf8Bytes[3]の初期値は10000000です。これに何かを加算して10000010にしなければなりません。加算するのは、cpつまり、ひらがなの“あ”の符号位置である3042(16)を2進数で表した11 000001 000010の下位6桁に相当します。下位6桁は、「2^6」で割った余りとして得られます。

11 000001 000010 ÷ 2^6 = 11 000001余り000010

この余りを、ビットパターンに足して、ひらがなの“あ”の符号位置000010をUTF-8の符号にしたビット列を求めているのが、forで繰り返される最初の処理です。

◎2回目のループ

2回目のループの同じ処理でutf8Bytes[2]を求めるために、今度はひらがなの“あ”の符号位置である3042(16)を2進数で表した11 000001 000010の3桁目から8桁目を使いますがそれを下位6桁に移動させなければなりません。論理シフト（左に2ビット論理シフトした後、右に8ビット論理シフトする:3-3参照）でも可能ですが、ここではfor文で繰り返される二つ目の処理で割り算の商を使っています。二つの空欄の内容は同じものですから、ここでcpを割るのも「2^6」でしょう。

◎2進数における割り算の商と余り

考えてみてください。2進数を「2」で割った余りは、下位1桁です。具体的には、「2」で割った余りは10進数にすると「0」か「1」です。

「4」で割った余りは、下位2桁です。具体的には、「4」で割った余りは10進数にすると「0」か「1」か「2」か「3」です。2進数の下位n桁は、「2^n」で割った余りで求めることができます。

仮に4桁の2進数で考えてみましょう。10進数の9は1001です。これを「2」で割るとします。

10進数：9÷2=4余り1

2進数：1001÷2=100余り1

2進数の「9」を「2」で割った余りは下1桁の1、商は上位3桁の100（10進数の4）です。「2」は「2^1」ですから、下位1桁が割り算の余りとして求められていることがわかります。

次は9を4で割って考えます。

10進数：9÷4=2余り1

2進数：1001÷4=10余り01

2進数の「9」を4（つまり2^2）で割った余りは、下2桁の01、商は上位2桁の10（10進数の2）です。このように、割り算の商とシフト演算の結果は同じものといえます。

以上により、空欄には「2^6」つまり「64」が入ります。トレースしてみると次の表のようになります。変数cpは、プログラムの前半で引数codePointが代入されています。この引数は、問題文よりUnicodeの符号位置になります。

▼ビット列のトレース表

	i	cp	cp÷64の余り	cp÷64の商（新cp）	utf8Bytes[3]	utf8Bytes[2]	utf8Bytes[1]
ループの前		11 000001 000010			10000000	10000000	11100000
ループ1回目	3		000010	11 000001	10000010		
ループ2回目	2	11 000001	000001	11		10000001	
ループ3回目	1	11	000011	0			11100011

解き方のアドバイス

この問題もまず、問題文の意味が読み取れるかどうか、がポイントです。ソースプログラムは極端に短いので、何をしているのかがわかれば、トレースはそれほど時間がかかりません。またこのようなビット列の操作の問題がたいてい1題は出題されるので、慣れておきたいところです。

メモ 文字集合には、他にも日本語を扱うJIS、韓国語を扱うKSなどがあります。

メモ 符号化方式には、他にもUTF-16やUTF-32といったものもあります。

基本情報公開問題（令和5年7月）問4　解答 エ

ハッシュの計算とハッシュが衝突（シノニム）したときに再計算する問題です。知識があると少し解きやすいですが、知らなくともトレースにより解けます。

トレースする

手続testを実行したときのhashArrayの中身を問う問題なので、testをトレースします。

手続testの最初で、hashArrayに初期値を代入しています。

	1	2	3	4	5
hashArray	−1	−1	−1	−1	−1

◎手続testの3行目

add(3)を実行するので、addに制御が移ります。

iの初期値を計算するのでcalcHash1に制御が移ります。このとき、引数は3を引き継いでいます。

calcHash1(3)は「3 mod 5 + 1」で「4」が返されます(hashArrayの要素数は5です。「3」を「5」で割った商は「0」で、余りが「3」です)。その結果、addに制御が戻り、iに値が代入されます。

i ← 4

if (hashArray[i] = −1)の判断では、「hashArray[4] = −1」が条件を満たすため、valueの値を代入する次の処理に進みます。

hashArray[4] ← 3

trueを返却してadd(3)が終了します。

	1	2	3	4	5
hashArray	−1	−1	−1	3	−1

○手続testの4行目

add(18)を実行するので、addに制御が移ります。

iの初期値を計算するのでcalcHash1に制御が移ります。

calcHash1(18)は「18 mod 5 + 1」で「4」が返されます。その結果、addに制御が戻り、iに値が代入されます。

i ← 4

if (hashArray[i] = −1)の判断では、「hashArray[4] ≠ −1」で条件を満たさないので、elseの「i ← calcHash2(value)」が実行されcalcHash2に制御が移ります。

calcHash2(18)は「(18 +3) mod 5 + 1」で「2」が返されます。その結果、addに制御が戻り、iに値が代入されます。

i ← 2

elseの中のif (hashArray[i] = −1)の判断では、hashArray[2] = −1で条件を満たすため、valueの値を代入する次の処理に進みます。

hashArray[2] ← 18

trueを返却してadd(18)が終了

	1	2	3	4	5
hashArray	−1	18	−1	3	−1

◎手続testの5行目

add(11)を実行するので、addに制御が移ります。

iの初期値を計算するのでcalcHash1に制御が移ります。

calcHash1(11)は「11 mod 5 + 1」で「2」が返されます。その結果、addに制御が戻り、iに値が代入されます。

i ← 2

if (hashArray[i] = −1)の判断では、hashArray[2] ≠ −1で条件を満たさないので、elseの「i ← calcHash2(value)」が実行されcalcHash2に制御が移ります。

calcHash2(11)は(11+3) mod 5 + 1で「5」が返されます。その結果、addに制御が戻り、iに値が代入されます。

i ← 5

elseの中のif (hashArray[i] = −1)の判断では、hashArray[5] = −1で条件を満たすのでvalueの値を代入する次の処理に進みます。

hashArray[5] ← 11

trueを返却してadd(11)が終了

	1	2	3	4	5
hashArray	−1	18	−1	3	11

testの処理が終了したとき、hashArrayは{−1, 18, −1, 3, 11}となっています。

解き方のアドバイス

複数の関数を行ったり来たりするので、少しややこしいですが、トレースすることで解くことができます。**科目Aレベルのハッシュ関数と、衝突した場合の再ハッシュについての知識**があると、さらに簡単に解けます。このように科目Aレベルの知識を増やすことは科目Bでの得点にもつながります。

基本情報公開問題(令和5年7月)問5　解答 エ

コサイン類似度？ベクトル？式はルート？と見た瞬間に諦めたくなるかもしれません。しかし、実際に問われていることはシンプルです。怖気づかずに取り組みましょう。

プログラムの全体像を見ると、引数として二つの配列(これがベクトル)を受け取ります。

vector1 {a_1, a_2, …, a_n}
vector2 {b_1, b_2, …, b_n}

そして戻り値は実数型のsimilarityです。similarityの計算式が問題文中に与えられています。計算過程は、以下の手順です。

- 1つ目のfor文で計算式の分子
- 2つ目のfor文とその下の命令で計算式の分母左側の平方根
- 3つ目のfor文とその下の命令で計算式の分母
- 最後に分子÷分母

◎空欄a

空欄aは計算式の分子ですが、numeratorへの加算の式になっています。ということはa_1b_1の数字の部分を変化させて加算すればよいことがわかります。よってvector1[i]×vector2[i]です。

◎空欄b

空欄bには最後の割り算の分母であるdenominatorを求める式が入ります。2つ目のfor文とその下の命令で、分母左側の平方根がdenominatorに代入されています。3つ目の計算式のfor文でvector2[i]の2乗の総和がtempに入ります。したがって、tempの平方根を求め、denominatorに掛ければ、分母を求めることができます。

よって空欄bにはdenominator×(tempの正の平方根)が入ります。

計算式とプログラムの関係は、以下のようになっていました。

$$\frac{a_1b_1 + a_2b_2 + \cdots + a_nb_n}{\sqrt{a_1^2 + a_2^2 + \cdots + a_n^2}\sqrt{b_1^2 + b_2^2 + \cdots + b_n^2}}$$

分子：$a_1b_1 + a_2b_2 + \cdots + a_nb_n$ ⇒1つ目のfor文

$\sqrt{a_1^2 + a_2^2 + \cdots + a_n^2}$ ⇒2つ目のfor文のまとまり

$\sqrt{b_1^2 + b_2^2 + \cdots + b_n^2}$ ⇒3つ目のfor文のまとまり

分母：3つ目のfor文の下の処理で分母全体を計算

メモ コサイン類似度とは、二つのベクトルが「どのくらい似ているか」という類似性を－1～1の数字で表す尺度です。具体的には二つのベクトルがなす角のコサイン値で求めるため、この名前がついています。

解き方のアドバイス

難しそうな用語や数学の式にごまかされないようにしましょう。プログラムとしては意外と易しいことが多いからです。式がプログラムのどの部分に対応するかを考えます。

3-6 オブジェクト指向

「オブジェクト指向」を初心者が難しく感じるのは、オブジェクト指向が「考え方」や「概念」として使われる場合と、「プログラム作成の手法」として使われる場合があるからです。試験の合格が目的なので、オブジェクト指向の概念は、例え話でイメージできれば十分です。プログラム作成の手法と関連用語は、サンプルプログラムで理解しましょう。

オブジェクト指向の考え方

オブジェクト指向は、よく自動車に例えられます。多くの人は自動車が走る細かな仕組みを知らなくても、免許をもっていれば運転できます。トヨタでもポルシェの車であっても運転できるのは、「ブレーキを踏めば車が止まる」などの「車に共通の仕組み」があり、それに従ってメーカーが自動車を作っているからです。

つまり、自動車という「モノ(オブジェクト)」と、自動車の運転という「役割」を切り分けて考えています。これがオブジェクト指向の考え方です。

オブジェクト指向のプログラミング手法

これまで解説してきた**手続型プログラミング**とは、上から順番に実行すべき命令を記述していくプログラミングです。これ自体は十分使える方法ですが、少し不便なところがあります。

車に例えると、カローラを開発するにあたって「ブレーキを踏むと減速する」「ハンドルを右に回すと、右に曲がる」といった命令を全てプログラムとして書く必要があります。別の車を開発するには、また一から命令を書く必要があります。つまり100種類の自動車を作るには、100個プログラムを書くことになります。

オブジェクト指向プログラミングでは、あらかじめ自動車という「モノ」を「ブレーキを踏むと減速する」「ハンドルを右に回すと、右に曲がる」と定義(プログラミング)しておきます。

家庭で乗る乗用車でも、トラックやバスといったかなり違う種類の車でも、定義しておいた「自動車」のプログラムは共通で利用します。そして新しい車を作るには、デザインや色の部分を少し変えるだけです。このように、定義した「モノ」を共通で利用することで、さまざまな車が効率よく開発できるようになります。

基本情報技術者におけるオブジェクト指向

オブジェクト指向についてサンプル問題を確認すると、実はここまでの学習で身につけたもので十分対応できます。オブジェクト指向型のプログラム言語（JavaやPythonなど）によるプログラミング経験がなくても大丈夫です。一番難関といわれるクラスの設計や継承が出題されていないからです。まずは、オブジェクト指向で使用される用語について解説します。

◎オブジェクト指向の用語

クラスは、オブジェクト（モノ）の設計図に相当します。クラスに基づいて生成されたオブジェクトの実体そのものを**インスタンス**と呼びます。設計図だけでは車が動かないのと同じように、クラスだけでは「走る」「ブレーキをかける」などの具体的な処理（メソッド）を実行できません。そのため、インスタンス（実体をもつ車）を作製する必要があります。

▼クラスとインスタンスのイメージ

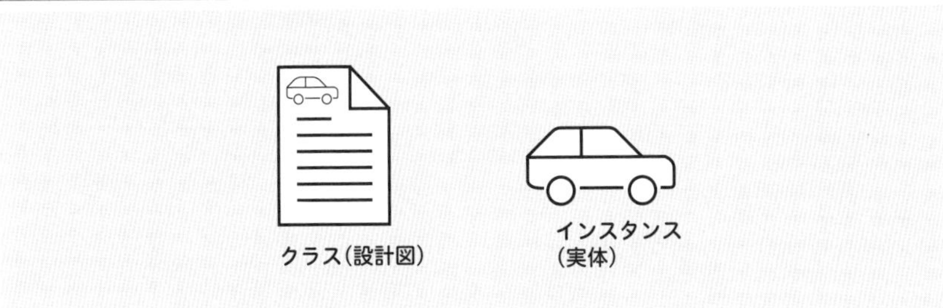

クラスは**メンバ変数の定義**と**メソッドの定義**から構成されます。メンバ変数とメソッドを合わせて**メンバ**と呼びます。

▼クラスに含まれるメンバ変数とメソッドのイメージ

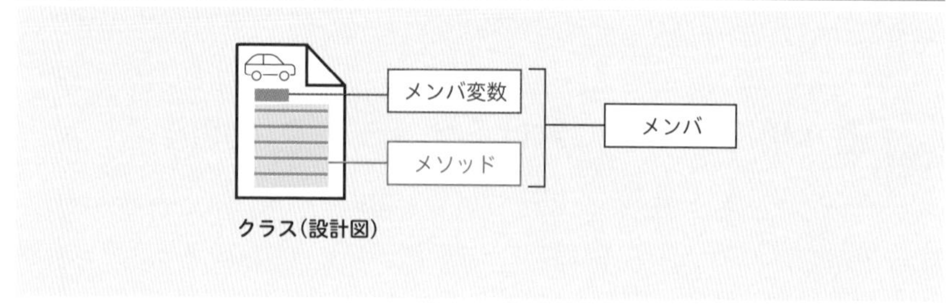

これまでの知識で考えるとメンバ変数は変数、メソッドは関数（処理）と読み替えられます。

またメソッドの中には**コンストラクタ**と呼ばれる特別なものがあります。**コンストラクタ**は、インスタンスを生成したタイミングで実行されるメソッド（処理）です。コンストラクタ名はクラス名と同じになります。通常、インスタンスを初期化する処理を記述します。戻り値はありません。

▼クラスに関わる用語をこれまでの知識で整理する

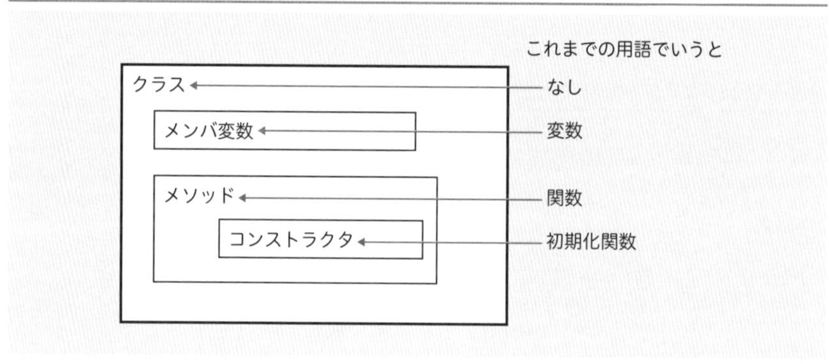

用語だけではプログラムでどう使われるかよくわからないかもしれませんが、試験問題では、クラスの定義が問題文に書かれています。基本情報のサンプル問題（令和4年12月）問8を見てみましょう。

【例題】基本情報サンプル問題（令和4年12月）問8

次の記述中の ＿＿＿ に入れる正しい答えを，解答群の中から選べ。

優先度付きキューを操作するプログラムである。優先度付きキューとは扱う要素に優先度を付けたキューであり，要素を取り出す際には優先度の高いものから順番に取り出される。クラスPrioQueueは優先度付きキューを表すクラスである。クラスPrioQueueの説明を図に示す。ここで，優先度は整数型の値1，2，3のいずれかであり，小さい値ほど優先度が高いものとする。

手続prioSchedを呼び出したとき，出力は ＿＿＿ の順となる。

▼図　クラスPrioQueueの説明

コンストラクタ	説明
PrioQueue()	空の優先度付きキューを生成する。

メソッド	戻り値	説明
enqueue(文字列型: s, 整数型: prio)	なし	優先度付きキューに，文字列sを要素として，優先度prioで追加する。
dequeue()	文字列型	優先度付きキューからキュー内で最も優先度の高い要素を取り出して返す。最も優先度の高い要素が複数あるときは，そのうちの最初に追加された要素を一つ取り出して返す。
size()	整数型	優先度付きキューに格納されている要素の個数を返す。

〔プログラム〕

```
○prioSched()
  PrioQueue: prioQueue ← PrioQueue()
  prioQueue.enqueue("A", 1)
  prioQueue.enqueue("B", 2)
  prioQueue.enqueue("C", 2)
  prioQueue.enqueue("D", 3)
```

```
    prioQueue.dequeue() /* 戻り値は使用しない */
    prioQueue.dequeue() /* 戻り値は使用しない */
    prioQueue.enqueue("D", 3)
    prioQueue.enqueue("B", 2)
    prioQueue.dequeue() /* 戻り値は使用しない */
    prioQueue.dequeue() /* 戻り値は使用しない */
    prioQueue.enqueue("C", 2)
    prioQueue.enqueue("A", 1)
    while (prioQueue.size() が 0 と等しくない)
      prioQueue.dequeue() の戻り値を出力
    endwhile
```

解答群

ア “A”, “B”, “C”, “D”

イ “A”, “B”, “D”, “D”

ウ “A”, “C”, “C”, “D”

エ “A”, “C”, “D”, “D”

◎問題を解く前のアドバイス

本問の問題文では、クラスPrioQueueの説明があります。また三つのメソッドが定義されています。問題文の最終行の「手続きprioSched」はここまでに学習した関数と同義と考えましょう。

オブジェクトのメンバは、ドット(.)を使って**オブジェクト名.メンバ名**と指定することができます。ドット(.)を「の」と読み替えればわかりやすいです。例えばprioQueue.enqueue()は、クラスPrioQueueのenqueueメソッドと読み替えられます。

プログラム2行目の「PrioQueue：prioQueue ← PrioQueue()」によりインスタンスが生成され、コンストラクタPrioQueue()が実行されます。これによって問題文の図に説明があるように「空の優先度付きキューを生成」したことになります。

ここから先は2-4のスタックとキューで学習したようにキューへの出し入れをしています。キューに優先度がついていることにだけ注意して解いてみてください。

解答・解説：基本情報サンプル問題（令和4年12月）問8　解答 エ

オブジェクト指向を使ったキューの問題です。前提となる知識として、キューは先入れ先出し型のデータ構造であることを知っている必要があります。コンストラクタはクラスのインスタンス生成時に実行される処理ですが、本問ではコンストラクタPrioQueue()の説明に「空の優先度付きキューを生成する。」とあります。実行すると、新しいキューが一つできる、と考えましょう。

プログラム3行目から6行目はメソッドenqueueが続いています。ここでは問題文の説明にあるとおり、文字列を要素として、優先度付きでキューに追加しています。

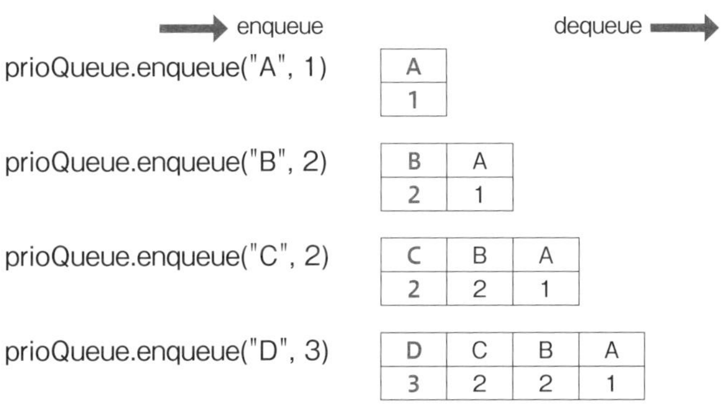

プログラム7行目のメソッドdequeueでは、キューから要素を取り出しますが、そのときに最も優先順位の高いものから取り出します。この中では優先順位1の“A”が取り出されます。

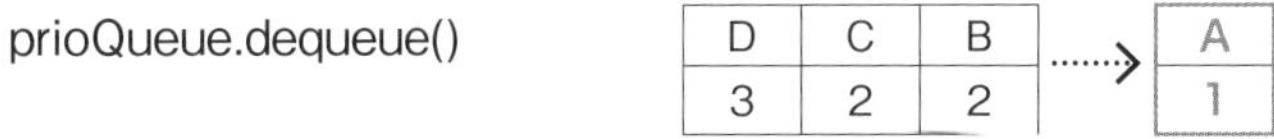

プログラム8行目のメソッドdequeueでは、優先順位2の要素が二つあります。この場合は先に追加された“B”が取り出されます。

同様に、キューの内容をトレースしていきます。

prioQueue.enqueue("D", 3)

D	D	C
3	3	2

prioQueue.enqueue("B", 2)

B	D	D	C
2	3	3	2

prioQueue.dequeue()

B	D	D
2	3	3

……→

C
2

prioQueue.dequeue()

D	D
3	3

……→

B
2

prioQueue.enqueue("C", 2)

C	D	D
2	3	3

prioQueue.enqueue("A", 1)

A	C	D	D
1	2	3	3

最後の15行目～17行目のwhile ～ endwhileで、残った要素を優先度の順に取り出します。したがって「"A", "C", "D", "D"」の順に取り出されます。

この問題ではクラスの説明に、メソッドの定義がありましたが、次の問題では、メンバ変数の定義があります。

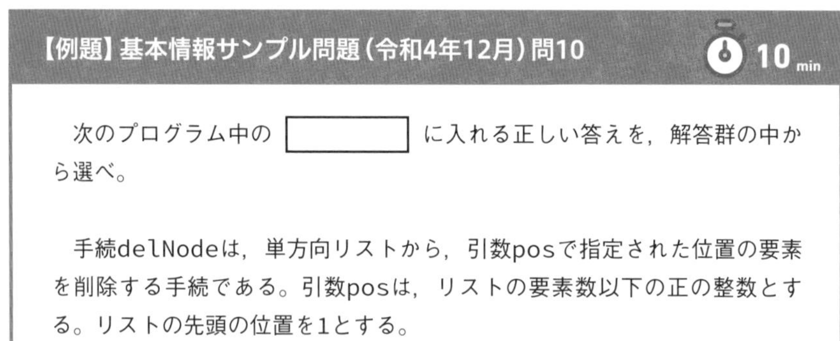

【例題】基本情報サンプル問題（令和4年12月）問10　10 min

次のプログラム中の [ ] に入れる正しい答えを，解答群の中から選べ。

手続delNodeは，単方向リストから，引数posで指定された位置の要素を削除する手続である。引数posは，リストの要素数以下の正の整数とする。リストの先頭の位置を1とする。

クラスListElementは，単方向リストの要素を表す。クラスListElementのメンバ変数の説明を表に示す。ListElement型の変数はクラスListElementのインスタンスの参照を格納するものとする。大域変数listHeadには，リストの先頭要素の参照があらかじめ格納されている。

▼表　クラス ListElement のメンバ変数の説明

メンバ変数	型	説明
val	文字型	要素の値
next	ListElement	次の要素の参照 次の要素がないときの状態は未定義

〔プログラム〕

```
大域: ListElement: listHead /* リストの先頭要素が格納さ
                                れている */

○delNode(整数型: pos) /* posは，リストの要素数以下の正の
                         整数 */
  ListElement: prev
  整数型: i
  if (pos が 1 と等しい)
    listHead ← listHead.next
  else
    prev ← listHead
    /* posが2と等しいときは繰返し処理を実行しない */
    for (i を 2 から pos − 1 まで 1 ずつ増やす)
      prev ← prev.next
    endfor
    prev.next ← [          ]
  endif
```

解答群

ア listHead　　イ listHead.next

ウ listHead.next.next　　エ prev

オ prev.next　　カ prev.next.next

◎問題を解く前のアドバイス

問題文の「ListElement型の変数はクラスListElementのインスタンスの参照を格納するものとする」とは、ListElement型という新しい型を定義したと考えてください。このListElement型の変数はvalとnextという二つの要素をもっています。前問と同様にプログラムの頭の「ListElement: prev」でインスタンスが生成されています。プログラムの下から2行目と4行目のprev.nextは「インスタンスprevの中のメンバ変数next」という意味です。

ここを押さえておけば、後は2-3の「リスト」で学習したリスト構造のデータの削除処理です。リストの要素を削除するためにはどうすればよいかを考えながら解いてみましょう。

解答・解説：基本情報サンプル問題（令和4年12月）問10　解答 カ

単方向リストから要素を削除するプログラムの問題です。**単方向リスト**は、各要素が「値（データ）」と「次の要素を指し示すポインタ（アドレス・場所）」の二つからなるデータ構造です。各要素が数珠（じゅず）のようにつながっていると考えましょう。例えば次のようなイメージです。アドレスや値は仮のものです。

▼リストprevがもつ駅名（val）と次のアドレス（next）

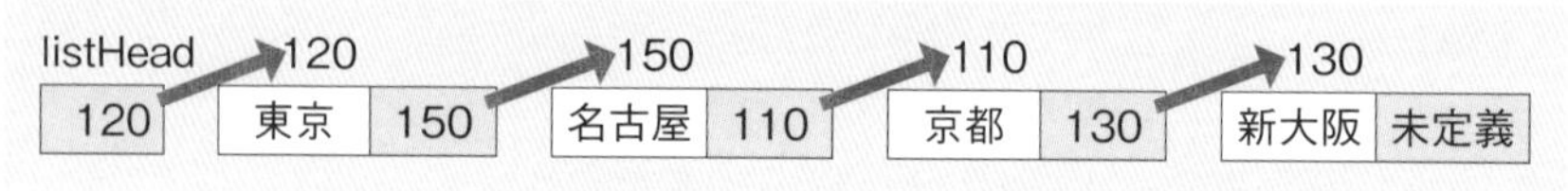

▼リストprevを表にまとめた結果①

位置	address	prev: val	prev: next
3	110	京都	130
1	120	東京	150
4	130	新大阪	未定義
2	150	名古屋	110

大域変数listHeadにはリストの先頭要素のアドレスである120が格納されています。実体であるリスト(インスタンス)は、プログラムの「ListElement：prev」でprevという名前で作成されています。その120(番地)の要素には値「東京」がprev.valに、次の要素のアドレス「150(番地)」がprev.nextに格納されています。このようにポインタを次々にたどっていきます。最終要素のprev.nextは「未定義」です。

ここで、3番目の要素「京都」を削除するとします。単方向リストはあくまでも先頭から要素をたどっていくことになります。ですから、先頭から2番目の要素「名古屋」までたどり、そのprev.next「110」を書き換えなければなりません。書き換える内容は削除される3番目の要素「京都」のprev.next「130」です。

▼リストprevの3番目の要素を削除する場合

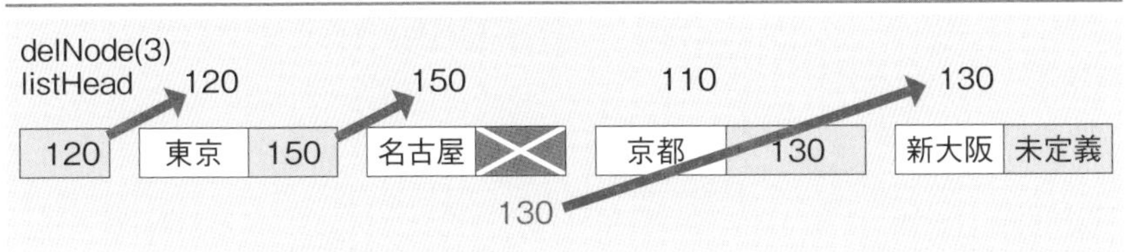

▼リストprevを表にまとめた結果②

位置	address	prev val	prev next
3	110	京都	130
1	120	東京	150
4	130	新大阪	未定義
2	150	名古屋	130

物理的には3番目の要素「京都」は残っていますが、たどることができないので、論理的には削除されたことになります。ではプログラムを見てみましょう。

```
1.  大域: ListElement: listHead /* リストの先頭要素が格納されている*/
2.  ○delNode(整数型: pos) /* posは，リストの要素数以下の正の整数*/
3.    ListElement: prev
4.    整数型: i
5.    if (posが1と等しい)
6.      listHead ← listHead.next
7.    else
8.      prev ← listHead
9.      /* posが2と等しいときは繰返し処理を実行しない */
10.     for (iを2からpos－1まで1ずつ増やす)
11.       prev ← prev.next
12.     endfor
13.     prev.next ← [        ]
14.   endif
```

5～6行目はdelNode(1)が呼ばれたときの処理です。この場合は先頭の要素を削除するので、listHeadを更新するだけです。前述の例でいえば、listHeadをlistHead.nextの「150」にすればいいことになります。

7行目からはdelNodeが引数1以外で呼ばれたときの処理です(先頭データ以外を削除するとき)。

8行目の「prev ← listHead」は生成したインスタンスに先頭データを格納している処理です。引数で指定した要素を削除するためにprevをたどっていきます。

10～11行目でprevを次の要素nextでたどり、引数で指定したposの直前まで移動します。delNode(3)が呼ばれた場合には、2番目の要素である「名古屋」までたどります。

13行目でその名古屋のprev.nextを書き換えます。何に書き換えればいいでしょうか。今いる要素「名古屋」のprev.nextをたどることで、3番目の要素「京都」につながるので、京都のnextである「130」に書き換えればいいことになります。つまりprev.next.nextで書き換えることになります。

ここが重要！

サンプル問題の2問で体感したとおり、オブジェクト指向の問題も用語に慣れてしまえば、これまでの手続型のアルゴリズムの問題と同様に解けます。自分で例を作って、メモをしながら解くというコツも同じです。データ構造とからめて出題されることが多いので、第2章とあわせて学習しましょう。

3-6のまとめ

- オブジェクト指向の問題は、以下の用語を理解することが大切。
- クラスは設計図、インスタンスは設計図から生成した実体。
- メンバ変数とメソッドを合わせてメンバと呼ぶ。
- メソッドのうち、最初に呼ばれる特別な関数がコンストラクタ。

IPA公式サンプル問題＆徹底解説

基本情報サンプル問題（令和4年4月）問3

10 min

次のプログラム中の [a] と [b] に入れる正しい答えの組合せを，解答群の中から選べ。

手続appendは，引数で与えられた文字を単方向リストに追加する手続である。単方向リストの各要素は，クラスListElementを用いて表現する。クラスListElementの説明を図に示す。ListElement型の変数はクラスListElementのインスタンスの参照を格納するものとする。大域変数listHeadは，単方向リストの先頭の要素の参照を格納する。リストが空のときは，listHeadは未定義である。

▼図　クラスListElementの説明

メンバ変数	型	説明
val	文字型	リストに格納する文字。
next	ListElement	リストの次の文字を保持するインスタンスの参照。初期状態は未定義である。

コンストラクタ	説明
ListElement(文字型: qVal)	引数 qVal でメンバ変数 val を初期化する。

〔プログラム〕

```
大域: ListElement: listHead ← 未定義の値

○append(文字型: qVal)
  ListElement: prev, curr
  curr ← ListElement(qVal)
  if (listHead が [ a ] )
    listHead ← curr
  else
    prev ← listHead
```

```
    while (prev.nextが未定義でない)
      prev ← prev.next
    endwhile
    prev.next ← [  b  ]
  endif
```

解答群

	a	b
ア	未定義	curr
イ	未定義	curr.next
ウ	未定義	listHead
エ	未定義でない	curr
オ	未定義でない	curr.next
カ	未定義でない	listHead

解答・解説

基本情報サンプル問題（令和4年4月）問3　解答 ア

先ほどのサンプル問題（令和4年12月）問10とほぼ同様で、こちらはリスト構造への要素追加の問題です。問題文の「インスタンスの参照を格納する」がわかりにくいと思いますが、ここは「インスタンスのアドレスを格納する」と考えてください。

例えば、アドレスや値は仮のものですが次のようなイメージです。この問題ではvalは文字型なので、1文字ですが、わかりやすくするため、文字列型にして図を書いています。

▼リストprevがもつ駅名(val)と次のアドレス(next)

listHead 120 → 120 東京 150 → 150 名古屋 110 → 110 京都 130 → 130 新大阪 未定義

▼リストprevを表にまとめた結果①

		prev	
位置	address	val	next
3	110	京都	130
1	120	東京	150
4	130	新大阪	未定義
2	150	名古屋	110

ここで、要素「岡山」を追加するとします。単方向リストは先頭から要素をたどっていきますから、nextが未定義になるまで、次々にnextをたどっていきます。そして、最後の要素の未定義だったnextを「岡山」のアドレスで書き換える必要があります。

▼リストprevに「岡山」を追加する場合

append ("岡山")
listHead → 120

120	→	東京	150	→	名古屋	110	→	京都	130	→	新大阪	160	→	岡山	未定義

▼リストprevを表にまとめた結果②

prev

位置	address	val	next
3	110	京都	130
1	120	東京	150
4	130	新大阪	160
2	150	名古屋	110
5	160	岡山	未定義

ただし、ある場合だけはこの方法は使えません。それは、そもそもリスト内に要素が一つもなく、空のときです。この場合は、変数**listHead**は初期値である"未定義の値"のままとなっているので、追加する要素のアドレスを「先頭の要素を指し示す**listHead**」に格納しなければなりません。

▼リストが空の状態から「東京」を追加する場合

以上から、リストへの要素の追加パターンは2種類あることがわかりました。`if`の処理で先頭の要素を指し示す`listHead`の値を書き換えるのは、リストが空のとき、つまり、`listHead`が「未定義」のときとなります。よって空欄aに入るのは「未定義」です。

一方空欄bはそれ以外のときです。`while`の繰り返しで、末尾の要素までたどります。その末尾の要素の`next`は、新しく追加する要素の参照に書き換える必要があります。追加する要素の参照は`curr`に入っています。

メモ 追加する要素自体は、手続appendの宣言で引数qValとして与えられています。このqValの参照は、プログラムの4行目「`curr ← ListElement(qVal)`」で変数currに代入されています。

解き方のアドバイス

この問題はリスト構造についての知識が必要です。リストへの追加、挿入、削除にはどういう操作が必要かを確認しましょう。

コラム 論理的思考のために（書籍編）

論理的とはどういうことかを考えるための、お勧めの書籍です。

- 13歳からの論理ノート　小野田博一　PHP研究所
- 世界一やさしい問題解決の授業―自分で考え、行動する力が身につく　渡辺健介　ダイヤモンド社

いずれも中高生向けなので、易しく書かれています。しかし内容的には深いです。プログラミングと直接は関係しませんが、一度お読みになってみてはどうでしょうか。

3-7 文字列

私たちは、日常的にパソコンやスマホで検索を行っています。「六本木レストラン」と検索サイトに入力すれば、数千万件のデータを瞬時に検索してくれます。これは「六本木」「レストラン」という文字列をWebサイトから見つけて拾い上げている処理です。このように文字列検索は、プログラミングにおいて日常的に使われています。

文字列検索と配列の型

もっとも基本的な文字列アルゴリズムは、**部分文字列検索（パターンマッチ）**でしょう。複数のファイルから検索する場合は**全文検索**と呼ばれます。実際には、高速に検索するアルゴリズムや、あいまい検索などの複雑な検索にも対応できるアルゴリズムもあります。ここでは、試験に出題されるような、ごく単純な文字列検索について解説します。

そもそも情報処理における文字列とは、各要素に文字が格納された配列です（文字型の配列）。

▼Hello world!という文字列が格納された配列s（文字型の配列）

s[1]	s[2]	s[3]	s[4]	s[5]	s[6]	s[7]	s[8]	s[9]	s[10]	s[11]	s[12]
H	e	l	l	o	△	w	o	r	l	d	!

ただし問題によっては、**文字列型**という型が用意され、その型の変数に「文字列そのもの」を格納しているものもあります。文字列を扱うという点は同じですが、文字列型の場合は変数一つに文字列が入ります。サンプル問題では両方の出題例があるので、変数の型には注意しましょう。

▼文字列型の変数word

また、「文字列の終わりの扱い方」も文字の数、つまり**配列の要素数**で長さを表す場合もあれば、**文字列の終端を表す符号（多くの場合はNULL）**が末尾に格納される場合もあります。このあたりは、問題を読んで判断します。

部分文字列検索（特定の1文字を検索する）

次の例を考えてみましょう。ここでは、文字列は「文字型の配列」であり、「文字列の長さ」はLenで与えられているとします。

＜例1＞　文字列strの中に変数ｒの文字がいくつ含まれているか（出現回数）を数える。

例えば次の文字列strの中に変数ｒの文字（"p"）は2回出現します。

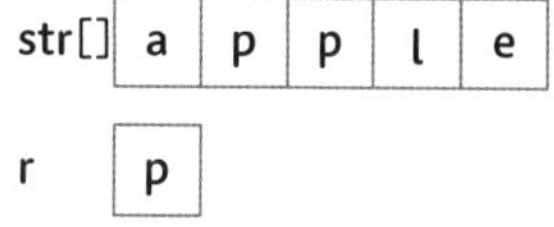

まず、フローチャートで考えてみましょう。次ページのフローチャートを見てください。

文字型の配列strの先頭要素から順に、変数ｒの文字と等しいかどうかを比較します。等しかったら変数cntを「1」増やします。cntには初期値として「0」を格納しておくことを忘れないようにしましょう。等しくなければ、cntは増やさずに次の繰り返しに入ります。

これを擬似言語で書いてみます。関数ChrCountは、文字列strの中に指定した変数ｒの文字が何個あるかを数えて、戻り値として返します。

▼strの文字列に変数rの文字が何回出現するか判定するフローチャート

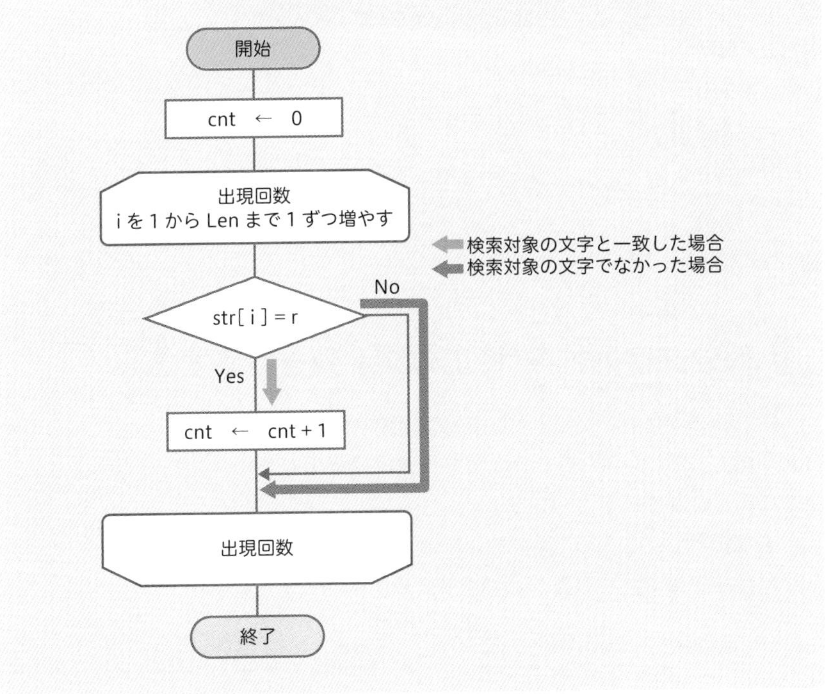

指定した文字の出現回数を求める擬似言語

```
/* 文字の出現回数を求めるプログラム */
○整数型：ChrCount(文字型の配列：str[], 文字型：r)
  整数型：i, cnt ← 0
  for (i を1からstrの要素数まで1ずつ増やす)
    if (str[i] = r)
          cnt ← cnt + 1
    endif
  endfor
  return cnt
```

引数のstr[]に"apple"、rに"p"が与えられたとして、トレースしてみましょう。

▼i・str[]・cntのトレース表

	i	str[i]	cnt
ループの前	0		0
ループ1回目	1	a	0
ループ2回目	2	p	1
ループ3回目	3	p	2
ループ4回目	4	l	2
ループ5回目	5	e	2

部分文字列検索(特定の文字列を検索する)

文字列の中から1文字を検索するのは比較的簡単です。一方で「文字列」の中から「別の文字列」を検索するのはかなり難易度が上がります。前提や考えないといけないことが増えるからです。

まず前提として、「先に見つけた部分と重複する部分」を出現回数として数えるかどうか決めておく必要があります。次の例を見てください。

▼文字列strにおける「aaa」の出現回数をカウントする①

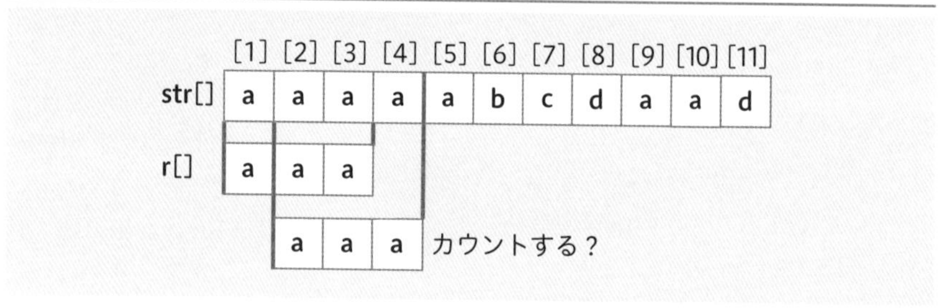

1回目の出現回数と重複する部分をカウントするかどうかで、アルゴリズムが変わってきます。今回は「カウントしない」という前提で考えましょう。

他に考えないといけないのは、次の点です。

最終的にどこまで調べればいいのか

1文字ずつ比較していきますが、str[]をはみ出してまで比較する必要はありません。str[]とr[]の末尾が一致するところまで調べれば十分です。

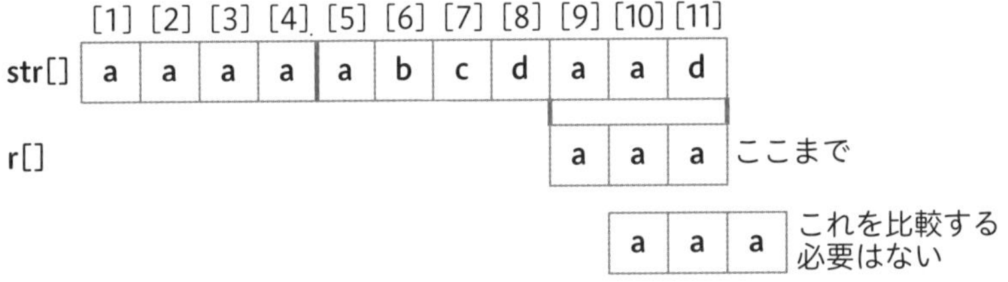

一致した後にr[]をどこまで進められるか

str[]の中にr[]と一致する部分を見つけたら、r[]の文字数分だけ比較箇所を進めてもよくなります。1文字しか進めないと、重複する部分もまたカウントしてしまうからです。

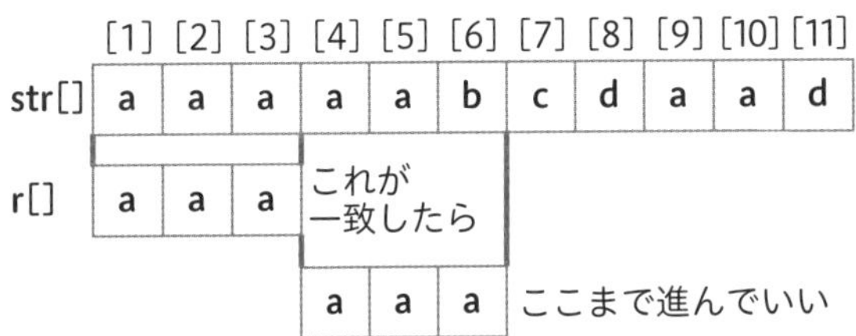

これを踏まえて、次の例を考えましょう。

＜例2＞文字列strの中に検索文字列rがいくつ含まれているか（出現回数）を数える。

利用する文字列に関わる情報は、以下のとおりです。

- 文字列strの長さはLenである。
- 文字列rの長さはPatである。

前述の例ではLenは「11」、Patは「3」です。結果となる出現回数は「1」です。まずは次のページのフローチャートで考えてみましょう。

▼strの文字列に文字列rが何回出現するか判定するフローチャート

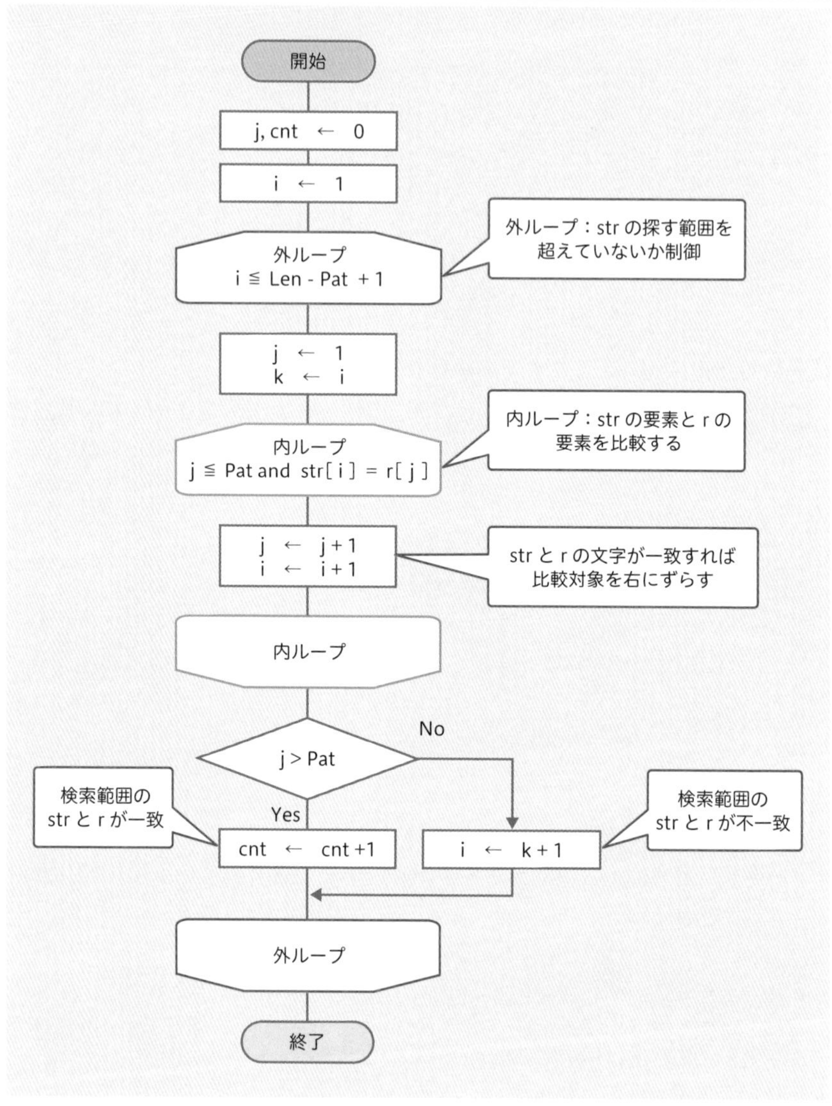

外ループのカウンターであるiはstr[]を1要素ずつ進めます。内ループのカウンターであるjはr[]を1要素ずつ進めます。kはstr[]の検索開始位置を保存しておく変数です。この例で、変数の遷移をトレースすると次のようになります。どれとどれを比較しているのか、指で押さえながら確認しましょう。

▼strの文字列に文字列rが何回出現するか判定するトレース表

	外ループ1回目				外ループ2回目			3回目		4回目	5回目	6回目	7回目			8回目はiが10なので不可
i	1	2	3	4	4	5	6	5	6	6	7	8	9	10	11	10
j	1	2	3	4	1	2	3	1	2	1	1	1	1	2	3	
k	1				4			5		6	7	8	9			
str[i]とr[j]の一致	○	○	○		○	○	×	○	×	×	×	×	○	○	×	
cnt				1												

外ループでiが「10」になると、外ループから出て終了します。Lenが「11」、Patが「3」なので、最後に検索を始められる位置はLen − Pat + 1 = 11 − 3 + 1 = 9だからです。

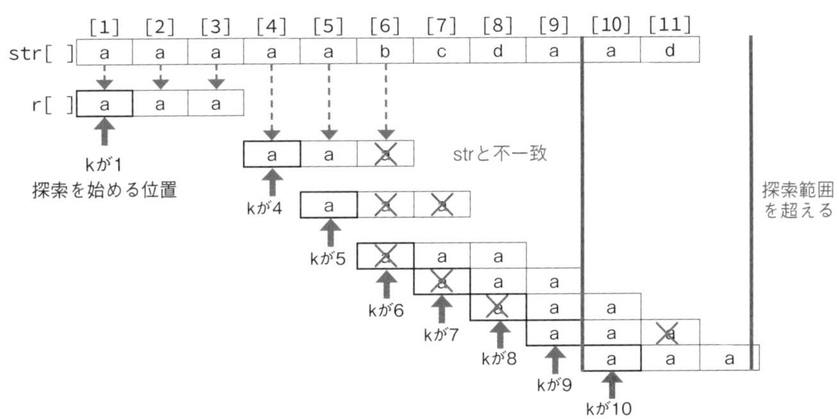

これを擬似言語で書いてみます。関数StrCountは、文字列strの中に指定した文字列rが何個あるかを数えて、戻り値として返します。文字列strの長さLenと文字列 r の長さPatは引数として与えられます。

文字列の出現回数を求める擬似言語

```
/* 文字列の出現回数を求めるプログラム */
○整数型：StrCount(文字型の配列：str[], 文字型の配列：r[],
                   整数型：Len, 整数型：Pat)
  整数型：i ← 1, j, k, cnt ← 0
  while (i ≦ Len - Pat + 1)
    j ← 1
    k ← i
    while (j ≦ Pat and str[i] = r[j])
      j ← j + 1
      i ← i + 1
    endwhile
    if (j > Pat)
      cnt ← cnt + 1
    else
      i ← k + 1
    endif
  endwhile
  return cnt
```

このアルゴリズムでも十分にややこしいと思いますが、これは**力任せ法（ナイーブ法）**といって、あまり効率のよくないものです。文字列検索のアルゴリズムには**BM法**や**KMP法**といったより効率のよいものもあります。興味のある方は調べてみてください。

ここが重要！

文字列の問題は、うまいサンプルデータ（具体例）が作れるかどうかがポイントです。問題文中に例がある場合はそれを使いましょう。またループカウンターの遷移をメモすることも有効です。

3-7のまとめ

- 文字列の問題はさまざまなパターンがあるので、まずは問題文の理解が必要になる。
- 変数やカウンターの遷移を頭の中だけで考えるのは難しいので、適切な例を作成する。問題文に例があればそれを利用する。

コラム　小学生でもプログラミング

近年は小学校でもプログラミングを学習しています。Scratchという教育用言語を使っている学校が多いようです。これは**ブロック型言語**といって、アニメーション、ゲームなどを通してプログラムの構造を自然に学べるようになっています。大人が試しても十分に楽しいです。また「ブロックリー・ゲーム」というGoogle社が提供している初心者向のプログラミングツールもあります。最初の方は「ふふん、子供向けね」と思っていると、どんどん難しくなってきて、著者がやってもなかなか解けません。息抜きに遊んでみてはどうですか？

IPA公式サンプル問題＆徹底解説

基本情報サンプル問題（令和4年4月）問5

次のプログラム中の ［　　　］ に入れる正しい答えを，解答群の中から選べ。

任意の異なる2文字をc1，c2とするとき，英単語群に含まれる英単語において，c1の次にc2が出現する割合を求めるプログラムである。英単語は，英小文字だけから成る。英単語の末尾の文字がc1である場合，その箇所は割合の計算に含めない。例えば，図に示す4語の英単語“importance”，“inflation”，“information”，“innovation”から成る英単語群において，c1を“n”，c2を“f”とする。英単語の末尾の文字以外に“n”は五つあり，そのうち次の文字が“f”であるものは二つである。したがって，求める割合は，2 ÷ 5 ＝ 0.4である。c1とc2の並びが一度も出現しない場合，c1の出現回数によらず割合を0と定義する。

▼図　4語から成る英単語群の例

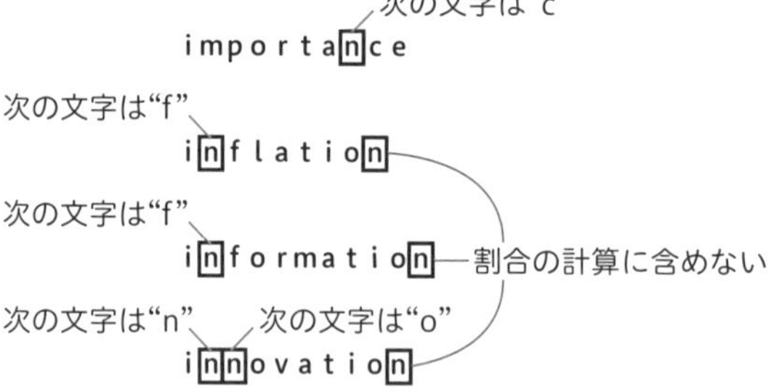

プログラムにおいて，英単語群はWords型の大域変数wordsに格納されている。クラスWordsのメソッドの説明を，表に示す。本問において，文字列に対する演算子“＋”は，文字列の連結を表す。また，整数に対する演算子“÷”は，実数として計算する。

▼表 クラスWordsのメソッドの説明

メソッド	戻り値	説明
freq(文字列型: str)	整数型	英単語群中の文字列strの出現回数を返す。
freqE(文字列型: str)	整数型	英単語群の中で，文字列strで終わる英単語の数を返す。

〔プログラム〕

```
大域: Words: words /* 英単語群が格納されている */

/* c1の次にc2が出現する割合を返す */
○実数型: prob(文字型: c1, 文字型: c2)
  文字列型: s1 ← c1の1文字だけから成る文字列
  文字列型: s2 ← c2の1文字だけから成る文字列
  if (words.freq(s1 + s2) が0より大きい)
    return [        ]
  else
    return 0
  endif
```

解答群

ア (words.freq(s1) − words.freqE(s1)) ÷ words.freq(s1 + s2)

イ (words.freq(s2) − words.freqE(s2)) ÷ words.freq(s1 + s2)

ウ words.freq(s1 + s2) ÷ (words.freq(s1) − words.freqE(s1))

エ words.freq(s1 + s2) ÷ (words.freq(s2) − words.freqE(s2))

解答はp.229

基本情報サンプル問題（令和4年12月）問12

次のプログラム中の [　　　] に入れる正しい答えを，解答群の中から選べ。ここで，配列の要素番号は1から始まる。

関数simRatioは，引数として与えられた要素数1以上の二つの文字型の配列s1とs2を比較し，要素数が等しい場合は，配列の並びがどの程度似ているかの指標として，（要素番号が同じ要素の文字同士が一致する要素の組みの個数 ÷ s1の要素数）を実数型で返す。例えば，配列の全ての要素が一致する場合の戻り値は1，いずれの要素も一致しない場合の戻り値は0である。

なお，二つの配列の要素数が等しくない場合は，−1を返す。

関数simRatioに与えるs1，s2及び戻り値の例を表に示す。プログラムでは，配列の領域外を参照してはならないものとする。

▼**表** 関数simRatioに与えるs1，s2及び戻り値の例

s1	s2	戻り値
{"a", "p", "p", "l", "e"}	{"a", "p", "p", "l", "e"}	1
{"a", "p", "p", "l", "e"}	{"a", "p", "r", "i", "l"}	0.4
{"a", "p", "p", "l", "e"}	{"m", "e", "l", "o", "n"}	0
{"a", "p", "p", "l", "e"}	{"p", "e", "n"}	−1

〔プログラム〕

```
○実数型: simRatio(文字型の配列: s1, 文字型の配列: s2)
  整数型: i, cnt ← 0
  if (s1の要素数 ≠ s2の要素数)
    return −1
  endif
  for (i を 1 から s1の要素数 まで 1 ずつ増やす)
    if ( [　　　] )
      cnt ← cnt + 1
    endif
```

```
        endfor
        return cnt ÷ s1の要素数  /* 実数として計算する */
```

解答群

ア　s1[i] ≠ s2[cnt]　　　　イ　s1[i] ≠ s2[i]

ウ　s1[i] = s2[cnt]　　　　エ　s1[i] = s2[i]

解答はp.230

解答・解説

基本情報サンプル問題（令和4年4月）問5　解答 ウ

この問題は、問題文を要約すると「特定の2文字の並び」が複数の単語中に含まれる割合を求める方法を考える問題です。

試験問題を解く場合のコツの一つに、「解答群を見る」というものがあります。解答群の中に正解は一つしかありません。ですから、解答群にヒントがあると考えましょう。ただし誤答には紛らわしいものや間違えやすいものが含まれています。

◎解答群から考える

今回の解答群は、メソッドfreqの引数として「s1 + s2」を使っています。これはどういう意味か考えてみましょう。問題文に「本問において、文字列に対する演算子"+"は、文字列の連結を表す」とあります。プログラム上では、変数s1にc1が、変数s2にc2が格納されているので、c1が"n"、c2が"f"だった場合、「s1 + s2」は"nf"ということです。ここからfreq(s1 + s2)は"nf"の出現回数です。この"nf"の出現回数が問題文の例の2 ÷ 5の分子（割られる数）になることがわかります。

では分母（割る数）はどうなるでしょうか。基本的には"n"の数ですが、末尾の文字が"n"のときは含めないと問題文に示されています。したがって、設問中のようにc1が"n"、c2が"f"だった場合、c1の次にc2が出現する回数は次の式で求めることになります。

("nf"の出現回数)÷(文字列の末尾以外での"n"の出現回数)

"nf"の出現回数は、words.freq(s1+s2)で求められます。

"n"の出現回数はwords.freq(s1)ですが、そこから"n"で終わる英単語の数を引かなければなりません。文字列"n"で終わる英単語の数はwords.freqE(s1)です。

したがって、返却値は

words.freq(s1+s2)÷(words.freq(s1)−words.freqE(s1))

となります。

解き方のアドバイス

ソースプログラムはごく短いものです。プログラミングというよりは、問題文をきちんと読めるかどうかが問われている問題です。情報処理試験では、この種の問題もたびたび出題があります。国語の問題と割り切ってしまいましょう。

基本情報サンプル問題(令和4年12月)問12　解答 エ

二つの配列(実際には文字列)の類似度を計算する問題です。問題文にあるプログラムの仕様をしっかり読みましょう。

例えば表の1行目はs1とs2がまったく同じなので、類似度(戻り値)は「1」になります。2行目は5文字のうち、"a"と"p"が一致しているので類似度は2÷5で「0.4」です。3行目は、一文字も一致していないので、類似度は0÷5で「0」、4行目は二つの配列の要素数が異なるので「−1」になります。

空欄はifの条件式の部分です。この条件が真の場合は次の

```
cnt ← cnt + 1
```

を実行します。returnで返却されるのが、「cnt ÷ s1の要素数」であることから、このcntは「要素番号が同じ要素の文字同士が一致する要素の組みの個数」です。であれば、条件式は「要素番号が同じ要素の文字同士が一致する」です。s1とs2の同じ要素番号の要素を比較することになるため、s1[i] = s2[i]となります。

解き方のアドバイス

これも問題文の意味をきちんと理解できるかどうかが問われる問題になっています。問題文が長い割に、ソースプログラムが短い問題は、問題文の読み取りが大切になる傾向があります。落ち着いて、表の例がなぜその戻り値になるかを考えましょう。

コラム アルゴリズムに慣れてきたら、トレースしない

アルゴリズムのトレース(値をすべて書き出すこと)はプログラミング問題の王道です。トレースにより、全ての問題は解けるはずですし、初学者はトレースから学習を始める必要があります。ただ、残念ながらトレースは圧倒的に時間がかかります。トレースは最後の手段として、トレースしないで解けないか、試してみましょう。

方法の一つとして、具体的なデータを代入し、選択肢を絞るという方法があります。旧制度の午前の過去問題で試してみましょう。

【例題】基本情報過去問題(令和元年秋期)午前問9

3 min

配列Aが図2の状態のとき，図1の流れ図を実行すると，配列Bが図3の状態になった。図1のaに入れる操作はどれか。ここで，配列A，Bの要素をそれぞれA(i, j)，B(i, j)とする。

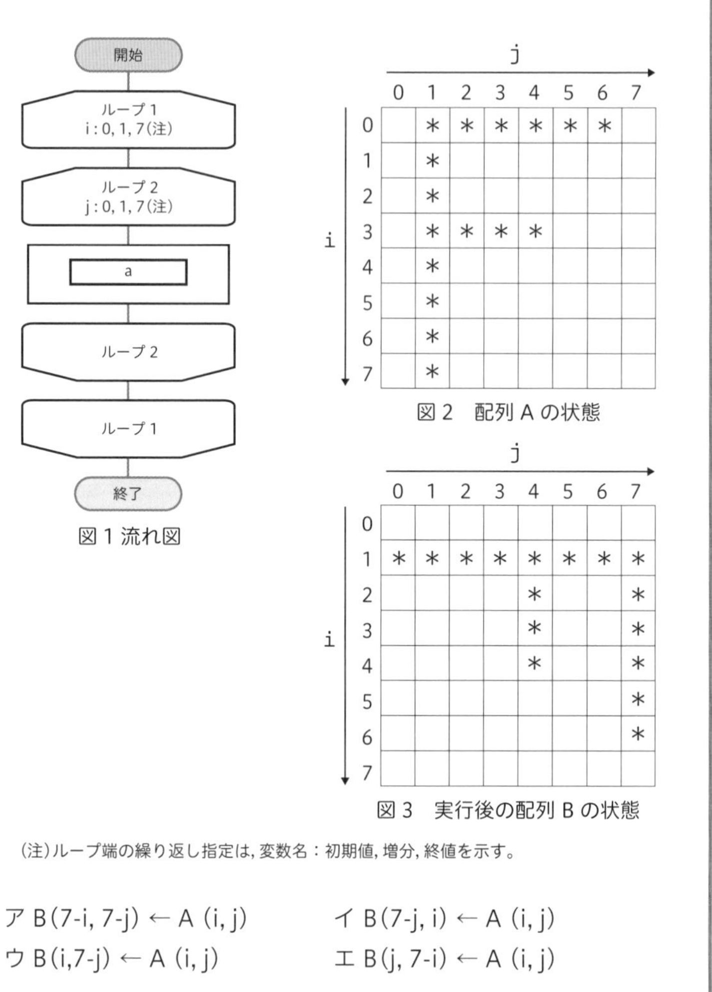

図1 流れ図

図2 配列Aの状態

図3 実行後の配列Bの状態

(注)ループ端の繰り返し指定は, 変数名：初期値, 増分, 終値を示す。

ア B(7-i, 7-j) ← A (i, j)　　イ B(7-j, i) ← A (i, j)
ウ B(i,7-j) ← A (i, j)　　エ B(j, 7-i) ← A (i, j)

◎解 説

これをきちんとトレースすると、7×7のケースを考える必要があります。しかし、わかりやすい特異点を具体例として、考えてみましょう。「F」の左肩にあたるA(0, 1)がどこに変換されなければならないかを考えます。B(1, 7) です。選択肢の中でB(1, 7) ←A(0, 1)となるのは「エ」だけです。

第2部

情報セキュリティ

第4章

セキュリティ管理

4-1 セキュリティの目的

セキュリティの語源はラテン語で、SE（欠如する）+CURE（心配）、つまり心配事がないという意味です。一般的には、大切なものを守るのがセキュリティといえます。大切な守りたいものとして命や健康、家族、お金、名誉、色々ありますね。

企業がセキュリティで守るもの

企業や組織にとって大切なものは資産です。情報処理試験においては、「会社の資産」を脅威から守るのが、セキュリティです。ここでいう資産とは、お金だけではありません。

▼企業における資産

- コンピュータなどのハードウェア
- 情報システムなどのソフトウェア
- 従業員（最も大事な資産といえる）
- ビジネスチャンスや社会的信用（目に見えない資産）

脅威とは、マルウェアのような外からの攻撃はもちろんですが、災害、機械やシステムの故障、そして内部の不正行為や人の「うっかりミス」もあります。考えてみると、本当にさまざまな脅威があります。

この「守るべきもの」と「それをおびやかすもの」を明らかにすることが、セキュリティの第一歩です。

セキュリティポリシー

セキュリティポリシーは、組織内のセキュリティに関する基本的な方針や行動指針のことです。何をどのような手段で守るべきか、それにどの程度のコストを投じるべきかは組織によって異なります。「わが社は情報セキュリティに関して、このような方針で臨みます」という宣言がセキュリティポリシーといえます。通常は経営陣が策定し、会社のホームページなどで社内外の利害関係者に広く公表します。

◎対策基準とマニュアル

セキュリティポリシーの宣言だけでは、その会社の従業員は具体的にどうすればいいのか、わかりません。そこで基本方針を実現するために、「どんなセキュリティ対策を実施する必要があるのか」を示す**対策基準**が必要になります。対策基準では、情報セキュリティ対策の項目やルールなどをまとめます。さらに細かく、パスワードは何桁以上で、文字は何種類以上でなければならない、といった**マニュアル**に相当する実施手順も定める必要があります。

▼セキュリティポリシー・対策基準・マニュアルの関係性

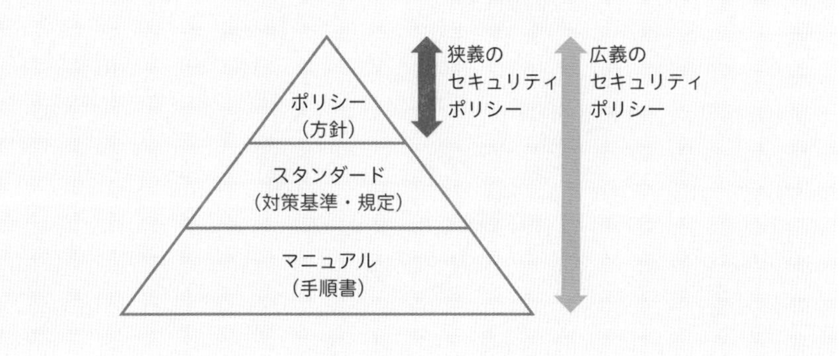

マニュアルは、公表するとかえってセキュリティ上の弱点につながるので、社外秘となるでしょう。

◎セキュリティポリシーの管理

セキュリティポリシーは一度決めれば、それをずっと使い続けるというものではありません。自社の業務内容も、セキュリティ環境も日々変わっているため、PDCAサイクルを止めることなく回して更新していく必要があります。

- **計画(Plan)**：情報資産の洗い出しを行い、リスクや課題を整理し、組織や企業の状況に合った情報セキュリティ対策の方針を定めた情報セキュリティポリシーを策定する。

- **導入・運用(Do)**：全社員・全職員に周知し、必要に応じて、集合研修などの教育を行う。 社員・職員が情報セキュリティポリシーに則って行動することで、目的とする情報セキュリティレベルの維持を目指す。
- **点検・評価(Check)**：導入後の現場の状況や問題点、社会的な状況などを踏まえて、定期的に情報セキュリティポリシー自体を評価する。また、遵守されているかどうかの監査も行う。
- **見直し・改善(Act)**：点検・評価の内容を参考にして、情報セキュリティポリシーの見直し・改善を行う。

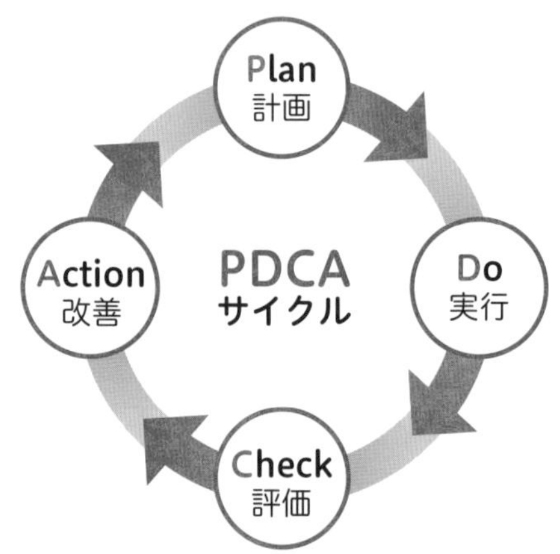

○セキュリティポリシーをもたないデメリット

企業や組織が情報セキュリティポリシーをもたない場合、どういったことが起こるのでしょうか。例えば、以下のようなことが想定されます。

- 情報の管理があいまいになる。
- 管理があいまいなため情報漏えいのリスクが高まる。
- パソコンやサーバなどの情報機器が適切に管理されない。
- ネットワークが外部から安全に守られない。
- セキュリティ事故発生時に適切な対応が取れない。
- そもそも従業員のセキュリティ意識が高まらない。

結果的に**セキュリティインシデント(セキュリティの事故)**が起こってしまうリスクが高まります。

セキュリティリスク

情報セキュリティに潜む**リスク**とは、企業などの組織が持つ「情報システムとデータ」が、消失や漏えいで利用できなくなるなどのマイナスの影響を生じる可能性をもつリスクのことです。情報セキュリティのリスクは、大きく二つに分けられます。不正アクセスをはじめとする**脅威**と、セキュリティホールなどの**脆弱性（ぜいじゃくせい）**です。

セキュリティリスクアセスメント

セキュリティリスクアセスメントは、組織やシステムにおける潜在的なセキュリティリスクを評価するプロセスです。この評価は、潜在的な脆弱性や脅威を特定し、それに対するリスクを定量化し、適切な対策を立案するための情報を提供します。

セキュリティリスクアセスメントは、以下の手順で行われます。

1. **脅威の特定**：システムや組織に対して潜在的な脅威を特定します。これには、外部からの攻撃、内部の不正行為、自然災害などさまざまな要因が含まれます。
2. **脆弱性の評価**：システムや組織内の脆弱性を特定します。これには、ソフトウェアの脆弱性、ネットワークの設計上の問題、人的要因などが含まれます。
3. **リスクの評価**：特定された脅威と脆弱性に基づいて、リスクの程度を評価します。リスクの程度は、発生確率や影響の大きさなどの要素を考慮して算出されます。
4. **対策の立案**：特定されたリスクに対して、適切な対策を立案します。これには、技術的な対策（セキュリティパッチの適用、ファイアウォールの設置など）や組織的な対策（ポリシーや手順の策定、教育・訓練の実施など）が含まれます。

ここが重要!

セキュリティリスクアセスメントは、定期的に実施することが重要です。特にシステムや組織の変更があった場合や新しい攻撃手法が現れた場合には、新たな脅威や脆弱性が発見される可能性があるため、アセスメントをやり直す必要があります。

◎セキュリティに関わる人

セキュリティ管理は、経営者を情報セキュリティ組織のトップに置き、その下に情報セキュリティ管理責任者を設置するのが、一般的な組織体です。企業規模により、セキュリティ管理専門の部署や、セキュリティ委員会といった組織を置くことも多くなっています。ただ、セキュリティを守るのはその部署の人たちだけの業務ではありません。一般の従業員も組織が決めた情報セキュリティルールを順守し、情報セキュリティ事故を起こさぬよう、日々の業務を行います。

セキュリティリスクアセスメントも、業務リスクの洗い出しにあたっては、現場から報告してもらうか、直接ヒアリングすることになります。情報セキュリティ部門や管理職の視点ではなかなか気がつかないことも、ヒアリングによって「現場のセキュリティリスクに関する認識」や「対案」などが明らかになることが期待できます。日々の業務の中で「××が起きたら危ないから、発生率を減少できるようなルールが欲しいな」「○○関係のツール導入やルールを整備できたら、業務を効率化できるのに…」といった声を拾い上げることが大切です。

4-1のまとめ

- 情報セキュリティポリシーとは、企業などの組織が定める情報セキュリティに関する方針・行動指針のこと。
- PDCAサイクルを回しながら、情報セキュリティマネジメントを行う必要がある。

コラム　情報セキュリティポリシーの作成の二次的なメリット

情報セキュリティポリシーを作成する目的は、企業の情報資産を脅威から守ることですが、その導入や運用を通して社員や職員の情報セキュリティに対する意識の向上を図ることができるというメリットもあります。例えばパスワードを見えるところに書いて貼っておいたりすると、どのような危険があるかを周知することは重要です。

IPA公式サンプル問題＆徹底解説

情報セキュリティマネジメント サンプル問題（令和4年12月）問50

A社は，分析・計測機器などの販売及び機器を利用した試料の分析受託業務を行う分析機器メーカーである。A社では，図1の“情報セキュリティリスクアセスメント手順”に従い，年一度，情報セキュリティリスクアセスメントの結果をまとめている。

▼図1　情報セキュリティリスクアセスメント手順

- 情報資産の機密性，完全性，可用性の評価値は，それぞれ0～2の3段階とし，表1のとおりとする。
- 情報資産の機密性，完全性，可用性の評価値の最大値を，その情報資産の重要度とする。
- 脅威及び脆（ぜい）弱性の評価値は，それぞれ0～2の3段階とする。
- 情報資産ごとに，様々な脅威に対するリスク値を算出し，その最大値を当該情報資産のリスク値として情報資産管理台帳に記載する。ここで，情報資産の脅威ごとのリスク値は，次の式によって算出する。
  リスク値＝情報資産の重要度×脅威の評価値×脆弱性の評価値
- 情報資産のリスク値のしきい値を5とする。
- 情報資産ごとのリスク値がしきい値以下であれば受容可能なリスクとする。
- 情報資産ごとのリスク値がしきい値を超えた場合は，保有以外のリスク対応を行うことを基本とする。

▼表１　情報資産の機密性，完全性，可用性の評価基準

評価値		評価基準	該当する情報の例
機密性	2	法律で安全管理措置が義務付けられている。	・健康診断の結果，保健指導の記録 ・給与所得の源泉徴収票
	2	取引先から守秘義務の対象として指定されている。	・取引先から秘密と指定されて受領した資料 ・取引先の公開前の新製品情報
	2	自社の営業秘密であり，漏えいすると自社に深刻な影響がある。	・自社の独自技術，ノウハウ ・取引先リスト ・特許出願前の発明情報
	1	関係者外秘情報又は社外秘情報である。	・見積書，仕入価格など取引先や顧客との商取引に関する情報 ・社内規程，事務処理要領
	0	公開情報である。	・自社製品カタログ，自社Webサイト掲載情報
完全性	2	法律で安全管理措置が義務付けられている。	・健康診断の結果，保健指導の記録 ・給与所得の源泉徴収票
	2	改ざんされると自社に深刻な影響，又は取引先や顧客に大きな影響がある。	・社内規程，事務処理要領 ・自社の独自技術，ノウハウ ・設計データ（原本）
	1	改ざんされると事業に影響がある。	・受発注情報，決済情報，契約情報 ・設計データ（印刷物）
	0	改ざんされても事業に影響はない。	・廃版製品カタログデータ
可用性		（省略）	

A社は，自社のWebサイトをインターネット上に公開している。A社のWebサイトは，自社が取り扱う分析機器の情報を画像付きで一覧表示する機能を有しており，主にA社で販売する分析機器に関する機能の説明や操作マニュアルを掲載している。A社で分析機器を購入した顧客は，A社のWebサイトからマニュアルをダウンロードして利用することが多い。A社のWebサイトは，製品を販売する機能を有していない。

A社は，年次の情報セキュリティリスクアセスメントの結果を，表2にまとめた。

▼表2　A社の情報セキュリティリスクアセスメント結果（抜粋）

情報資産名称	説明	機密性の評価値	完全性の評価値	可用性の評価値	情報資産の重要度	脅威の評価値	脆弱性の評価値	リスク値
社内規程	行動規範や判断基準を含めた社内ルール	1	2	1	2	1	1	2
設計データ（印刷物）	A社における主力製品の設計図	（省略）						
自社Webサイトにあるコンテンツ	分析機器の情報	a1	a2	2	a3	2	2	a4

設問　表2中の［a1］～［a4］に入れる数値の適切な組合せを，aに関する解答群から選べ。

aに関する解答群

	a1	a2	a3	a4
ア	0	0	2	8
イ	0	1	2	8
ウ	0	2	1	4
エ	0	2	2	8
オ	1	0	2	4
カ	1	1	2	8
キ	1	2	1	4
ク	1	2	2	8

解答・解説

情報セキュリティマネジメント サンプル問題(令和4年12月)問50　解答 エ

・a1：自社Webサイトにあるコンテンツは、公開情報に当たります。表1の機密性と照合し、評価値は「0」です。

・a2：問題文中に、「顧客はA社のWebサイトに掲載されるマニュアルをダウンロードして利用することが多い」とあります。表1の完全性と照合すると、改ざんされると顧客に大きな影響があると考えられます。したがって、完全性の評価値は「2」です。

・a3：図1中に、「情報資産の機密性、完全性、可用性の評価値の最大値を、その情報資産の重要度とする」という記述があります。各評価値は機密性が「0」、完全性が「2」、可用性が「2」ですから、情報資産の重要度は「2」となります。

・a4：図1中に、「リスク値＝情報資産の重要度×脅威の評価値×脆弱性の評価値」という記述があります。

情報資産の重要度 … 2
脅威の評価値 … 2
脆弱性の評価値 … 2

ですから、リスク値は「2×2×2＝8」となります。

したがって「エ」が適切です。

解き方のアドバイス

情報セキュリティマネジメントのサンプル問題です。解答に必要な事項は全て問題文中にあり、それを探せるかどうかがポイントです。必ず根拠はあると考えて、それを探すという読み方で問題文から根拠を探しましょう。

4-2 セキュリティ管理

セキュリティ管理とは情報の安全を守ることです。ただ、そのためにビジネスがおろそかになっては元も子もありません。ビジネスとの整合性を考えながら管理することが求められます。そのために経営者はセキュリティポリシーを定める必要があり、セキュリティポリシーの国際規格がISO/IEC 27001です。

セキュリティ標準

ISO/IEC 27001は英語で書かれています。その規格を日本語に訳したものが**JIS Q 27001**です。つまり、「ISO/IEC 27001」と「JIS Q 27001」は、書かれている言語が違うだけで、中身はほとんど同じものです。

この中でISMSの構築方法や運用方法を定めています。**ISMS**とは、「Information Security Management System」の略で、日本語では情報セキュリティマネジメントシステムと呼びます。ISO/IEC 27001は、ISMS適合性評価制度(認証制度)という第三者機関による評価制度の基準にもなっています。ISMS認証を取ることで、「企業全体として優れた情報セキュリティ対策ができますよ」ということをアピールできます。

メモ　ISOは国際標準化機構(International Organization for Standardization)、IECは国際電気標準会議(International Electrotechnical Commission)です。どちらもさまざまな国際規格を取り決めています。

セキュリティの3要素&4要素

ISO/IEC 27001では、情報セキュリティマネジメントの重要な要素として下記三つを挙げています。

- **機密性**(confidentiality):認可された者だけが、その情報にアクセスができる。
- **完全性**(integrity):情報が破壊・改ざん・消去されていない。
- **可用性**(availability):必要な者が必要なときにその情報にアクセスできる。

さらにISO/IEC 27001：2005で、新たに四つの要素が追加されています。

- **真正性**（authenticity）：なりすましが行われないように通信相手が本人かどうかを確実にする。
- **信頼性**（reliability）：意図した動作が確実に行われることを担保する。
- **責任追跡性**（accountability）：一連の動作を追跡し、後になってインシデントが発覚したときに責任を追求できる状態を維持する。
- **否認防止**（non-repudiation）：何らかの行動を、ある特定の個人が行ったことを後から証明できるようにしておく。

ここが重要！

これらの情報セキュリティマネジメントの4要素は、主に情報へのアクションが「誰の行為か」を確認できるようにすることや、システムが確実に目的の動作をすること、また、情報へのアクションを行ったことを後から否定されない状況を作ることで情報セキュリティを確保するものです。

セキュリティ組織と役割

策定したセキュリティポリシーを基に、具体的な対策を実践するための**セキュリティリスク管理組織**を構築します。先に述べたように、この体制は企業の規模や業態によって異なります。いずれにしても、責任者を明確にして、情報セキュリティポリシー策定と運用に携わる人や組織を確定することが必要になります。セキュリティ担当の役員を置く場合もありますし、専門の組織を置く場合もあります。セキュリティ品質を高めるためには、外部のコンサルタントや法律の専門家に参加を依頼することもあります。次の図はセキュリティリスク管理組織の一例です。

▼セキュリティリスク管理組織の例

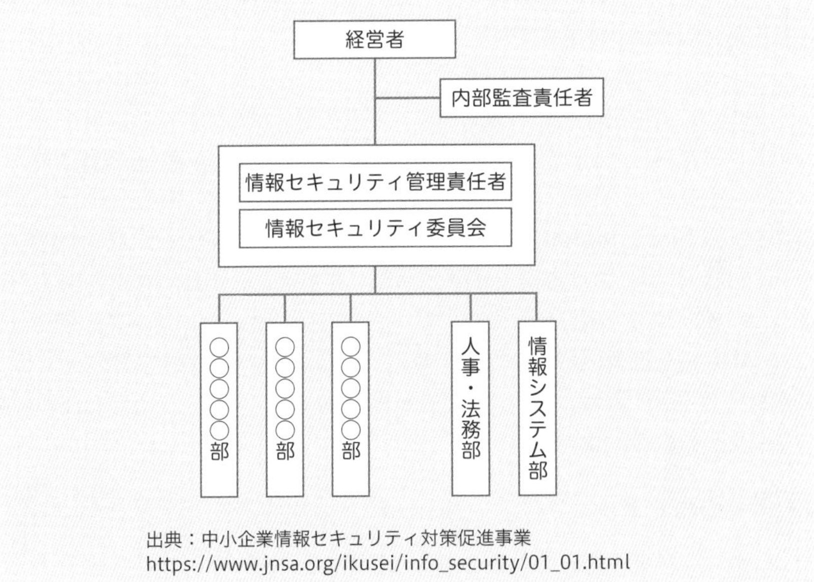

出典：中小企業情報セキュリティ対策促進事業
https://www.jnsa.org/ikusei/info_security/01_01.html

SOC（Security Operation Center：ソック、エスオーシー）

サイバー攻撃の検知や分析を行い、その対策を講じることなどを専門とする組織を**SOC**と呼びます。SOCの主な業務は、以下のようなものが挙げられます。

- 各種セキュリティ装置やネットワーク機器、サーバの監視
- 各種セキュリティ装置やネットワーク機器から出力されるログの分析
- サイバー攻撃を受けた場合の影響範囲の特定
- サイバー攻撃を阻止するためのセキュリティ対策

こうした業務を適切に行うには、高いレベルのセキュリティスキルが必要となる他、サイバー攻撃はいつ発生するかわからないため24時間体制での対応が求められます。このため、社内にSOCを設置するのではなく、外部にアウトソースするケースが少なくありません。

CSIRT（Computer Security Incident Response Team：シーサート）

セキュリティ対応を専門とする組織を**CSIRT**と呼びます。CSIRTの業務としては、以下のようなものが挙げられます。

- 脆弱性情報などの収集と分析
- インシデント発生時の対応
- 社内外の組織との情報共有や連携

このCSIRTの役割はSOCと似ていますが、事前の検知や対策に重点が置かれているSOCに対し、CSIRTは事後の対応を中心に行うという違いがあります。

◎CISO（Chief Information Security Officer：最高情報セキュリティ責任者）

CISOは、企業における情報セキュリティを統括する責任者を指します。セキュリティ対策には経営層やそれに近い職位の強いリーダーシップが必要であり、その役割を担うのがCISOです。セキュリティの強化においては、全社横断的なセキュリティ対策の取り組みが欠かせません。CISOは、こうした部署間をつなぐための役割を担います。

4-2のまとめ

- ▶ セキュリティ管理のための標準としてISO/IEC 27001がある。
- ▶ セキュリティ担当の役員や組織を確立することが一般的になってきている。

IPA公式サンプル問題＆徹底解説

基本情報サンプル問題（令和4年12月）問19

 5 min

A社は従業員200名の通信販売業者である。一般消費者向けに生活雑貨，ギフト商品などの販売を手掛けている。取扱商品の一つである商品Zは，Z販売課が担当している。

〔Z販売課の業務〕

現在，Z販売課の要員は，商品Zについての受注管理業務及び問合せ対応業務を行っている。商品Zについての受注管理業務の手順を図1に示す。

▼図１　受注管理業務の手順

商品Zの顧客からの注文は電子メールで届く。

（1）入力

販売担当者は，届いた注文（変更，キャンセルを含む）の内容を受注管理システム[1]（以下，Jシステムという）に入力し，販売責任者[2]に承認を依頼する。

（2）承認

販売責任者は，注文の内容とJシステムへの入力結果を突き合わせて確認し，問題がなければ承認する。問題があれば差し戻す。

注[1] A社情報システム部が運用している。利用者は，販売責任者，販売担当者などである。
注[2] Z販売課の課長１名だけである。

〔Jシステムの操作権限〕

Z販売課では，Jシステムについて，次の利用方針を定めている。

［方針1］　ある利用者が入力した情報は，別の利用者が承認する。

［方針2］　販売責任者は，Z販売課の全業務の情報を閲覧できる。

Jシステムでは，業務上必要な操作権限を利用者に与える機能が実装されている。

この度，商品Zの受注管理業務が受注増によって増えていることから，B

社に一部を委託することにした（以下，商品Zの受注管理業務の入力作業を行うB社従業員を商品ZのB社販売担当者といい，商品ZのB社販売担当者の入力結果を閲覧して，不備があればA社に口頭で差戻しを依頼するB社従業員を商品ZのB社販売責任者という）。

委託に当たって，Z販売課は情報システム部にJシステムに関する次の要求事項を伝えた。

［要求1］ B社が入力した場合は，A社が承認する。

［要求2］ A社の販売担当者が入力した場合は，現状どおりにA社の販売責任者が承認する。

上記を踏まえ，情報システム部は今後の各利用者に付与される操作権限を表1にまとめ，Z販売課の情報セキュリティリーダーであるCさんに確認をしてもらった。

▼表1　操作権限案

付与される操作権限 / 利用者	Jシステム		
	閲覧	入力	承認
（省略）	○		○
Z販売課の販売担当者	（省略）	（省略）	（省略）
a1	○		
a2	○	○	

設問 表1中の a1 , a2 に入れる字句の適切な組合せを，aに関する解答群の中から選べ。

aに関する解答群

	a1	a2
ア	Z販売課の販売責任者	商品ZのB社販売責任者
イ	Z販売課の販売責任者	商品ZのB社販売担当者
ウ	商品ZのB社販売責任者	Z販売課の販売責任者
エ	商品ZのB社販売責任者	商品ZのB社販売担当者
オ	商品ZのB社販売担当者	商品ZのB社販売責任者

解答・解説

基本情報サンプル問題（令和4年12月）問19　解答 エ

アクセス権の設定に関する問題です。必要な利用者に対して、最低限の権限を与えることがセキュリティ上求められます。解答群にある利用者にはどのような権限が必要か、問題文の記述から確認します。

- **（A社の）Z販売課の販売責任者**：現状どおりA社販売担当者が入力した情報に加えて、B社委託にあたってB社販売担当者が入力した情報も**承認する権限**が必要になります。
- **商品ZのB社販売責任者**：「商品ZのB社販売担当者の入力結果を閲覧して、不備があればA社に口頭で差戻しを依頼する」役割なので、**閲覧権限**のみが必要です。
- **商品ZのB社販売担当者**：「商品Zの受注管理業務の入力作業を行う」役割なので、**入力権限**が必要です。明示されていませんが、入力した内容が正確かどうか、自身でチェックする必要もあります。そこで**閲覧権限**も必要です。

以上のことから表1で閲覧のみ○の［a1］は「商品ZのB社販売責任者」、閲覧と入力が○の［a2］は「商品ZのB社販売担当者」です。

解き方のアドバイス

これも問題文をしっかり読むことが求められます。A社なのかB社なのか、問題文を目だけで追っていると混乱してくるので、メモを取りながら読みます。
例えば、次の解答メモのように組織の概略を書いておきます。

解答メモ

A社	B社
Z販売課 課長（販売責任者） 販売担当者 情報システム部	販売担当者 販売責任者

このメモに、必要と思われる権限を書き込んでいきます。

最初にザッと問題文に目を通して、設問を読んで何を問われているかを把握してからもう一度問題文に戻る方がいいでしょう。

メモ アクセス権：システムの登録利用者や利用者のグループに対して設定される、「そのシステムの管理する資源」を使用する権限（6-1 p.304）。

4-3 法務と監査

法務と監査に関してはセキュリティ関連法規が出題されます。ただし、科目Bのサンプル問題を見る限り、専門用語などその詳しい内容が問われることはありません。条文や基準の丸暗記よりも、「法律でどのような行為が要求・もしくは禁止されているのか」を押さえ、きちんと問題文を読む練習をしましょう。

不正アクセス行為の禁止等に関する法律

不正アクセス行為の禁止等に関する法律（不正アクセス禁止法）は、不正アクセス行為や、不正アクセス行為につながる識別符号の不正取得・保管行為、不正アクセス行為を助長する行為などを禁止する法律です。

◎識別符号と不正アクセス

識別符号とは、情報機器やサービスにアクセスする際に使用するIDやパスワードなどのことです。**不正アクセス行為**とは、そのようなIDやパスワードによりアクセス制御機能が付されている情報機器やサービスに対して、他人のID・パスワードを入力したり、脆弱性を突いたりなどして、本来は利用権限がないのに、不正に利用できる状態にする行為をいいます。

◎不正アクセス禁止法で禁止されている行為

具体的に不正アクセス禁止法で禁止されている行為は以下のとおりです。実際に被害がなくとも、その行為があっただけで処罰の対象となります。

- **不正アクセス行為**：他人のID、パスワードなどを不正に利用する（なりすまし）行為や、セキュリティホール（プログラムの不備など）を攻撃する行為
- **不正アクセスを助長する行為**：他人のID、パスワードなどを不正に取得・保管する行為や、無断で第三者に提供する行為
- **フィッシング行為**：金融機関などを装った電子メールを送り、メール中のリンクから偽サイトに誘導し、そこで個人情報を詐取する行為

刑法

刑法とは「犯罪と刑罰に関する法律である」と定義されます。コンピュータやインターネットを利用した事件でも、刑法の条文に照らして処罰されることがあります。処罰される行為は以下のようなものがあります。

- **コンピュータデータの改ざん**：詐欺罪や文書偽造の罪に該当するため、刑法246条の2「電子計算機使用詐欺罪」や161条の2「電磁的記録不正作出及び供用罪」で処罰される。
- **コンピュータ・ウイルスの作成、提供、供用、取得、保管行為**：2011年の刑法改正により、168条の2及び168条の3にある「不正指令電磁的記録作成罪」で罰せられる。通称、**ウイルス作成罪**と呼ばれる。

用語 電磁的記録

> 第7条の2　この法律において「電磁的記録」とは，電子的方式，磁気的方式その他人の知覚によっては認識することができない方式で作られる記録であって，電子計算機による情報処理の用に供されるものをいう。

サイバーセキュリティ基本法

サイバーセキュリティ基本法は、サイバーセキュリティに関する施策を総合的かつ効率的に推進するため、基本理念を定め、国の責務などを明らかにし、サイバーセキュリティ戦略の策定その他当該施策の基本となる事項などを規定しています。

この法律で注目するべきなのは、第九条に**国民の努力**という項目があり、次のように書かれている点です。

用語 国民の努力

> 国民は、基本理念にのっとり、サイバーセキュリティの重要性に関する関心と理解を深め、サイバーセキュリティの確保に必要な注意を払うよう努めるものとする。

法律でここまで、決められているのは、驚きです。

個人情報保護法

個人情報保護法とは、その名のとおり、個人の情報を保護するための法律です。2005年に施行され、現在は個人情報を1件でも取り扱う全ての事業者が対象となっています。中小企業はもちろん自治会や学校の保護者会などの非営利組織も対象となります。また、国の機関、地方公共団体、独立行政法人、地方独立行政法人についても、この規定の対象です。

個人情報とは、特定の個人を識別できる情報で、氏名や住所はもちろん、顔写真や話者が識別できる通話記録の音声なども含みます。この法律では、個人情報を取り扱う際に次の事項を守るよう定められています。

- 利用目的を本人に明示したうえで、本人の了解を得て情報を取得すること。
- 流出・盗難・紛失を防止すること。
- 本人が閲覧可能なこと。
- 本人の申し出により訂正を加えること。
- 同意なき目的外利用は本人の申し出により停止できること。

◎匿名加工情報と仮名加工情報

2022年施行の改正により、ビッグデータを利活用するためのルールとして、これまでの匿名加工情報のほか、仮名加工情報が新設されました。

- **匿名加工情報**：特定の個人を識別することができないように個人情報を加工し、その個人情報を復元できないようにした情報。
- **仮名加工情報**：他の情報と照合しない限り特定の個人を識別することができないようにした情報。

ここが重要！

両者の違いとして、匿名加工情報は個人と結びつく情報が削除されているため、第三者への提供が可能となっている一方、仮名加工情報は第三者提供が制限されている代わりに、個人情報と同等なデータの有用性があるため、より詳細な分析を行うことが可能という点があります。

セキュリティ監査

セキュリティ監査は、組織やシステムのセキュリティポリシーや手順が適切に遵守されているかどうかを評価するプロセスです。

セキュリティ監査は、主に以下の点に焦点を当てて行います。

コンプライアンスの評価

法的要件や規制に対する組織の遵守状況を評価します。例えば、データ保護法（GDPRなど）や業界固有の規制要件に準拠しているかどうかを確認します。

ポリシーと手順の評価

組織のセキュリティポリシーや手順が存在し、適切に文書化されているかどうかを評価します。また、これらのポリシーや手順が実際に適用され、遵守されているかどうかも確認します。

セキュリティコントロールの有効性の評価

セキュリティコントロール（技術的、物理的、組織的な対策）が適切に設計され、運用されているかどうかを評価します。これには、アクセス制御、ログ管理、脆弱性管理、インシデント対応などの領域が含まれます。

リスクの評価

システムや組織におけるセキュリティリスクの特定と評価を行います。これにより、組織が直面しているリスクを把握し、適切な対策を立案するための情報を提供します。

セキュリティ監査は、**内部監査部門**や**外部の独立した監査機関**によって実施されることが一般的です。監査結果は、組織のセキュリティポリシーや手順の改善、リスクの軽減、コンプライアンスの確保など、セキュリティの向上に向けた意思決定やアクションプランの策定に活用されます。

ここが重要!

ここでの重要な点は、**監査は第三者の視点で行うということです**。セキュリティ関連部署がセキュリティ監査を行うことはありません。たとえ内部であっても、**独立した立場の監査人**が監査を行うという点がポイントです。

4-3のまとめ

- セキュリティ関連法規には「不正アクセス禁止法」「刑法」「サイバーセキュリティ基本法」「個人情報保護法」などがある。
- 詳細を暗記する必要はないが、何のために、何を決めた法律かを押さえておく。
- 監査は第三者の立場によるチェックと報告・助言。

IPA公式サンプル問題&徹底解説

基本情報サンプル問題(令和4年12月)問17

5 min

製造業のA社では，ECサイト(以下，A社のECサイトをAサイトという)を使用し，個人向けの製品販売を行っている。Aサイトは，A社の製品やサービスが検索可能で，ログイン機能を有しており，あらかじめAサイトに利用登録した個人(以下，会員という)の氏名やメールアドレスといった情報(以下，会員情報という)を管理している。Aサイトは，B社のPaaSで稼働しており，PaaS上のDBMSとアプリケーションサーバを利用している。

A社は，Aサイトの開発，運用をC社に委託している。A社とC社との間の委託契約では，Webアプリケーションプログラムの脆(ぜい)弱性対策は，C社が実施するとしている。

最近，A社の同業他社が運営しているWebサイトで脆弱性が悪用され，個人情報が漏えいするという事件が発生した。そこでA社は，セキュリティ診断サービスを行っているD社に，Aサイトの脆弱性診断を依頼した。脆弱性診断の結果，対策が必要なセキュリティ上の脆弱性が複数指摘された。図1にD社からの指摘事項を示す。

▼図1　D社からの指摘事項

項番1　Aサイトで利用しているアプリケーションサーバのOSに既知の脆弱性があり，脆弱性を悪用した攻撃を受けるおそれがある。

項番2　Aサイトにクロスサイトスクリプティングの脆弱性があり，会員情報を不正に取得されるおそれがある。

項番3　Aサイトで利用しているDBMSに既知の脆弱性があり，脆弱性を悪用した攻撃を受けるおそれがある。

設問　図1中の各項番それぞれに対処する組織の適切な組合せを，解答群の中から選べ。

解答群

	項番1	項番2	項番3
ア	A社	A社	A社
イ	A社	A社	C社
ウ	A社	B社	B社
エ	B社	B社	B社
オ	B社	B社	C社
カ	B社	C社	B社
キ	B社	C社	C社
ク	C社	B社	B社
ケ	C社	B社	C社
コ	C社	C社	B社

解答はp.262

情報セキュリティマネジメント サンプル問題（令和4年12月）問56

A社は学習塾を経営している会社であり，全国に50の校舎を展開している。A社には，教務部，情報システム部，監査部などがある。学習塾に通う又は通っていた生徒（以下，塾生という）の個人データは，学習塾向けの管理システム（以下，塾生管理システムという）に格納している。塾生管理システムのシステム管理は情報システム部が行っている。塾生の個人データ管理業務と塾生管理システムの概要を図1に示す。

▼図1　塾生の個人データ管理業務と塾生管理システムの概要

・教務部員は，入塾した塾生及び退塾する塾生の登録，塾生プロフィールの編集，模試結果の登録，進学先の登録など，塾生の個人データの入力，参照及び更新を行う。
・教務部員が使用する端末は教務部の共用端末である。

・塾生管理システムへのログインには利用者IDとパスワードを利用する。
・利用者IDは個人別に発行されており，利用者IDの共用はしていない。
・塾生管理システムの利用者のアクセス権限には参照権限及び更新権限の2種類がある。参照権限があると塾生の個人データを参照できる。更新権限があると塾生の個人データの参照，入力及び更新ができる。アクセス権限は塾生の個人データごとに設定できる。
・教務部員は，担当する塾生の個人データの更新権限をもっている。担当しない塾生の個人データの参照権限及び更新権限はもっていない。
・共用端末のOSへのログインには，共用端末の識別子（以下，端末IDという）とパスワードを利用する。
・共用端末のパスワード及び塾生管理システムの利用者のアクセス権限は情報システム部が設定，変更できる

教務部は，今年実施の監査部による内部監査の結果，Webブラウザに塾生管理システムの利用者IDとパスワードを保存しており，情報セキュリティリスクが存在するとの指摘を受けた。

設問

監査部から指摘された情報セキュリティリスクはどれか。解答群のうち，最も適切なものを選べ。

解答群

ア　共用端末と塾生管理システム間の通信が盗聴される。
イ　共用端末が不正に持ち出される。
ウ　情報システム部員によって塾生管理システムの利用者のアクセス権限が不正に変更される。
エ　教務部員によって共用端末のパスワードが不正に変更される。
オ　塾生の個人データがアクセス権限をもたない教務部員によって不正にアクセスされる。

解答はp.263

解答・解説

基本情報サンプル問題（令和4年12月）問17 解答 カ

セキュリティ上の脆弱性に対し、どの組織が対応すべきかを問う問題です。各社の役割を整理しておきましょう。

・A社：Aサイトのオーナーであり、クラウドサービスPaaSの利用者である。
・B社：クラウドサービスPaaSを提供している事業者である。またPaaS上のDBMSとアプリケーションサーバを提供している。
・C社：Aサイトの開発、運用を委託されている。委託契約によりWebアプリケーションプログラムの脆弱性対策を実施する。

セキュリティ診断サービスを行うD社が指摘した脆弱性は次のようなものです。

項番1：アプリケーションサーバのOSの脆弱性
項番2：Aサイトの脆弱性
項番3：DBMSの脆弱性

2021年に総務省から示された「クラウドサービス提供における情報セキュリティサービスガイドライン（第３版）」には、次のように書かれています。

「PaaSを利用するクラウドサービス利用者は、クラウドサービス事業者との契約・SLAに基づいて、アプリケーションの開発、アプリケーションに対する管理を行う。クラウドサービス利用者は、クラウドサービス事業者が提供するプログラミング環境やSQL等のユーティリティインターフェースを利用してミドルウェア層を利用する。」

つまり、データやアプリケーションはクラウドサービス利用者が管理し、OSやミドルウェアは、クラウドサービス事業者が管理するということです。したがって、項番1と項番3はB社が対処します。項番2の対処は利用者であるA社の責任ですが、A社は委託契約によりWebアプリケーションプログラムの脆弱性対策をC社に委託しています。したがって、C社が対処することになります。

メモ PaaS：クラウドサービスの一種（6-2 p.320）。

解き方のアドバイス

「クラウドサービス提供における情報セキュリティサービスガイドライン（第３版）」に関する知識があればいいのですが、さまざまな法規やガイドラインの全てに目を通し、詳細まで覚えておくのは現実的ではありません。本文中の記述から判断することになります。各社の役割分担をメモに書いていきましょう。

情報セキュリティマネジメントサンプル問題（令和4年12月）問56　解答 オ

監査部からの指摘事項は、「Webブラウザに塾生管理システムへのログインに使用する利用者IDとパスワードを保存しており、情報セキュリティリスクが存在する」というものです。Webブラウザに利用者IDとパスワードが保存されているというのは、みなさんも経験があるかと思います。入力しなくても画面に表示されるということです。

これにどんなリスクがあるかは明白です。共用の端末でWebブラウザに保存されている認証情報を使って**別の教務部員になりすましてログインすること**が可能になります。これにより、権限を有しない塾生の個人データが参照されたり、更新されたりするというリスクがあります。

解き方のアドバイス

他の選択肢もセキュリティリスクであることに間違いはありません。ここで聞かれているのは、「Webブラウザに塾生管理システムへのログインに使用する利用者IDとパスワードを保存していること」のリスクです。他の選択肢を見て「セキュリティリスクだからこれが正解だ」とひっかからないように気をつけましょう。

コラム 生成AIとセキュリティ

OpenAIの「ChatGPT」が大きなきっかけとなって生成AIへの関心が高まっています。企業でも、定型文書の作成やユーザとのやり取りといった身近なことから、戦略的な意思決定といった高度なことまで、利用が進んでいます。

一方でセキュリティ上の問題点も指摘されています。生成AIはインターネット上の大量の情報から学習しているわけです。ユーザの入力から得た情報を無期限に保存しているかもしれず、それらの情報が他のモデルの学習に使われる可能性もあります。またそうした情報は、セキュリティ侵害が起きれば悪者の手に落ちるかもしれません。

例えば、担当者が企画書を生成AIで作ろうとして、顧客情報をインプットしてしまい、結果としてそれが流出してしまった、とか、英語や中国語で書かれた業務メールや資料をAI翻訳サービスに入力したところ、それが悪意のあるサイトであったため、情報が流出したということも考えられます。

生成AIをどういうルールで利用するか、セキュリティポリシで決定しておくことが求められているといえるでしょう。

第5章

セキュリティ上の脅威と対策

5-1 基本的な対策

何らかの脆弱性をつく形で脅威が発生したとき、セキュリティインシデント（セキュリティ上好ましくない事象）が発生します。インシデントの原因や、インシデントを発生させないための対策について解説します。

マルウェア対策

マルウェア（malware）とは、ユーザのパソコン（PC）やスマートフォンなどのデバイスに不利益をもたらす悪意のあるプログラムやソフトウェアを総称する言葉です。

マルウェア感染の予防

マルウェア感染の予防としては、まずパソコンに対策ソフトをインストールして、マルウェア検知用データを常に最新のものに更新しておくことが大切です。あわせて、OSやソフトウェアを更新しておくことも必要です。

それでもマルウェア感染を完全に防ぐことは不可能です。なぜなら、次々に新しいマルウェアが登場し、対策ソフト側の対応が追い付かないからです。

マルウェアに感染したら

もし、感染した可能性があれば、**パソコンのLANケーブルを抜く**、**無線LANのスイッチを切る**などの方法で、社内のネットワークからパソコンを切り離します。ネットワークにつながったままにしていると、企業や組織全体にマルウェアを蔓延させてしまうこともあるためです。そのうえで社内の情報システム部門などに連絡します。

メモ　マルウェア（malware）とは、英語のmalicious（マリシャス：悪意のある）とsoftware（ソフトウェア）の二つの単語が組み合わさった造語です。

安全なパスワード管理

パスワードが外部に流出した場合、自分のユーザアカウントが不正利用される可能性があります。業務で利用しているシステムのユーザアカウントであれば、企業機密や個人情報の流出につながる恐れがあります。

◎安全なパスワードの作成

他人に自分のユーザアカウントを不正に利用されないようにするには、推測されにくい安全なパスワードを作成します。

安全なパスワードの作成条件としては、以下のようなものがあります。

- 名前などの個人情報からは推測できないこと。
- 英単語などをそのまま使用していないこと。
- アルファベットと数字が混在していること。できれば記号やアルファベットの大文字と小文字も混在していること。
- 適切な長さの文字列であること。

安全なパスワードの作成だけでなく、パスワードを他人に知られないよう、かつ自分でも忘れてしまうことがないように管理が必要です。

また､パスワードはできる限り､複数のサービスで使い回さないようにしましょう。あるサービスから流出したアカウント情報を使って、他のサービスへの不正ログインを試す**パスワードリスト攻撃**という手法があります。この手法がとられた場合、何らかの原因で一つのサービスのパスワードが漏えいしてしまうと、他のサービスで重要情報にアクセスされてしまう可能性があります。

外出先で業務用端末を利用する場合の対策

企業において、外出先でも業務用のノートパソコンやタブレット端末を利用するケースが増えてきています。しかし、外部に持ち出した業務用端末の情報セキュリティ対策を怠っていたがために、情報漏えいを起こしてしまった事例が多数報告されています。

具体的には外部にノートパソコンなどを持ち出した場合には、電車内などへの置き忘れによる紛失や盗難、自宅や外出先でインターネットに接続することによるマルウェア感染などの危険性があります。これらのリスクを軽減するためには、次のような対策が考えられます。

- 盗難、紛失に備えて、持ち運ぶ必要のない機密情報、個人情報は保存しない。
- ハードディスクは暗号化して利用する。
- 容易に推測されにくいログインパスワードを設定して、他人には利用できないようにする。もしくは指紋などの生体認証付きの端末を使用する。
- 持ち出し用の端末が入った鞄を電車の網棚などに置かない。鞄から目を離さない。

組織的な対策としては、**MDM（Mobile Device Management：モバイルデバイス管理）**という仕組みの導入も有効です。これは企業が社員に支給する複数のスマートフォンやタブレット端末を、遠隔から一元管理するシステムや技術です。主に次の三つの機能が提供されます。

- 端末状態の制御やセキュリティ設定の一元管理
- リモートロックやワイプ（遠隔操作でのデータ消去）などによる紛失・盗難時の情報漏えい対策
- アプリのインストール禁止機能などによる不正利用の防止

ソーシャルエンジニアリング対策

ソーシャルエンジニアリングとは、マルウェアなどを用いずにパスワードなどの情報を盗み出す手法です。例えば、情報システム部門の担当者や取引先をよそおって電話をかけ、システムにログインするためのIDとパスワードを聞き出すなどといった手口があります。

その他にも、パスワードを打ち込んでいる人の肩越しに手元を見るといった例もあります。これは**ショルダーハッキング**といって、技術力は不要ですが立派な手口の一つです。ゴミ箱をあさる**トラッシング（スキャベンジング）**といった方法もあります。

ソーシャルエンジニアリング攻撃は対策が非常に困難です。隠されているIDを知りたいという好奇心や、立場が上の関係者を装われた際の権威に対する敬意、同僚を助けたいという願望など、人間に本来備わっている特性を利用するように設計されているからです。電話ではIDやパスワードを教えない、といったルール化も有効ですが、ソーシャルエンジニアリングの危険性の認識と警戒を強める教育や研修も必要です。

ここが重要！

ルール化などはアナログな対策と思えますが、ソーシャルエンジニアリングは簡単で安直な手口が多いからこそ、誰もが実行できて誰もが被害者になる可能性が高いです。さまざまなソーシャルエンジニアリングの手口や事例などを学び、危険性を認識して警戒心を強めることが大切です。

5-1のまとめ

- セキュリティ対策として技術面はもちろん重要であるが、管理面での現場における対策も必要である。
- 組織的な管理とともに個人のうっかりミスや不正、ソーシャルエンジニアリングをいかに防ぐかを考える。

コラム 安全なパスワードはどっち？

クイズです。次の二つのパスワードはどちらの強度（安全性）が強いでしょう。

① wZ5%HfAn
② uchinonekononamaehatamadesu

①はアルファベット大文字小文字52種、数字10種、記号10種の計72種類の文字の中から8文字を使用しています。②はアルファベット小文字26種の中から27文字を使用しています。

古典的なパスワード破りである**ブルートフォース攻撃**には、②の方が確率の上では強いことになります。文字列の組み合わせの数は、①は72の8乗で約7.2×10^{14}であり、②は26の27乗で約1.6×10^{38}となります。覚えにくいパスワードよりも覚えられるパスフレーズの方が強かったりするのですね。

IPA公式サンプル問題&徹底解説

基本情報サンプル問題（令和4年12月）問18

A社はIT開発を行っている従業員1,000名の企業である。総務部50名，営業部50名で，ほかは開発部に所属している。開発部員の9割は客先に常駐している。現在，A社におけるPCの利用状況は図1のとおりである。

▼図1　A社におけるPCの利用状況

1 A社のPC
- 総務部員，営業部員及びA社オフィスに勤務する開発部員には，会社が用意したPC（以下，A社PCという）を一人1台ずつ貸与している。
- 客先常駐開発部員には，A社PCを貸与していないが，代わりに客先常駐開発部員がA社オフィスに出社したときに利用するための共用PCを用意している。

2 客先常駐開発部員の業務システム利用
- 客先常駐開発部員が休暇申請，経費精算などで業務システムを利用するためには共用PCを使う必要がある。

3 A社のVPN利用
- A社には，VPNサーバが設置されており，営業部員が出張時にA社PCからインターネット経由で社内ネットワークにVPN接続し，業務システムを利用できるようになっている。規則で，VPN接続にはA社PCを利用すると定められている。

A社では，客先常駐開発部員が業務システムを使うためだけにA社オフィスに出社するのは非効率的であると考え，客先常駐開発部員に対して個人所有PCの業務利用（BYOD）とVPN接続の許可を検討することにした。

設問

客先常駐開発部員に，個人所有PCからのVPN接続を許可した場合に，増加する又は新たに生じると考えられるリスクを二つ挙げた組合せは，次のうちどれか。解答群のうち，最も適切なものを選べ。

(一) VPN接続が増加し，可用性が損なわれるリスク
(二) 客先常駐開発部員がA社PCを紛失するリスク
(三) 客先常駐開発部員がフィッシングメールのURLをクリックして個人所有PCがマルウェアに感染するリスク
(四) 総務部員が個人所有PCをVPN接続するリスク
(五) マルウェアに感染した個人所有PCが社内ネットワークにVPN接続され，マルウェアが社内ネットワークに拡散するリスク

解答群

ア (一)，(二)　イ (一)，(三)　ウ (一)，(四)
エ (一)，(五)　オ (二)，(三)　カ (二)，(四)
キ (二)，(五)　ク (三)，(四)　ケ (三)，(五)
コ (四)，(五)

解答・解説

基本情報サンプル問題（令和4年12月）問18　解答 エ

個人所有のPCを社内のVPNに接続する際のリスクに関する問題です。最初に登場した用語の解説をします。

- **VPN（Virtual Private Network）**：仮想専用線。拠点間をいわば仮想の専用線で結び、安全に情報をやり取りすることができる仕組み。送信側、受信側それぞれに設置した機器で**カプセル化**と呼ばれる処理を行うことで、第三者には見えない仮想的なトンネルを形成して通信する。

▼VPNの仕組み

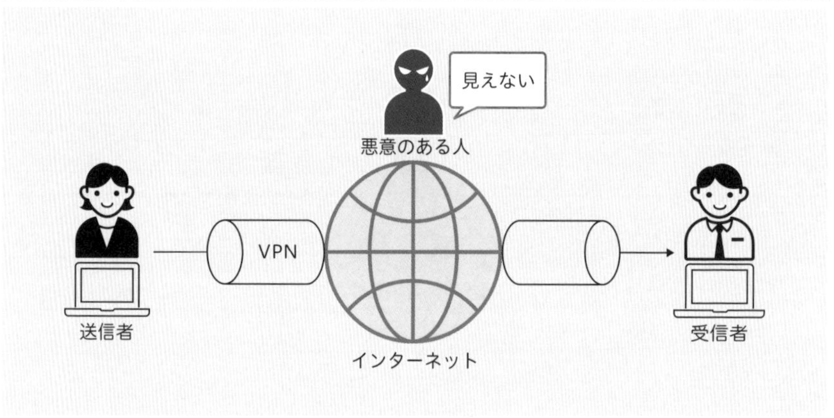

- **BYOD（Bring Your Own Device）**：個人が私物として所有しているパソコンやスマートフォンを業務に使う利用形態。
- **フィッシングメール**：送信者を詐称するなどした偽の電子メールを送信し、公式サイトを模倣した偽サイトに誘導する手口のこと。

設問で挙げられたリスクを検証しましょう。

(一) 客先常駐開発部員が自分のPCをVPNに接続することにより、通信量が増加します。また接続機器への負荷も増大しますので、接続できないといった事態や、通信速度が大幅に低下する事態も考えられます。これにより可用性が失われるリスクが発生します。

(二) 客先常駐開発部員は自分のPCを利用する前提ですので、A社PCを紛失するリスクはありません。

(三) フィッシングメールのURLをクリックして、個人所有PCがマルウェアに感染するリスクはあります。しかしこれはVPN接続を許可してもしなくても、同じです。リスクが増加するもしくは新たに発生するわけではありません。

(四) 総務部員には、個人所有のPCをVPN接続する許可を出しません。

(五) (三) にあるように、個人所有のPCがマルウェアに感染するリスクは常にあります。これを社内ネットワークにVPN接続することにより、マルウェアが社内ネットワークに拡散するリスクが発生します。

以上のことから、増加するもしくは新たに発生するリスクは (一) と (五) です。

解き方のアドバイス

(一) ～ (五) のうち、(二) (四) は図1の下の問題文を読むと、リスクにはならないことがわかります。残りのリスクのうち妥当なものはどれか、と消去法で考えていくのも一つの手です。設問は「増加するまたは新たに生じるリスク」なので、そこを読み落とさないようにしましょう。

5-2 標的型攻撃

標的型攻撃とは、機密情報を盗み取ることなどを目的として、特定の個人や組織を狙った攻撃です。業務関連のメールを装ったマルウェア付きメール（標的型攻撃メール）を、組織の担当者に送付する手口が知られています。

標的型攻撃の例と対策

標的型攻撃は、相手を信頼させるために、いきなりマルウェアを送りつけるのではなく、何度かメールのやり取りを行う場合もあります。攻撃者は、感染に成功したマルウェアに感染したPCやサーバを踏み台にして組織内のネットワークに侵入し、パソコンやサーバなどから機密情報を盗み出すなどの行為を行います。

例えば、取引先（実際には取引先を装った攻撃者）から「お世話になっております。先日はお打合せありがとうございました。議事録を添付しましたので、ご確認ください」というメールが届いたら、添付ファイルをクリックしてしまうかもしれません。**取引先名や打合せを行った事実**など、綿密に調査したうえで送ってきています。

こういった標的型攻撃に対する対策は、次のようなものです。

- 不審な添付ファイル・リンクを絶対にクリックしない。
- セキュリティに関する社内教育を徹底する。
- インシデント情報を迅速に共有する。
- 日常的にログをチェックする。

ビジネスメール詐欺（BEC：Business E-mail Compromise）

最近被害が増えている標的型攻撃の一種に**ビジネスメール詐欺**があります。偽の電子メールを組織・企業に送りつけ、従業員を巧妙に騙して攻撃者の用意した口座へ送金させる詐欺の手口です。標的型攻撃とビジネスメール詐欺の目的は以下のように異なります。

- **標的型攻撃**：**情報窃取や企業システムのコントロール**が目的。一方的に送りつけた電子メールのファイルを開かせたり記載したURLをクリックさせたりして、ランサムウェアなどのマルウェアを送り込む。
- **ビジネスメール詐欺**：**相手に送金させることによる金銭奪取**が目的。人間の心理や信頼を逆手に取ったメッセージで相手を騙し、お金を振り込ませる。

ビジネスメール詐欺では、取引先の担当者になりすました攻撃者が、銀行口座証明書類を偽造し、振込先口座変更を依頼してきた事例があります。「振込口座が変更になりました」というメールに、偽造された銀行口座の証明書が添付されていたため、確認しないまま攻撃者が用意した別の口座に振り込んでしまったという例です。

ビジネスメール詐欺も、まずはこのような攻撃手法があるということを知ることが重要です。そのうえで次のような対策をとります。

- 普段と異なるメールは社内で相談・連絡し、情報共有する。
- 急な振込先や決済手段の変更などが発生した場合、取引先へメール以外の方法で確認する。

ここが重要！

標的型攻撃やビジネスメール詐欺は、メールを利用するという点が共通しています。近年は非常に巧妙な手口が増えています。何も信用できない（ゼロトラスト）という姿勢が必要です。と同時に「怪しいメールと思ったとき」「気づかずに怪しいリンクをクリックしてしまったとき」にセキュリティポリシーに従って正しく行動できるかも重要です。

5-2のまとめ

- ばらまき型のマルウェアではなく、個人や企業を狙った標的型攻撃が増加している。
- 事前に十分調査したうえでの攻撃なので、被害を受けやすい。
- どのような種類の攻撃があって、何に注意するべきかを知っておくことが重要になる。

IPA公式サンプル問題＆徹底解説

情報セキュリティマネジメント サンプル問題（令和4年12月）問60

10 min

A社は輸入食材を扱う商社である。ある日，経理課のB課長は，A社の海外子会社であるC社のDさんから不審な点がある電子メール（以下，メールという）を受信した。B課長は，A社の情報システム部に調査を依頼した。A社の情報システム部がC社の情報システム部と協力して調査した結果を図1に示す。

▼図1　調査の結果（抜粋）

1　B課長へのヒアリング並びに受信したメール及び添付されていた請求書からは，次が確認された。

[項番 1]　Dさんが早急な対応を求めたことは今まで1回もなかったが，メール本文では送金先の口座を早急に変更するよう求めていた。

[項番 2]　添付されていた請求書は，A社がC社に支払う予定で進めている請求書であり，C社が3か月前から利用を開始したテンプレートを利用したものだった。

[項番 3]　添付されていた請求書は，振込先が，C社が所在する国ではない国にある銀行の口座だった。

[項番 4]　添付されていた請求書が作成されたPCのタイムゾーンは，C社のタイムゾーンとは異なっていた。

[項番 5]　メールの送信者（From）のメールアドレスには，C社のドメイン名とは別の類似するドメイン名が利用されていた。

[項番 6]　メールの返信先（Reply-To）はDさんのメールアドレスではなく，フリーメールのものであった。

[項番 7]　メール本文では，B課長とDさんとの間で6か月前から何度かやり取りしたメールの内容を引用していた。

2　不正ログインした者が，以降のメール不正閲覧の発覚を避けるために実施したと推察される設定変更がDさんのメールアカウントに確認された。

設問　B課長に疑いをもたれないようにするためにメールの送信者が使った手口として考えられるものはどれか。図1に示す各項番のうち，該当するものだけを全て挙げた組合せを，解答群の中から選べ。

解答群

ア　[項番1]，[項番2]，[項番3]　イ　[項番1]，[項番2]，[項番6]
ウ　[項番1]，[項番4]，[項番6]　エ　[項番1]，[項番4]，[項番7]
オ　[項番2]，[項番3]，[項番6]　カ　[項番2]，[項番5]，[項番7]
キ　[項番3]，[項番4]，[項番5]　ク　[項番3]，[項番5]，[項番7]
ケ　[項番4]，[項番5]，[項番6]　コ　[項番5]，[項番6]，[項番7]

解答・解説

情報セキュリティマネジメントサンプル問題（令和4年12月）問60　解答 カ

メールの送信者が使った「手口」であることに注意して、解答群をチェックします。

[項番1] ×

これまでと異なる内容のメールであれば、受信者は疑いをもちます。送信者の手口ではありません。

[項番2] ○

「C社が実際に使っているテンプレート」をもとに作成した偽の請求書を添付しています。これによりDさんからのメールであると誤認させようとしています。

[項番3] ×

振込先がC社が所在しない国の場合、受信者は疑いをもちます。送信者の手口ではありません。

[項番4] ×

請求書が作成されたPCのタイムゾーンがC社のタイムゾーンとは異なっていたということは、C社とは別の国で作成されているということになります。送信者の手口ではありません。

[項番5] ○

メールアドレスのドメインはC社ドメインと異なっているものの、類似しています。これにより、C社からのメールであると誤認させようとしています。

[項番6] ×

メールの返信先がフリーメールなのは不自然です。送信者の手口ではありません。

[項番7] ○

内部とのやり取りを引用することで、Dさんからのメールであると誤認させようとしています。

したがって「[項番2]、[項番5]、[項番7]」が適切な組み合わせです。

解き方のアドバイス

「疑いをもたれないようにメールの送信者が使った手口」を選びます。つまり、これだと騙されてしまいそうだ、というものを選ぶことになります。逆に、これだったら疑うぞ、というものを消去していきましょう。

コラム　標的型攻撃の対応訓練

標的型攻撃は一般的なマルウェア対策では防ぎきれず、また社内ルールを策定したとしても、完全には防ぐことが難しい攻撃です。人間の「ついうっかり」を突いているからです。対策の一つとして、最近多くの企業で**標的型メール攻撃への対応訓練**が実施されています。

これは全社員に対して標的型攻撃の模擬メールを送信して、メール本文中のURLをクリックするかどうか、添付ファイルを開封するかどうかをチェックするものです（URLのクリックや不審な添付ファイルの開封をするのは望ましくありません）。社内のセキュリティルールに沿った対応ができるかどうかのテストです。この訓練をサービスとして提供している企業もあります。

私は絶対大丈夫と言い切れますか？ 特殊詐欺（オレオレ詐欺）みたいですね。

5-3 バックアップ

今やデータやシステムのプログラムは、企業にとって非常に重要な資産です。万が一、事故や障害により、データなどが破損・紛失してしまうと、企業にとっては大きな損失となります。また、最近はデータを暗号化して使用不能にするマルウェアの被害も増えています。そこで、定期的にデータやシステムを複製（バックアップ）し、管理する事が重要です。

 バックアップの運用で考慮すること

バックアップの運用は、**複製するデータやシステムの重要度**と、**万が一障害が生じたとき復旧させるためのコスト**を考慮して下記事項を決定します。

- 対象
- 保管媒体の種類
- 頻度（インターバル）
- 方式
- 保存期間
- 世代管理
- 保管場所

◎対象

バックアップの対象となるデータやシステムのプログラムを決定します。

◎保管媒体の種類

テープ、磁気ディスク、CD/DVD、フラッシュメモリ（USBメモリなど）、ネットワークストレージなどの媒体があります。それぞれバックアップにかかる時間やコストが違います。複数の組み合せも考慮することが望ましいといえます。

◎頻度（インターバル）

バックアップの時間的間隔です。毎日行う、１週間単位で行う、１ヶ月単位で

行うなどを決める必要があります。基本的にはデータが消失してしまっても、ダメージが最小限になるような頻度でバックアップをとる必要があります。その「消失した分が許容できる範囲の期間」に合わせて頻度を調整します。バックアップの頻度が高ければ安全性は増しますが、手間がかかり運用の負担は大きくなります。

ここが重要！

実際に膨大な量のデータをバックアップしようとすれば、それだけで多くの時間を使います。また、保存先のデータ容量も消費します。一方でバックアップの間隔を長くすれば、復旧できる時点のデータが古いものになってしまいます。バックアップはシステムが業務に利用されていない時間を選び、できるだけこまめに実施するのが理想です。

◎方式

フルバックアップ、**差分バックアップ**、**増分バックアップ**のどの方法をとるかを選択します。基本的には、インターバルとの組み合わせで複数方式を利用することになります。例えば、週に1回フルバックアップを実施し、毎日増分バックアップを実施するといった方法です。

- **フル（完全）バックアップ**：ディスク内の全てのデータを完全に複製する。一度で復旧（リストア）できるため手間が少ない。ただし、データ量が多いのでバックアップに時間がかかる。
- **差分バックアップ**：フルバックアップから変更・追加されたデータを複製する。バックアップのデータ量を少なくできる。復旧は前回のフルバックアップと差分の二つのデータだけで可能。
- **増分バックアップ**：前回行われたバックアップから変更・追加されたデータのみ複製する。バックアップのデータ量をもっとも少なくできる。復旧は増分バックアップをした回数分のデータをつなぎ合わせるので作業が複雑になる。

▼バックアップの方式のイメージ

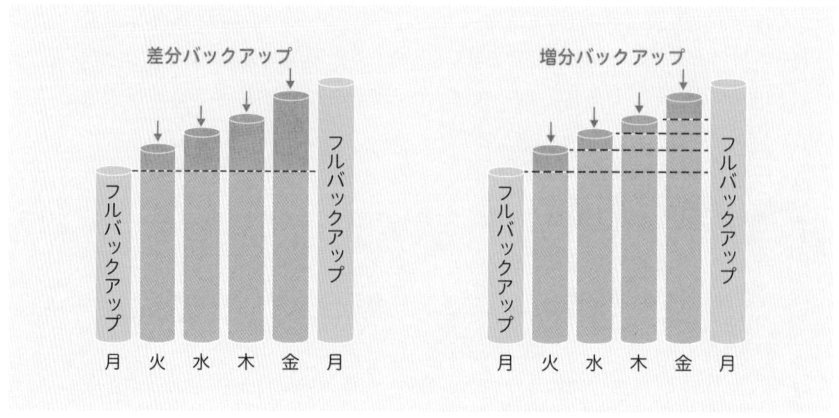

○保存期間

バックアップしたデータを保存する期間であり、**頻度**と**世代管理**に影響されます。また、財務データ、許認可や届出に関するデータ、医療・保険関係など、データの種類によっては、法的に保存期間が設定されている場合があります。

○世代管理

世代管理とは、最新データだけでなく、それ以前のデータもバックアップして管理することです。例えば、1日1回バックアップをとる環境における「3世代保存」では、過去3日間のデータを保存します。バックアップファイルには直近3日分のデータが保存され、それ以前のデータは自動的に削除されます。複数世代のデータを保存しておけば、何らかのトラブルが発生した際、直近の状態に復旧できるのはもちろん、それより前の時点までさかのぼってデータを復旧することも可能です。

例えば、今日データがマルウェアに感染したとします。詳しく調査した結果、昨日のデータもすでに感染していたということもあり得ます。世代管理をしていれば、管理している世代の中からデータを復元する時点を自由に選択することができます。

▼世代管理しているデータを選択して復元①

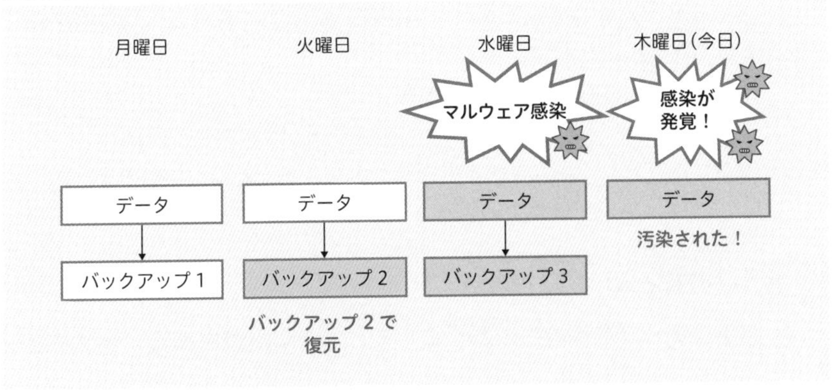

マルウェアの中には**潜伏期間**をもつものもあります。木曜日に感染が発覚したけれども、感染したのは実は火曜日だったという例です。このとき、バックアップ3と2はすでに感染しています。もし世代管理されていれば、月曜日に取得したバックアップ1を使い、感染前のデータに復元できます。火曜日・水曜日の更新は失われますが、全てのデータを失うことはありません。何世代のデータをどれくらいの期間保存するのかは、データの重要度とコストや手間を考えて設定します。

▼世代管理しているデータを選択して復元②

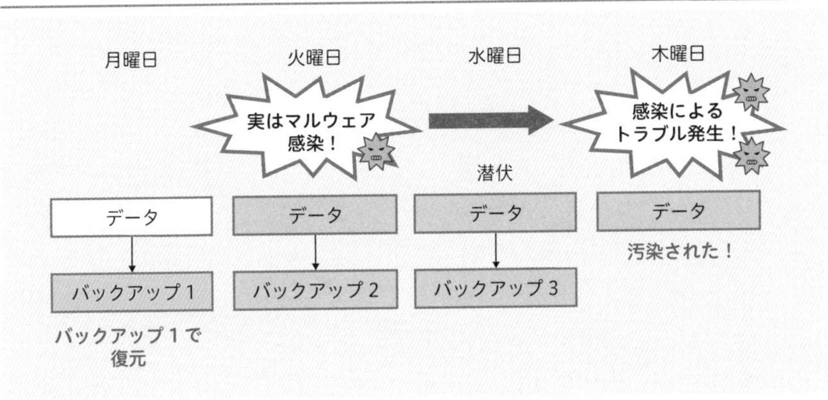

○保管場所

利用目的により、システムと同じ場所、同一建屋内、別建屋内、近距離の外部、遠距離の外部などを選択します。少なくとも、物理的に違うストレージにバックアップを行う必要があります。災害などのリスクを考えると、遠隔地にバックアップを保管することが理想です。ただし頻度と手間を考慮して、複数の方式とローテーションを組み合わせるのが望ましいです。

例えば、毎日取得する差分バックアップは同一ビル内(東京)に保管し、月に1回取得するフルバックアップを北海道支社に送付する、といった例です。

5-3のまとめ

- バックアップを保存しておくことで、何かしらの原因でデータが消えても、復旧できる。
- バックアップデータを世代管理することで、万が一のときのリスク分散になる。
- データの重要性やコストを勘案してバックアップの運用方法を決める必要がある。

IPA公式サンプル問題＆徹底解説

情報セキュリティマネジメント サンプル問題（令和4年12月）問54

A社は旅行商品を販売しており，業務の中で顧客情報を取り扱っている。A社が保有する顧客情報は，A社のファイルサーバ1台に保存されている。ファイルサーバは，顧客情報を含むフォルダにある全てのファイルを磁気テープに毎週土曜日にバックアップするよう設定されている。バックアップは2世代分が保存され，ファイルサーバの隣にあるキャビネットに保管されている。

A社では年に一度，情報セキュリティに関するリスクの見直しを実施している。情報セキュリティリーダーであるE主任は，A社のデータ保管に関するリスクを見直して図1にまとめた。

▼図１　Ａ社のデータ保管に関するリスク（抜粋）

１．ランサムウェアによってデータが暗号化され，最新のデータが利用できなくなることによって，最大1週間分の更新情報が失われる。
２．（省略）
３．（省略）
４．（省略）

E主任は，図1の1に関するリスクを現在の対策よりも，より低減するための対策を検討した。

設問　E主任が検討した対策はどれか。解答群のうち，最も適切なものを選べ。

解答群

ア　週1回バックアップを取得する代わりに，毎日1　回バックアップを取得して7世代分保存する。

イ　バックアップ後に磁気テープの中のファイルのリストと，ファイルサーバのバックアップ対象フォルダ中のファイルのリストを比較し，差分がないことを確認する。
ウ　バックアップに利用する磁気テープ装置を，より高速な製品に交換する。
エ　バックアップ用の媒体を磁気テープからハードディスクに変更する。
オ　バックアップを二組み取得し，うち一組みを遠隔地に保管する。
カ　ファイルサーバにマルウェア対策ソフトを導入する。

解答・解説

情報セキュリティマネジメントサンプル問題（令和4年12月）問54 解答 ア

A社では週に1回、フルバックアップを実施しているだけです。しかも物理的に近い場所に保存しています。対策的には色々問題がありそうですが、設問で聞かれているのは、「ランサムウェアによってデータが暗号化され、最新のデータが利用できなくなることによって、最大1週間分の更新情報が失われるリスク」を低減するための対策です。これを念頭において、選択肢を確認しましょう。

ア　フルバックアップの頻度を毎日1回に変更すれば、ランサムウェアによってデータが暗号化され、最新のデータが利用できなくなっても、前日のデータに復元することができるようになります。リスクが現実化したときの影響を小さくする策なので、リスク低減策といえます。

イ　差分がないことを確認することは、「バックアップに誤りがないか」の確認です。完全性を確保する手段といえます。リスク低減策ではありません。

ウ　バックアップ時間の短縮になりますが、リスク低減策にはなりません。

エ　ハードディスクに変更することで、バックアップ時間の短縮にはなりますが、リスク低減策にはなりません。

オ　バックアップを一組遠隔地に保存することで、災害時などの事業継続への備えとはなりますが、バックアップ頻度が今のままでは、最大1週間分の更新情報が失われるリスクは低減できません。

カ　ファイルサーバにマルウェア対策ソフトを導入することで、感染リスクは低減できます。ただし、ここで問われているのは「最大1週間分の更新情報が失われる」リスクを低減するための対策です。本選択肢は、直接関係がないといえます。

解き方のアドバイス

問題の例は色々突っ込みどころがあります。ただ、設問で聞かれていることは何かを意識しましょう。技術的に難しいところはないので、各選択肢が何の対策になるかを考えれば解答できます。

「問題文の前提が少々あやしい」「多数のダミーやひっかけの選択肢」があることは実際の試験でも十分あり得ます。出題者としては、「設問で聞かれていることにだけ答えなさい」というスタンスのようです。

コラム ランサムウェアの被害

この問題にもあるランサムウェアの被害が近年は増えています。ランサムウェアは、企業の重要データと引き換えに身代金を要求するサイバー攻撃の一つです。

例えば2021年10月、国内の公立病院がランサムウェア「LockBit」の攻撃を受け、診療報酬計算や電子カルテの閲覧に使用する基幹システムが利用できなくなり、新規患者の受け入れを一時停止しました。データ復旧の条件として身代金を要求されましたが、病院側は要求には応じず、約2カ月後にサーバを復旧させました。また、通常診療もサイバー攻撃から約2カ月後に再開させました。バックアップシステムまで被害が及んでいたため、復旧に時間を要しました。

やはり世代管理は必要です。

出典：つるぎ町立半田病院
https://www.handa-hospital.jp/topics/2022/0616/index.html

5-4 ファイアウォール

ファイアウォールとは、元々は火災などから建物を防御するための防火壁のことです。外部のネットワークからの攻撃や、不正なアクセスから自社のネットワークやコンピュータを防御するためのソフトウェアやハードウェアも、ファイアウォールと呼びます。火災のときに被害を最小限に食い止める防火壁のような役割を果たすからです。

ファイアウォールの設置場所と構成要素

ファイアウォールは、通常セキュリティレベルの異なる二つ以上のネットワークの接続点に設置され、定められたセキュリティポリシーに従ってネットワーク通信を制御します。例えば下図のように、**DMZ**と**社内LAN**の間に置いて、二つのネットワーク領域（セグメント）を切り分けます。

▼ファイアウォールの仕組み

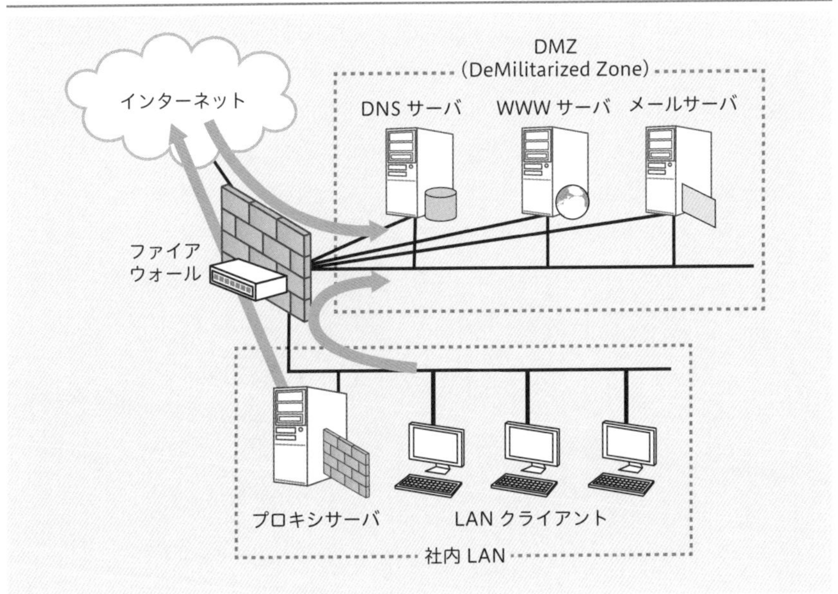

○DMZ（DeMilitarized Zone：非武装セグメント、緩衝地帯）

DMZは、内部と外部の中間に位置し、ファイアウォールによって内部からも外部からも隔絶されたネットワークセグメントのことです。主として公開サーバを設置する目的で構築されます。DMZに設置された公開サーバは、ファイアウォールによって外部の攻撃から保護されますし、万が一攻撃者がDMZに設置された公開サーバに侵入した場合でも、社内LANに到達するにはファイアウォールを乗り越えなければならなりません。

メモ 公開サーバ類は、外部向けなので、どうしても攻撃を受けやすい性質があります。そのような性質を加味して、セグメント化によりセキュリティレベルを分けるのがファイアウォールです。

○社内LAN（内部セグメント）

社内LANは、ファイアウォールよりも内側、すなわち、ファイアウォールによって保護されたネットワークです。基本的に外部（インターネット）とは直接通信しません。**DMZ**か**プロキシサーバ**を経由することになります。

○プロキシサーバ

プロキシサーバは、インターネットへのアクセスを代理で行うサーバです。プロキシサーバを使用すると、例えばWebサイトにアクセスする場合も、ブラウザで直接Webサイト（WWWサーバ）にアクセスせずに、プロキシサーバにアクセスします。プロキシサーバは、クライアントの代わりに目的のサイトにアクセスしてデータを受け取り、クライアントにデータを渡して表示させせます。WebサイトにはクライアントのIPアドレスは送られず、セキュリティレベルが高くなります。

▼プロキシサーバの役割

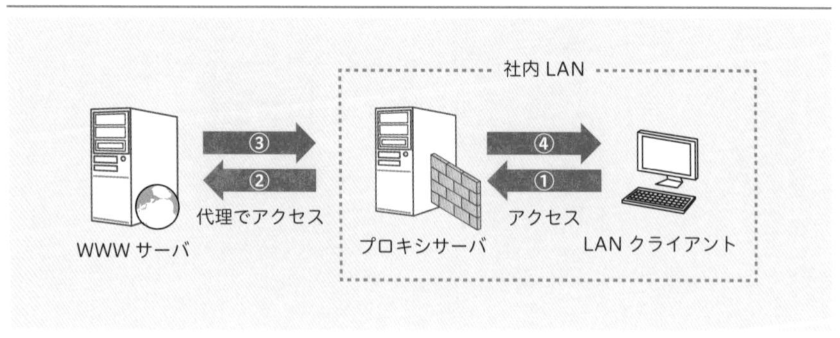

ここが重要!

サンプル問題では、ネットワーク図を掲載した問題は出題されていません。テクニカル面よりも管理面を重視していることがうかがわれます。科目Bではファイアウォールの運用面が問われることが多いでしょう。セキュリティポリシーとの整合性の維持や日常管理の方法などが問われます。

5-4のまとめ

- ファイアウォールは、外部のネットワークからの攻撃や不正なアクセスから、自分たちのネットワークやコンピュータを防御するためのソフトウェアやハードウェアなどのこと。

コラム ファイアウォール

ファイアウォールは防火壁と訳されます。外部の全ての脅威から社内ネットワークを守れるような印象がありますが、そうではありません。

ファイアウォールの大まかな種類には、**パケットフィルタリング型**と**アプリケーション・ゲートウェイ型**があります。

パケットフィルタリング型はパケットヘッダー情報(プロトコル、送信元、送信先アドレス、ポート番号などの情報)のみでアクセス許可・拒否を判断します。そのためヘッダー情報さえアクセス許可の定義をクリアすれば、中に不正データが入っていようが社内ネットワークへ侵入することが可能です。

一方でアプリケーション・ゲートウェイ型は通信を中継するプロキシサーバがアプリケーションレベルでフィルタリングを行い、代理で外部ネットワークと通信して必要な情報だけを受け取り社内ネットワークへ接続させます。その分細かいアクセス制御ができます。しかし、アプリケーション・ゲートウェイ型自体の脆弱性(バグ、欠点)を狙った攻撃の場合、不正アクセスを防ぐことはできません。

これだけで万全というセキュリティ対策はなく、複合的な対策が必要ということになります。

IPA公式サンプル問題＆徹底解説

基本情報サンプル問題（令和4年12月）問20

A社は栄養補助食品を扱う従業員500名の企業である。A社のサーバ及びファイアウォール（以下，FWという）を含む情報システムの運用は情報システム部が担当している。

ある日，内部監査部の監査があり，FWの運用状況について情報システム部のB部長が図1のとおり説明したところ，表1に示す指摘を受けた。

▼図１　FWの運用状況

- FWを含め，情報システムの運用は，情報システム部の運用チームに所属する6名の運用担当者が担当している。
- FWの運用には，FWルールの編集，操作ログの確認，並びに編集後のFWルールの確認及び操作の承認（以下，編集後のFWルールの確認及び操作の承認を操作承認という）の三つがある。
- FWルールの編集は事前に作成された操作指示書に従って行う。
- FWの機能には，FWルールの編集，操作ログの確認，及び操作承認の三つがある。
- FWルールの変更には，FWルールの編集と操作承認の両方が必要である。操作承認の前に操作ログの確認を行う。
- FWの利用者IDは各運用担当者に個別に発行されており，利用者IDの共用はしていない。
- FWでは，機能を利用する権限を運用担当者の利用者IDごとに付与できる。
- 現在は，6名の運用担当者とも全権限を付与されており，運用担当者はFWのルールの編集後，編集を行った運用担当者が操作に誤りがないことを確認し，操作承認をしている。
- FWへのログインにはパスワードを利用している。パスワードは8文字の英数字である。
- FWの運用では，運用担当者の利用者IDごとに，ネットワークを経由せずコンソールでログインできるかどうか，ネットワークを経由してリモートからログインできるかどうかを設定できる。

・FWは，ネットワークを経由せずコンソールでログインした場合でも，ネットワークを経由してリモートからログインした場合でも，同一の機能を利用できる。
・FWはサーバルームに設置されており，サーバルームにはほかに数種類のサーバも設置されている。
・運用担当者だけがサーバルームへの入退室を許可されている。

▼表1　内部監査部からの指摘

指摘	指摘内容
指摘1	FWの運用の作業の中で，職務が適切に分離されていない。
指摘2	（省略）
指摘3	（省略）
指摘4	（省略）

B部長は表1の指摘に対する改善策を検討することにした。

設問　表1中の指摘1について，FWルールの誤った変更を防ぐための改善策はどれか。解答群のうち，最も適切なものを選べ。

解答群

ア　Endpoint Detection and Response（EDR）をコンソールに導入し，監視を強化する。
イ　FWでの運用担当者のログインにはパスワード認証の代わりに多要素認証を導入する。
ウ　FWのアクセス制御機能を使って，運用担当者をコンソールからログインできる者，リモートからログインできる者に分ける。
エ　FWの運用担当者を1人に限定する。
オ　運用担当者の一部を操作ログの確認だけをする者とし，それらの者には操作ログの確認権限だけを付与する。
カ　運用担当者を，FWルールの編集を行う者，操作ログを確認し，操作承認をする者に分け，それぞれに必要最小限の権限を付与する。
キ　作業を行う運用担当者を，曜日ごとに割り当てる。

解答・解説

基本情報サンプル問題（令和4年12月）問20　解答 カ

ファイアウォール（以下FW）の運用監査における指摘事項に関する問題です。指摘は「職務が適切に分離されていない」ことです。これは、**職務分掌**というルールで「入力や編集とそれらの操作の承認は別の人物が行う」という原則です。

例えば、出張旅費の入力とそれを承認する人が同じだったらどうなるでしょう。不正な申請も承認されてしまうかもしれません。また、自分で入力したもののミスは見つけにくいものです。そのため、**職務（特に入力と承認）は分離する**というルールが必要なわけです。

設問の事例のどこがいけないのか、図1の中から探していきましょう。

- FWルールの変更には、FWルールの編集と操作承認の両方が必要である。・・・
- 現在は、6名の運用担当者とも全権限を付与されており、・・・

この運用方法だと、6名全員がFWルールの編集と操作承認の権限があり、一人だけでルールの変更が可能です。指摘されているのはこの点です。選択肢の中で、編集と操作承認の権限を分離するとなっているのは、「カ」だけです。

ア　**EDR（Endpoint Detection and Response）**とは、ユーザが利用するPCやサーバ（これらをエンドポイントといいます）における不審な挙動を検知し、管理者に通知する仕組みです。セキュリティレベルは上がりますが、FWルールとは関係がありません。ちなみに**コンソール**とは運用の制御盤のことを指しますが、サーバルーム内のサーバを操作するキーボードと理解して問題ありません。

イ　**多要素認証**とは、PCやサーバへのアクセス時に、二つ以上の「要素」によって行う認証です。この「要素」は、以下の三つの種類を指します。

- ID・パスワード、PINコード、秘密の質問などの**知識要素**
- 携帯電話やスマートフォン、ICカードなどの**所有物要素**
- 顔や指紋、虹彩（目の膜）などの**生体要素**

多要素認証もセキュリティレベルは上がりますが、FWルールとは関係がありません。

ウ　ログインする端末がコンソールであっても、リモートであっても操作権限には関係がありません。

エ　FWの運用担当者を一人に限定しても、その担当者に編集と操作承認の権限が付与されていれば職務分掌とはいえません。

オ　権限に触れていますが、運用担当者の「一部」の権限を制限したとしても、残りの運用担当者に元のままの権限が付与されていれば職務分掌とはいえません。

キ　運用担当者を曜日ごとに変更しても、権限とは関係がありません。

解き方のアドバイス

FWの運用に関するルールの問題です。ただEDRや多要素認証といった用語がわからないと、迷ってしまうかもしれません。午前のセキュリティ問題で知識を増やしておきたいところです。また、問題文の図1のボリュームが多いので、読みながら問題を解くためには**必要のない情報を切り分けること**が重要です。例えば今回は「職務が適切に分離されていない」という指摘なので、パスワードの桁数やFWにアクセスするのがコンソールかリモートか、は関係のない情報です。目は通しても一字一句をキッチリ読む必要はありません。しかし権限に関する記述は、丁寧に読む必要があります。

5-5 物理的セキュリティ

ここまで、主にネットワーク経由の論理的セキュリティについて学んできましたが、セキュリティには物理的な面もあります。物理的脅威とは、物理的に破損したり妨害されたりすることをいいます。

物理的脅威の例

物理的脅威には、地震・洪水・火災などがあります。機器が落ちて破損して使えなくなったり、水害などで壊れたりするという事例はしばしば起きています。また、機器の経年による故障もあります。人間が侵入して、機器を盗んだり、機密情報を盗み見したりすることも考えて対策しなければなりません。

情報セキュリティの災害対策

情報セキュリティの災害対策としては、次のようなものがあります。

- スプリンクラーや消火器を設置、定期点検する。ただし機器（サーバなど）のある部屋は水損事故を防ぐため、ガス消化設備を整えることが多い。
- 熱をもちやすい機器の近くに可燃物を置かない。
- 高い場所に物を置かない。
- 予備電源を用意しておく。
- 避難訓練を行う。

人間による物理的脅威のための対策

一方、外部からの侵入者を遮断・隔離するためには、**入退室管理**が必要です。これには次のような対策があります。

- 警備員の配置や警備システムの導入。
- 監視カメラを設置して不審な行動を見張る。

- オフィスの入口にスマートロックを導入する。

警備員を配置することがもっともセキュリティレベルが高いですが、これはかなりのコストがかかります。一般的にセキュリティレベルとコストはトレードオフの関係にあります。どのレベルのセキュリティが求められ、どの程度のコストが許容されるか、バランスの問題ということです。

スマートロックと共連れ

警備員を配置できない場合に、よく用いられるのがスマートロックです。**スマートロック**は物理的な鍵を使わずにドアを施解錠できるシステムで、スマホやICカード、指紋などの生体認証を使って施解錠します。ただ、この仕組みも万全とはいえません。入室許可者がドアやゲートを開けたタイミングで、立ち入りを制限されている人が一緒に入室する**共連れ**という行為を防げないからです。マンションの入口などでもよく見かける、住人の後ろについて入っていく、あのパターンです。

共連れの防止対策

共連れには**入室許可者が意図的に第三者を招き入れる場合**、**許可を得ていない人が勝手に入室する場合**の2パターンがあります。共連れは情報漏えいのリスクやシステムの不正操作などの危険性があるため、防止対策が求められます。共連れ防止対策としては、次のようなものがあります。

カメラの設置

カメラを設置することで**共連れの証拠映像**を保存できます。また、遠隔でのモニタリングが可能なため、さまざまな場所の監視が一カ所で行えて、共連れがあった場合にはアラームなどでオフィスに知らせることができます。

セキュリティゲートの設置

セキュリティゲートとは、生体認証やICカードなどの認証システムで許可された人だけを通すゲートのことです。駅の自動改札のイメージです。

アンチパスバックの利用

アンチパスバックとは、入室時の認証記録が確認できないと退室を許可しない仕組みのことです。これにより、仮に不審者が共連れで入室に成功しても退室ができないため、情報漏えいなどのリスクを軽減できます。

従業員への教育・周知

セキュリティ対策に万全はありません。機器や仕組みに頼るだけでなく、個々の意識を高めることも重要です。従業員に「共連れによる入退室は違反である」という教育を徹底したり、外部要員に知らせるためにドアにポスターを貼ったりすることも効果があります。

ここが重要!

セキュリティという言葉からすぐに思い浮かぶのは、ネットワークセキュリティでしょう。しかし、災害・故障・破壊・盗難といった物理的な脅威から資産を守る物理的なセキュリティも考える必要があります。特に破壊や盗難は人的な脅威です。対策もアナログなものになることがあります。

5-5のまとめ

- セキュリティ対策には、「論理的セキュリティ対策」と「物理的セキュリティ対策」がある。
- 物理的セキュリティ対策は、建物などの設備やハードウェアに対して実施する。
- 具体的には、建物の耐震対策や建物への施錠、入退室の管理、PCの盗難防止対策や停電・瞬停に対する無停電電源の設置などが挙げられる。

IPA公式サンプル問題＆徹底解説

情報セキュリティマネジメント
サンプル問題（令和4年12月）問53

8 min

A社は，高級家具を販売する企業である。A社は2年前に消費者に直接通信販売する新規事業を開始した。それまでA社は，個人情報はほとんど取り扱っていなかったが，通信販売事業を開始したことによって，複合機で印刷した送り状など，顧客の個人情報を大量に扱うようになってきた。そのため，オフィス内に通販事業部エリアを設け，個人情報が漏えいしないよう対策した。具体的には，通販事業部エリアの出入口に，ICカード認証でドアを解錠するシステムを設置し，通販事業部の従業員だけが通販事業部エリアに入退室できるようにした。他のエリアはA社の全従業員が自由に利用できるようにしている。図1は，A社のオフィスのレイアウトである。

▼図1　A社のオフィスのレイアウト

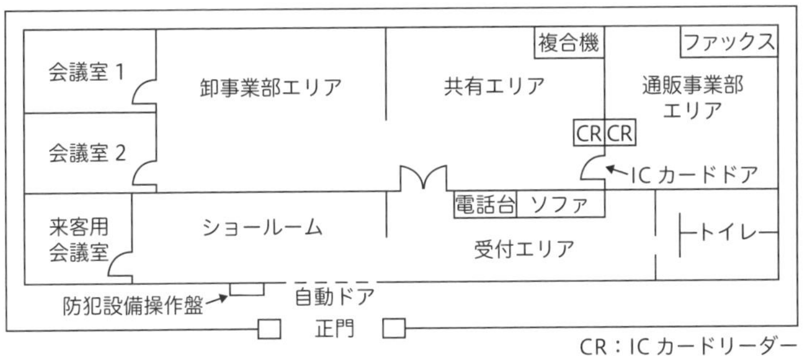

このレイアウトでの業務を観察したところ，通販事業部エリアへの入室時に，A社の従業員同士による共連れが行われているという問題点が発見され，改善案を考えることになった。

設問

改善案として適切なものだけを全て挙げた組合せを，解答群の中から選べ。

(一) IC カードドアに監視カメラを設置し，1年に1回監視カメラの映像をチェックする。
(二) IC カードドアの脇に，共連れのもたらすリスクを知らせる標語を掲示する。
(三) IC カードドアを，AES の暗号方式を用いたものに変更する。
(四) IC カードの認証に加えて指静脈認証も行うようにする。
(五) 正門内側の自動ドアに共連れ防止用のアンチパスバックを導入する。
(六) 通販事業部エリア内では，従業員証を常に見えるところに携帯する。
(七) 共連れを発見した場合は従業員同士で個別に注意する。

解答群

ア (一)，(二)　イ (一)，(四)　ウ (一)，(五)
エ (二)，(三)　オ (二)，(七)　カ (三)，(六)
キ (三)，(七)　ク (四)，(六)　ケ (五)，(六)
コ (五)，(七)

解答・解説

情報セキュリティマネジメントサンプル問題(令和4年12月)問53　解答 オ

各選択肢について、改善案として妥当かどうかをチェックしましょう。

(一) 監視カメラを設置することで、共連れの証拠映像を保存できます。しかし、1年に1回の映像確認では監視の実効性は期待できません。
(二) 共連れのもたらすリスクを知らせる標語により、外部要員に禁止事項を知らせることができます。また個々の良心や倫理観に訴えることで、不正を防止する効果があります。
(三) ICカードドアの解錠方式を変更しても、共連れは防げません。
(四) (三)と同様に、解錠方法のセキュリティを強化しても、共連れは防げません。
(五) アンチパスバック自体は共連れを防止するための仕組みですが、正門内側の自動ドアに導入しても、意味がありません。**通販事業部エリアの入口**に導入しなければなりません。
(六) セキュリティレベルを上げる効果はありますが、従業員証を見ただけでは共連れで入室したのか、正当に入室したのかを判断することができません。
(七) お互いに注意することで、監視効果があります。心理的抑制効果もあります。

以上から(二)と(七)が改善案として妥当です。

解き方のアドバイス

(一)や(五)は「ひっかけ」です。「アンチパスバック！これだ」と飛びつかずに、選択肢をきちんと読みましょう。アナログな対策のように思えても、実際には効果がありますし、問題の正解ということも多いです。

memo

第6章

業務とセキュリティ

6-1 権限管理

権限とは、本来個人がその立場でもつ権利・権力の範囲です。部長には部長の、課長には課長の権限があります。また、限られた人だけが入室できる入室権限なども思いつくかもしれません。情報処理試験でよく登場する権限は、「アクセス権限」です。

 アクセス権限とは

アクセス権限(アクセス権)とは、システムの登録利用者や利用者のグループに対して設定される、「そのシステムの管理する資源」を使用する権限のことです。つまり、「誰が」「どの資源に」「どういうアクセス」をしてよいか、という権利です。ここでの資源とは、以下のようなものが該当します。

- システムそのもの
- ファイル
- データベース

この権限管理におけるポイントは次の四つです。

(1) 最小権限の原則
(2) 職務分掌
(3) ユーザ認証と認可
(4) 定期的なレビューと更新

 (1) 最小権限の原則

最小権限の原則は、ユーザの業務に必要な最小限の権限を与えるという考え方です。つまり、ユーザには業務遂行に必要な権限のみを与え、不必要な権限をもたせないようにします。これにより、情報漏えいや不正利用のリスクを最小限に抑えることができます。

(2) 職務分掌

職務分掌は、部長や課長などの役職についてそれぞれの役割を明確にし、職務における責任や権限を適切に配分することです。

例えば、管理職と従業員であれば、次のようになります。

- **管理職**：プロジェクトの計画と調整、予算管理、チームの監督などの責任をもつ。**特定の部門やプロジェクトに関連する情報へのアクセス権限**が与えられる。
- **従業員**：業務の実行、タスクの完了、報告などの責任をもつ。**必要な情報やシステムへのアクセス権限**が与えられる。

ネットワーク管理者とユーザであれば、次のようになります。

- **ネットワーク管理者**：ネットワークの設計、監視、保守、セキュリティ対策などの責任をもつ。**ネットワーク機器や管理ツールへのアクセス権限**が与えられる。
- **ユーザ**：ネットワーク上のシステムやアプリケーションを使用する。**必要なデータやアプリケーションへのアクセス権限**が与えられるが、ネットワークの管理に関する権限はもたない。

(3) ユーザ認証と認可

ユーザがシステムやネットワークにアクセスする際には、正当なユーザであることを確認するための**認証手段**が必要です。

◎認証

認証とは、本人であることを証明することです。認証には、次の3種類があります。

- **記憶や知識による認証**：IDとパスワード、秘密の質問など
- **持ち物による認証**：IDカード、社員証など
- **生体（バイオメトリクス）認証**：指紋、顔、手のひらの静脈など

◯認可

認可は、各ユーザのアクセスできる情報やリソースを決めて制御することです。つまり、サービスにアクセス可能な利用者や端末、場所などに制限をかけて、管理者の許可を得た利用者のみがサービスを利用できるようにすることです。**アクセス制御**と呼ぶこともあります。

例えば、コンサートのチケットを考えてみてください。チケットには対象のコンサート名や会場、座席番号が記載されています。チケットをもっている人は、そのコンサート会場に入場することが許されます。これが認可です。

◯認証と認可の違い

認証と認可の役割の違いについて、もう少し解説します。顔認証の例では、あなたは顔という生体情報を利用して、目の前にいる人が「Aさん」であることを特定（認証）できますが、その「Aさん」に対して、例えば「部屋に入ってよい」といったような許可（認可）を与えているわけではありません。

コンサートの例では、主催者は「対象の会場、特定の座席」でコンサートを鑑賞してもよいという許可（認可）を与えていますが、その人が「Aさん」であることを特定（認証）していません。

飛行機の場合はどうでしょう。国際線の搭乗手続きは、パスポートによって本人確認を行う「認証」と、航空券による「認可」の組み合わせといえます。

このように、認可と認証を組み合わせることで、「誰に対して」「何を許可するか」を厳密に制御できるのです。

▼認証と認可の例

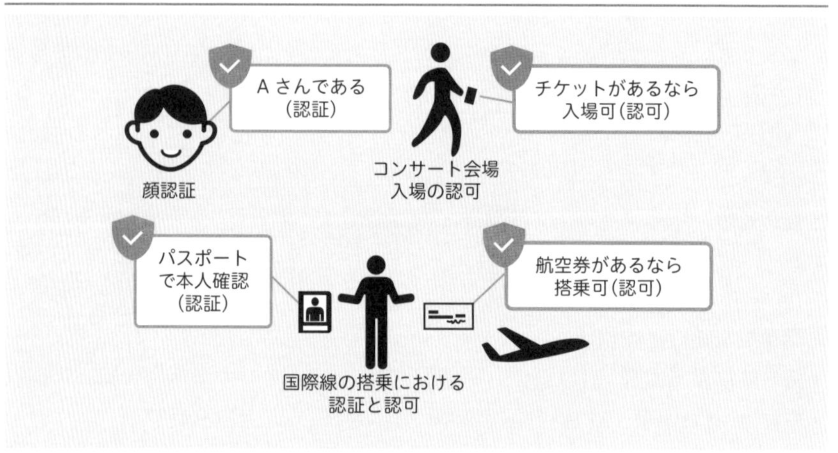

(4) 定期的なレビューと更新

組織の状況や業務の変化に応じて、**権限のレビュー（権限の妥当性の確認）と更新**を定期的に行う必要があります。特にユーザの役割や業務が変わった場合や、組織内のセキュリティポリシーに変更があった場合には、権限の再評価が必要です。例えば、退職者の権限は速やかに削除する必要があります。

ここが重要！

アクセス権限は「誰が」「どの資源に」「どんなアクセス」をするかを決定するという形で出題されます。「誰が」は個人の場合もあれば、部署や役職の場合もあります。本文中に「権限に関する情報」が書かれていた場合は、その部分を抜き出したメモを作るといいでしょう。

6-1のまとめ

- アクセス権とは、システムの登録利用者や利用者のグループに対して設定される、「そのシステムの管理する資源」を使用する権限。
- セキュリティ上は権限を必要最小限にすること、適切にメンテナンスをすることが求められる。

IPA公式サンプル問題＆徹底解説

情報セキュリティマネジメント サンプル問題（令和4年12月）問57

A社は従業員600名の投資コンサルティング会社である。東京の本社には，情報システム部，監査部などの管理部門があり，関西にB支店がある。B支店の従業員は10名である。

B支店では，情報システム部が運用管理しているファイルサーバを使用しており，顧客情報を含むファイルを一時的に保存する場合がある。その場合，ファイルのアクセス権は，当該ファイルを保存した従業員が最小権限の原則に基づいて設定する。今年，B支店では，従業員にヒアリングを行い，ファイルのアクセス権がそのとおりに設定されていることを確認した。

〔自己評価の実施〕

A社では，1年に1回，監査部が各部門に，評価項目を記載したシート（以下，自己評価シートという）を配布し，自己評価の実施と結果の提出を依頼している。

B支店で情報セキュリティリーダーを務めるC氏は，監査部から送付されてきた自己評価シートに従って，職場の状況を観察したり，従業員にヒアリングしたりして評価した。自己評価シートの評価結果は図1の判定ルールに従って記入する。C氏が作成したB支店の評価結果を表1に示す。

▼図１　評価結果の判定ルール

・評価項目どおりに実施している場合：“OK”
・評価項目どおりには実施していないが，代替コントロールによって，“OK”の場合と同程度にリスクが低減されていると考えられる場合：“(OK)”（代替コントロールを具体的に評価根拠欄に記入する。）
・評価項目どおりには実施しておらず，かつ，代替コントロールによって評価項目に関するリスクが抑えられていないと考えられる場合：“NG”
・評価項目に関するリスクがそもそも存在しない場合：“NA”

▼ **表1　B支店の評価結果（抜粋）**

No.	評価項目	評価結果	評価根拠
10	（省略）	OK	（省略）
19	ファイルサーバ上の顧客情報のアクセス権は最小権限の原則に基づいて設定されている。	a	
25	（省略）	OK	（省略）

設問

表1中の［ a ］に入れる字句はどれか。解答群のうち，最も適切なものを選べ。

aに関する解答群

	評価結果	評価根拠
ア	OK	アクセス権の設定状況が適切であることを確認した。
イ	OK	アクセス権を適切に設定するルールが存在することを確認した。
ウ	OK	ファイルサーバは情報システム部が運用管理している。
エ	NA	顧客情報をファイルサーバに保存することは禁止されている。

解答・解説

情報セキュリティマネジメントサンプル問題(令和4年12月)問57　解答 ア

評価項目19の「ファイルサーバ上の顧客情報のアクセス権は最小権限の原則に基づいて設定されている」について、適切な評価結果と評価根拠を選択する問題です。

問題文には、以下の説明があります。

> 「ファイルのアクセス権は，当該ファイルを保存した従業員が最小権限の原則に基づいて設定する。今年，B支店では，従業員にヒアリングを行い，ファイルのアクセス権がそのとおりに設定されていることを確認した」

ですから、評価結果は「OK」です。ではその評価根拠は何でしょうか。ルールが存在することを確認したわけではなく、従業員にヒアリングを行っているわけですから、「アクセス権の設定状況が適切であることを確認した」ことになります。

解き方のアドバイス

最小権限の原則について、知っていれば読みやすいとは思います。ただ、知らなくとも、問題文から正解を導き出すことは可能です。セキュリティの問題は、国語的な要素の強いものがかなり多く、長文を読んで理解することが得意な受験者に有利な傾向があります。

6-2 業務委託のセキュリティ

近年では多くの業務にIT技術が使われていますが、IT関連業務は専門知識が求められ、かつ進歩の早い分野なので、専門の業者に業務委託することが多くなっています。

業務委託の概要

業務委託とは、自社業務の一部(試験では特にIT関連業務)を外部の企業や個人事業主に任せることを指します。システムの企画から運用まで一連の業務を委託する場合もあれば、開発部分だけ、運用部分だけ、という部分的な業務委託もあります。さらに、**再委託**という委託された業務を第三者に再度委託する方法もあります。

業務委託のセキュリティ管理は、組織が**外部の第三者**に業務を委託する際に重要な考慮事項です。ポイントは次の五つです。

(1) ベンダの選定と評価
(2) 契約で規定されている内容
(3) 情報の共有と取り扱い
(4) 監査と監視
(5) 終了時のデータ処理

メモ　ベンダとは、ハードウェアやソフトウェアなどの提供者を指します。

メモ　厳密には法律上は業務委託と呼びません。便宜的に業務委託契約と呼ばれている契約には、正確にいうと民法で定められる「委任契約(準委任契約)」と「請負契約」の二種類が存在します。

メモ　業務委託は、社員の採用や教育・育成コストと比べると相対的に安くなるケースが多いです。

 (1) ベンダの選定と評価

業務委託先のベンダを選定する際には、セキュリティに対する取り組みやポリシーを評価することが重要です。セキュリティに関する専門知識や認証をもつかどうか、過去のセキュリティインシデントの有無、情報セキュリティ管理体制の整備状況などを確認します。ベンダのセキュリティポリシーや契約条件に、情報セキュリティに関する責任と義務が明記されていることも確認します。

 (2) 契約で規定されている内容

業務委託契約には、**セキュリティに関する事項**が明確に規定されていることが重要です。具体的には、以下のような内容が含まれます。

- 情報セキュリティに関する規定や標準
- 監査権限
- データ保護
- 機密情報の取り扱い

契約の範囲と期間、セキュリティ違反に対する適切な制裁措置なども定められていることが望ましいです。

◎秘密保持契約の重要性

特に**再委託**などについての内容を含んだ、**秘密保持契約**を締結することは重要です。秘密保持契約とは、自社の秘密情報を他社に開示する際に、その情報を秘密に保持する方法や使用目的、使用期間、返還方法などを取り決めるために締結する契約です。

業務委託を行う多くの場合、委託元は委託先に自社のもつ情報を渡すことになります。委託業務内容によっては「個人情報などの機密にすべき情報」などが含まれることが多くあります。万が一委託先から情報漏えいが起きた場合、自社の信用は失墜し、顧客情報などの個人情報が流出してしまった場合は被害者に損害賠償金を支払うなど、多額の経済的損失も見込まれます。

委託元は、委託先との間で機密情報の取り扱いについて綿密に話し合ったうえで契約を結び、情報の取り扱い方をしっかり管理する必要があります。秘密保持

契約を締結することにより、万が一の情報漏えいが発生した際に**責任の所在**を明確化できる効果もあります。

 (3) 情報の共有と取り扱い

業務委託先には、必要最小限の情報のみを提供し、機密情報の取り扱いや保護について厳格な規定を設ける必要があります。情報の暗号化や適切なアクセス制御の実施、データのバックアップや災害対策の計画なども含めて、情報のセキュリティを確保するための措置（対策）を講じます。

◎委託元は「委託先のセキュリティ対策」に満足してはいけない

たとえ、IT系以外の会社がIT業務全般を業務委託するような場合であっても、セキュリティ対策を委託先企業に全て任せるのではなく、委託元でチェックする必要があります。委託先企業においてのセキュリティインシデントは委託元の損害に直結するからです。委託先企業におけるセキュリティ対策を確認し、必要であればフォローアップします。具体的には、委託先で実施されているセキュリティ対策の項目をチェックして、不十分な点があれば、代替案などを提案してリスクの低減を図ります。

 (4) 監査と監視

業務委託先のセキュリティ管理が適切に実施されているかを確認するため、**定期的な監査**や**監視**を実施することが重要です。委託先がセキュリティポリシーや手順に従っているか、セキュリティインシデントの早期検知や対応体制が整っているかを確認するために、監査活動やログの監視を行います。

 (5) 終了時のデータ処理

業務委託契約が終了した際には、業務委託を受けた会社が**データの処理（削除）**と**アクセス権の引き渡し（アクセス権の返却）**を行います。これらについて事前に規定を設けることが重要です。機密情報や個人情報の適切な削除や廃棄、委託先へのアクセス権の解除などが含まれます。

ここが重要!

業務委託が試験で出題される場合は、**「その作業や対策をどちらの組織で行うか」「責任はどちらにあるか」を問われることが多いです。**業務委託はあくまでも「契約」なので、あらかじめ取り決められています。問題文で「取り決めに関する説明」を読み落とさないようにしましょう。

6-2のまとめ

- 業務委託とは、自社業務の一部を外部の企業や個人事業主に任せること。
- セキュリティに関してはきちんと契約を結んだうえで、チェックをする必要がある。

コラム 科目Bにおけるセキュリティの出題傾向

企業や組織におけるセキュリティ対策は、情報を取り扱う過程の全てにおいて取り組む必要があります。すなわち、技術、人、組織、物理の4領域の各々において、確実に実施されなければなりません。

ただし、基本情報技術者試験の科目B（午後）問題に限っては、技術面を問われることが少ないようです。もちろん、科目A（午前）問題には技術的な問題が出題されるので、学習を怠るわけにはいきません。ただ科目Bの問題は組織や人に焦点が当たっています。さらに、開発よりも運用面がよく出題されます。またユーザ部門における利用者目線での業務のセキュリティが出題されることもあります。そのため、6章では権限管理と業務委託に絞って解説しています。

IPA公式サンプル問題＆徹底解説

基本情報サンプル問題（令和4年4月）問6

10 min

製造業のA社では，ECサイト（以下，A社のECサイトをAサイトという）を使用し，個人向けの製品販売を行っている。Aサイトは，A社の製品やサービスが検索可能で，ログイン機能を有しており，あらかじめAサイトに利用登録した個人（以下，会員という）の氏名やメールアドレスといった情報（以下，会員情報という）を管理している。Aサイトは，B社のPaaSで稼働しており，PaaS上のDBMSとアプリケーションサーバを利用している。

A社は，Aサイトの開発，運用をC社に委託している。A社とC社との間の委託契約では，Webアプリケーションプログラムの脆（ぜい）弱性対策は，C社が実施するとしている。

最近，A社の同業他社が運営しているWebサイトで脆弱性が悪用され，個人情報が漏えいするという事件が発生した。そこでA社は，セキュリティ診断サービスを行っているD社に，Aサイトの脆弱性診断を依頼した。脆弱性診断の結果，対策が必要なセキュリティ上の脆弱性が複数指摘された。図1にD社からの指摘事項を示す。

▼図1　D社からの指摘事項

（一）Aサイトで利用しているDBMSに既知の脆弱性があり，脆弱性を悪用した攻撃を受けるおそれがある。
（二）Aサイトで利用しているアプリケーションサーバのOSに既知の脆弱性があり，脆弱性を悪用した攻撃を受けるおそれがある。
（三）ログイン機能に脆弱性があり，Aサイトのデータベースに蓄積された情報のうち，会員には非公開の情報を閲覧されるおそれがある。

設問

図1中の項番(一)～(三)それぞれに対処する組織の適切な組合せを，解答群の中から選べ。

解答群

	(一)	(二)	(三)
ア	A社	A社	A社
イ	A社	A社	C社
ウ	A社	B社	B社
エ	B社	B社	B社
オ	B社	B社	C社
カ	B社	C社	B社
キ	B社	C社	C社
ク	C社	B社	B社
ケ	C社	B社	C社
コ	C社	C社	B社

解答はp.319

基本情報公開問題（令和5年7月）問6　7 min

A社は，放送会社や運輸会社向けに広告制作ビジネスを展開している。A社は，人事業務の効率化を図るべく，人事業務の委託を検討することにした。A社が委託する業務（以下，B業務という）を図1に示す。

▼図1　B業務

- 採用予定者から郵送されてくる入社時の誓約書，前職の源泉徴収票などの書類をPDFファイルに変換し，ファイルサーバに格納する。

（省略）

委託先候補のC社は，B業務について，次のようにA社に提案した。
- B業務だけに従事する専任の従業員を割り当てる。
- B業務では，図2の複合機のスキャン機能を使用する。

▼図2　複合機のスキャン機能（抜粋）

- スキャン機能を使用する際は，従業員ごとに付与した利用者IDとパスワードをパネルに入力する。
- スキャンしたデータをPDFファイルに変換する。
- PDFファイルを従業員ごとに異なる鍵で暗号化して，電子メールに添付する。
- スキャンを実行した本人宛てに電子メールを送信する。
- PDFファイルが大きい場合は，PDFファイルを添付する代わりに，自社の社内ネットワーク上に設置したサーバ（以下，Bサーバという）[1)]に自動的に保存し，保存先のURLを電子メールの本文に記載して送信する。

注[1)]　Bサーバにアクセスする際は，従業員ごとの利用者IDとパスワードが必要になる。

A社は，C社と業務委託契約を締結する前に，秘密保持契約を締結した。その後，C社に質問表を送付し，回答を受けて，業務委託での情報セキュリティリスクの評価を実施した。その結果，図3の発見があった。

▼図3　発見事項

・複合機のスキャン機能では，電子メールの差出人アドレス，件名，本文及び添付ファイル名を初期設定1)の状態で使用しており，誰がスキャンを実行しても同じである。
・複合機のスキャン機能の初期設定情報はベンダーのWebサイトで公開されており，誰でも閲覧できる。

注[1)] 複合機の初期設定はC社の情報システム部だけが変更可能である。

そこで，A社では，初期設定の状態のままではA社にとって情報セキュリティリスクがあり，初期設定から変更するという対策が必要であると評価した。

設問

対策が必要であるとA社が評価した情報セキュリティリスクはどれか。解答群のうち，最も適切なものを選べ。

解答群

ア　B業務に従事する従業員が，攻撃者からの電子メールを複合機からのものと信じて本文中にあるURLをクリックし，フィッシングサイトに誘導される。その結果，A社の採用予定者の個人情報が漏えいする。

イ　B業務に従事する従業員が，複合機から送信される電子メールをスパムメールと誤認し，電子メールを削除する。その結果，再スキャンが必要となり，B業務が遅延する。

ウ　攻撃者が，複合機から送信される電子メールを盗聴し，添付ファイルを暗号化して身代金を要求する。その結果，A社が復号鍵を受け取るために多額の身代金を支払うことになる。

エ　攻撃者が，複合機から送信される電子メールを盗聴し，本文に記載されているURLを使ってBサーバにアクセスする。その結果，A社の採用予定者の個人情報が漏えいする。

解答はp.321

解答・解説

基本情報サンプル問題（令和4年4月）問6　**解答** オ

まず、前提知識として、クラウドサービスについて、解説します。**クラウドサービス**とは、離れた場所で動くコンピュータを、インターネットを介して使うサービスのことです。クラウドサービスは、必要な機能を利用するためのサーバやソフトウェアの設定・管理をベンダが全て用意してくれるため、専門知識がなくてもすぐに導入できます。これにより、自社でシステムを構築するよりも遥かに導入ハードルが低くなり、近年は導入する企業が急増しています。

クラウドサービスにはさまざまな種類がありますが、ここでは代表的な三つのサービス形態を説明します。

▼クラウドサービスの形態

IaaS（Infrastructure as a Service）	仮想化されたサーバや共有ディスクなどのコンピューティングリソース、インフラ環境をインターネット経由で利用するサービス形態。
PaaS（Platform as a Service）	Webサーバやデータベースなどのアプリケーションの実行環境や機能をインターネット経由で利用できるサービス形態。
SaaS（Software as a Service）	電子メール、グループウェア、顧客管理システム、財務会計ソフトなどさまざまなソフトウェア（アプリケーション）をインターネット経由で利用できるサービス形態。

それぞれの形態の責任範囲は次のようなものです。

▼**クラウドサービス形態と責任範囲**

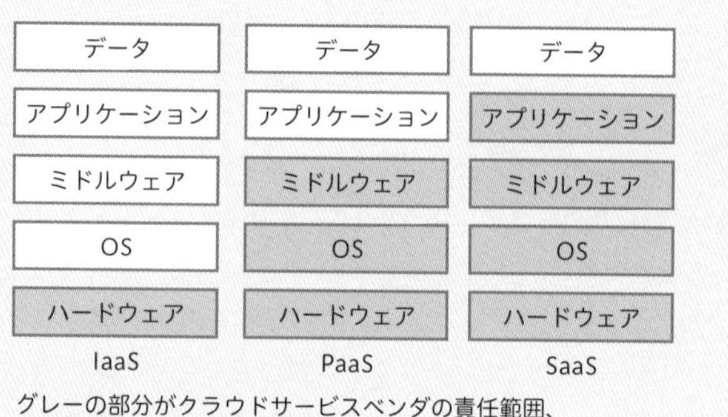

(一) PaaS (Platform as a Service：パース) は、アプリケーションを実行するためのプラットフォーム（共通の基盤）をインターネットを介して提供するサービスのことです。プラットフォームとは、OS/ネットワーク/開発環境などのことで、個々のサービスによって違いはありますが、問題文には以下の記述があります。

> Aサイトは，B社のPaaSで稼働しており，PaaS上のDBMSとアプリケーションサーバを利用している

　プラットフォームの維持管理はサービス事業者側の責任で行われるので、DBMSの脆弱性管理に対処するのはB社です。

(二) OSもB社のPaaSとして提供されているので、脆弱性に対処するのはサービス事業者であるB社です。

(三) 問題文に以下の記述があります。

> A社とC社との間の委託契約では，Webアプリケーションプログラムの脆弱性対策は，C社が実施するとしている

　Aサイトのログイン機能はWebアプリケーションですから、その脆弱性に対処するのはC社です。

解き方のアドバイス

PaaSに関する若干の知識は必要ですが、必要な事項は全て問題文中にあります。解答群は三つの会社の組み合わせが多数並んでいるので、当てずっぽうでは正解になりません。一つ一つつぶしていく必要があります。例えば問題文の「A社とC社との間の委託契約では、Webアプリケーションプログラムの脆弱性対策は、C社が実施するとしている」という記述から、ログイン機能はWebアプリケーションなのだから、C社の責任であるということが読み取れれば、解答は（三）を見て「イ」「オ」「キ」「ケ」に絞れます。では、これらの選択肢のうち、異なる部分は・・・というように考えていきましょう。

基本情報公開問題（令和5年7月）問6　**解答 ア**

問題文の前提が少し読み取りにくいので、整理しましょう。

- A社は個人情報に関わるデータの格納についてC社に業務委託することを検討している。

複合機のスキャン機能は次のとおりです。

- 書類を複合機でスキャンしてPDF化する
- それを暗号化してメール添付して本人に送信する
- ファイルサイズが大きい場合は、サーバに自動保存して、保存先のURLを本文に入れたメールを送信する

発見事項（たぶん、ここにリスクがあると予想される）は次のとおりです。

- メールの差出人アドレスや件名などが初期設定のままになっている
- その初期設定の内容は誰でも閲覧可能である

この発見事項に対し、対策が必要であるとA社が評価した情報セキュリティリスクが問われています。
解答群を確認しましょう。

ア　攻撃者はメールの差出人などの情報を得ることができます。そこで複合機からのメールになりすまして**フィッシングメール**を送信することが可能です。その結果として、本文中のURLをクリックしてしまい、個人情報が漏えいするリスクがあります。適切な記述です。

イ　複合機から送信される電子メールを**スパムメール**と誤認する可能性は皆無ではありません。ただ、差出人や件名の情報はあらかじめ知らされているので、よほどのうっかりものでない限り、誤認するリスクは低いと考えられます。

ウ　電子メールが盗聴されるリスクは皆無ではありません。しかし添付されたPDFファイルは**従業員ごとに異なる鍵**で暗号化されています。攻撃者はPDFファイルを復号することはできません。万が一さらに暗号化されたとしても、再送すればよいので問題はありません。

エ　電子メールが盗聴されるリスクは皆無ではありません。しかしBサーバにアクセスする際は、**従業員ごとの利用者IDとパスワード**が必要なので、攻撃者がアクセスすることはできません。

解き方のアドバイス

解答の前提となる本文部分で、「これってダメじゃない？」というところをチェックしましょう。それに対し解答群が本当にリスクとなるかどうかを考えます。どれももっともらしいので、なぜリスクとなるのかを見極めてください。

索　引

記号

A・B・C

D・E・F

I・J・K

L・M・N・O

P・R・S

T・U・V・W・X

あ行

か行

さ行

た行

な行

は行

ま行

や行

ら行

本書の演習問題は、IPAが公開している科目Bのサンプル問題・公開問題を中心に構成しています。
各問題は以下のURLで、IPAの公式サイトからPDFが取得できます。
必要に応じてご利用ください。

- **サンプル問題セット(令和4年4月、12月に公開)**
  https://www.ipa.go.jp/shiken/syllabus/henkou/2022/20220425.html
- **公開問題(CBT方式の試験開始後の令和5年7月に公開)**
  https://www.ipa.go.jp/shiken/mondai-kaiotu/sg_fe/koukai/2023r05.html
- **基本情報旧試験の過去問題**
  https://www.ipa.go.jp/shiken/mondai-kaiotu/index.html
- **ITパスポート試験の過去問題**
  https://www3.jitec.ipa.go.jp/JitesCbt/html/openinfo/questions.html

▼基本情報サンプル問題令和4年4月公開分

問題番号	分類	掲載章	掲載節
1	アルゴリズム	1	1－5
2	アルゴリズム	2	2－1
3	アルゴリズム	3	3－6
4	アルゴリズム	2	2－1
5	アルゴリズム	3	3－7
6	セキュリティ	6	6－2

▼基本情報サンプル問題令和4年12月公開分

問題番号	分類	掲載章	掲載節
1	アルゴリズム	1	1－2
2	アルゴリズム	1	1－5
3	アルゴリズム	2	2－1
4	アルゴリズム	3	3－1
5	アルゴリズム	3	3－5
6	アルゴリズム	3	3－3
7	アルゴリズム	3	3－4
8	アルゴリズム	3	3－6(例題)
9	アルゴリズム	2	2－5
10	アルゴリズム	3	3－6(例題)
11	アルゴリズム	3	3－2
12	アルゴリズム	3	3－7
13	アルゴリズム	3	3－2
14	アルゴリズム	3	3－5
15	アルゴリズム	3	3－5
16	アルゴリズム	3	3－5
17	セキュリティ	4	4－3
18	セキュリティ	5	5－1
19	セキュリティ	4	4－2
20	セキュリティ	5	5－4

▼基本情報サンプル問題令和5年7月公開分

問題番号	分類	掲載章	掲載節
1	アルゴリズム	1	1－5
2	アルゴリズム	1	1－5
3	アルゴリズム	3	3－2
4	アルゴリズム	3	3－5
5	アルゴリズム	3	3－5
6	セキュリティ	6	6－2

▼情報セキュリティマネジメントサンプル問題令和4年12月公開分

問題番号	分類	掲載章	掲載節
50	セキュリティ	4	4－1
56	セキュリティ	4	4－3
60	セキュリティ	5	5－2
54	セキュリティ	5	5－3
53	セキュリティ	5	5－5
57	セキュリティ	6	6－1

■本書サポートページ

https://isbn2.sbcr.jp/16397/

• 本書をお読みいただいたご感想を上記URLからお寄せください。
• 上記URLに正誤情報、サンプルダウンロード等、本書の関連情報を掲載しておりますので、併せてご利用ください。

■著者プロフィール

城田 比佐子

お茶の水女子大学理学部卒。住友商事でシステムの企画を担当。その後、NEC教育部、駿台電子専門学校、(株) TACなどで情報処理教育に携わる。現在はフリーインストラクタとしてIT全般における教育、コミュニケーション系の教育、書籍執筆、教材作成などに従事している。著書に『3週間完全マスター　基本情報技術者』『同　応用情報技術者』『プログラミング未経験者のための 基本情報技術者 午後 プログラム言語』(すべて日経BP社)『出るとこだけ！ ITパスポート』(翔泳社) などがある。

初心者が合格できる
知識と実力がしっかり身につく
基本情報技術者　[科目B]

2023年　9月 7日　初版第1刷発行
2024年　4月29日　初版第2刷発行

著　者……………………城田 比佐子
発行者……………………出井 貴完
発行所……………………SBクリエイティブ株式会社
〒105-0001 東京都港区虎ノ門2-2-1
https://www.sbcr.jp/
カバーデザイン……………西垂水 敦 (krran)
本文イラスト………………いわさきなぎさ
編集………………………本間千裕
本文デザイン・制作………クニメディア株式会社
印　刷……………………株式会社シナノ

落丁本、乱丁本は小社営業部にてお取り替えいたします。
定価はカバーに記載されています。

Printed in Japan ISBN978-4-8156-1639-7